주한미군지위협정(SOFA)

서명 및 발효 3

주한미군지위협정(SOFA)

서명 및 발효 3

| 머리말

미국은 오래전부터 우리나라 외교에 있어서 가장 긴밀하고 실질적인 우호 · 협력관계를 맺어 온 나라다. 6 · 25전쟁 정전 협정이 체결된 후 북한의 재침을 막기 위한 대책으로서 1953년 11월 한미 상호방위조약이 체결되었다. 이는 미군이 한국에 주둔하는 법적 근거였고, 그렇게 주둔하게 된 미군의 시설, 구역, 사업, 용역, 출입국, 통관과 관세, 재판권 등 포괄적인 법적 지위를 규정하는 것이 바로 주한미군지위협정(SOFA)이다. 그러나 이와 관련한 협상은 계속된 난항을 겪으며 한미 상호방위조약이 체결로부터 10년이 훌쩍 넘은 1967년이 돼서야 정식 발효에 이를 수 있었다. 그럼에도 당시 미군 범죄에 대한 한국의 재판권은 심한 제약을 받았으며, 1980년대 후반 민주화 운동과 함께 미군 범죄 문제가 사회적 이슈로 떠오르자 협정을 개정해야 한다는 목소리가 커지게 되었다. 이에 1991년 2월 주한미군지위협정 1차 개정이 진행되었고, 이후에도 여러 사건이 발생하며 2001년 4월 2차 개정이 진행되어 현재에 이르고 있다.

본 총서는 외교부에서 작성하여 최근 공개한 주한미군지위협정(SOFA) 관련 자료를 담고 있다. 1953년 한미 상호방위조약 체결 이후부터 1967년 발효가 이뤄지기까지의 자료와 더불어, 이후 한미 합동위원회을 비롯해 민 · 형사재판권, 시설, 노무, 교통 등 각 분과위원회의 회의록과 운영 자료, 한국인 고용인 문제와 관련한 자료, 기타 관련 분쟁 자료 등을 포함해 총 42권으로 구성되었다. 전체 분량은 약 2만 2천여 쪽에 이른다.

2024년 3월

한국학술정보(주)

| 일러두기

· 본 총서에 실린 자료는 2022년 4월과 2023년 4월에 각각 공개한 외교문서 4,827권, 76만 여 쪽 가운데 일부를 발췌한 것이다.

· 각 권의 제목과 순서는 공개된 원본을 최대한 반영하였으나, 주제에 따라 일부는 적절히 변경하였다.

· 원본 자료는 A4 판형에 맞게 축소하거나 원본 비율을 유지한 채 A4 페이지 안에 삽입하였다. 또한 현재 시점에선 공개되지 않아 '공란'이란 표기만 있는 페이지 역시 그대로 실었다.

· 외교부가 공개한 문서 각 권의 첫 페이지에는 '정리 보존 문서 목록'이란 이름으로 기록물 종류, 일자, 명칭, 간단한 내용 등의 정보가 수록되어 있으며, 이를 기준으로 0001번부터 번호가 매겨져 있다. 이는 삭제하지 않고 총서에 그대로 수록하였다.

· 보고서 내용에 관한 더 자세한 정보가 필요하다면, 외교부가 온라인상에 제공하는 『대한민국 외교사료요약집』 1991년과 1992년 자료를 참조할 수 있다.

| 차례

정/리/보/존/문/서/목/록					
기록물종류	문서-일반공문서철	등록번호	911 9584	등록일자	2006-07-27
분류번호	741.12	국가코드	US	주제	
문서철명	한.미국 간의 상호방위조약 제4조에 의한 시설과 구역 및 한국에서의 미국군대의 지위에 관한 협정 (SOFA) 전59권. 1966.7.9 서울에서 서명 : 1967.2.9 발효 (조약 232호) *원본				
생산과	미주과/조약과	생산년도	1952 - 1967	보존기간	영구
담당과(그룹)	조약	조약	서가번호	--	
참조분류					
권차명	V.13 체결 교섭, 1962.1-8월				
내용목차	* 일지 : 1953.8.7 이승만 대통령-Dulles 미국 국무장관 공동성명 - 상호방위조약 발효 후 군대지위협정 교섭 약속 1954.12.2 정부, 주한 UN군의 관세업무협정 체결 제의 1955.1월, 5월 미국, 제의 거절 1955.4.28 정부. 군대지위협정 제의 (한국측 초안 제시) 1957.9.10 Hurter 미국 국무차관 방한 시 각서 수교 (한국측 제의 수락 요구) 1957.11.13, 26 정부, 개별 협정의 단계적 체결 제의 1958.9.18 Dawling 주한미국대사, 형사재판관할권 협정 제외 조건으로 행정협정 체결 의사 전달 1960.3.10 정부, 토지, 시설협정의 우선적 체결 강력 요구 1961.4.10 장면 국무총리-McConaughy 주한미국대사 공동성명으로 교섭 개시 합의 1961.4.15, 4.25 제1, 2차 한.미국 교섭회의 (서울) 1962.3.12 정부, 교섭 재개 촉구 공한 송부 1962.5.14 Burger 주한미국대사, 최규하 장관 면담 시 형사재판관할권 문제 제기 않는 조건으로 교섭 재개 통고 1962.9.6 한.미국 간 공동성명 발표 (9월 중 교섭 재개 합의) 1962.9.20~ 1965.6.7 제1-81차 실무 교섭회의 (서울) 1966.7.8 제82차 실무 교섭회의 (서울) 1966.7.9 서명 1967.2.9 발효 (조약 232호)					

마/이/크/로/필/름/사/항				
촬영연도	*롤 번호	화일 번호	후레임 번호	보관함 번호
2006-11-22	I-06-0067	08	1-337	

0001

(行政協定관계)

외교활동보고서

외방(조) 제 호 1962. 2. 23.

수신 : 장관 참조. 정보 국장

제목 : 한미간의 주둔군지위협정 체결 교섭 문제

당국에서 외국 인사와 접촉한 내용 및 경위를 아래와 같이 보고 합니다.

- 아래 -

1. 접촉 인사 : Magistretti 미국 대사관 부대사 및 Habib 참사관

2. 접촉 일시 : 1962. 2월 23일

3. 접촉 장소 : 오찬회 석상

4. 접촉 목적 : Magistretti 부대사 초청 오찬

5. 접촉 경위 및 내용 : 이 외무부 차관, 문 정무 국장, 전 방교국장은 미국 대사관 부대사 Magistretti 씨의 오찬 초대에 참석 하였다. 동 오찬회에는 미국 대사관 하비부 참사관도 참석 하였음. 동 석상에서 여러가지 화제중 방교국 소관 사항으로 Magistretti 씨는 2월 23일자 워싱톤발 UPI 기사 (한미 행정 협정 체결 교섭 문제)에 언급하고 미국 대사관 측으로서는 동 내용에 대하여 전혀 아는바 없음을 명확히 하는 동시에 동 대사관으로서는 얼마전 최 외무부 장관이 행정 협정의 조속한 체결을 위한 교섭 재개의 의사를 Berger 대사에게 표시 한바를 국무성에 타전하고 그에 대한 회보를 기다리는 중이라고 말 하였음.

次官 長官

0002

이에 대하여 이 차관은 비록 여사한 UPI 기사가 미국측의 공적 견해는 아니라 하드라도 파주 사건의 여파로 한동안 흥분되었던 한국 언론이 현재 겨우 진정 되려는 이때에 여사한 기사가 던지는 파문은 새로운 자극을 초래할 우려가 있는 것으로 생각 한다고 말 하였음.

또한 Magistretti 씨는 Berger 대사가 마니라에서 개최되는 공관장 회의에 참석하기 위하여 3월 2일 서울을 출발할 예정임을 밝혔음. (동행자 대몬 공보 담당 참사관, 존슨 행정 담당 참사관 김렌 유섬 처장)

건 의

3월 2일 Berger 대사가 마니라로 향발할 것이 확실시 됨에 따라 중단 되었던 한 미 행정 협정 체결을 위한 교섭재개의 우리측 제의는 동 대사가 출발하기 전인 2월 28일경 까지는 이를 작성하여 동 대사에게 수교함이 좋을 것으로 생각 함.

보고서작성자 방교국장 전 상 진

방 교 국 장 전 상 진

0003

UPIA-254

WASHINGTIN, FEB. 23—(UPI)—THE UNITED STATES HAS INFORMED THE REPUBLTIC OF KOREA THERE WILL BE NO U.S. STATUS OF FORCES AGREEMENT THERE UNTIL THE KOREAN JUDICIAL PROCESS HAS BEEN "CLARIFIED," INFOREMED SOURCES SAID THURSDAY.

TALKS AIMED AT AN AGREEMENT LONG-SOUGHT BY KOREA WERB INTERRUPTED BY THE MILITARY REVOLUTION LAST MAY.

A DIPLOMATIC SOURCE IN SEOUL THURSDAY SAID THE ROK GOVERNMENT WILL STRESS THE NEED FOR AN EARLY CONSLUSION OF THE NEGOTIATIONS TO AVERELL HARRIMAN, ASSISTANT SECRETARY OF STATE FOR FAR EASTERN AFFAIRS, DURING AN EXPECTED VISIT TO SEOUL IN MID-MARCH.

A STATE DEPARTMENT OFFICIAL SAID "IF MR. HARRIMAN GOES HE WILL GO TO MEET LEADERS OF THE NEW REVOLUTIONARY GOVERNMENT AND OFFICIALS OF THE U.S. MISSION THERE."

HARRIMAN PLANS TO ATTEND A MARCH 10-11 CONFERNCE IN THE PHILIPPINES OF U.S. CHIEFS OF MISSION FROM THE FAR EAST. HE MAY REMAIN ANOTHER TWO DAYS FOR LOWER LEVEL CONFERENCES IT IS REPORTED HE HOPES TO ARRANGE FOR ONE-DAY VISITS TO SEOUL AND TOKYO BEFORE RETURNING TO THE UNITED STATES.

UPIA-255

THERE WAS NO IMMEDIATE OFFICIAL PUBLIC COMMENT FROM THE STATE DEPARTMENT ON THE STATUS OF FORCES AGREEMENT NEGOTIATIONS.

BUT A DIPLOMATIC SOURCE SAID THAT U.S. AMBASSADOR SAMUEL BERGER HAS TOLD KOREAN OFFICIAIS THE UNITED STATES WANTS FIRST TO SEE THE JUDICIAL PROCESS CLARIFIED BEFORE U.S. MILITARY PERSONNEL ARE PUT UNDER THIS PROCESS. THE UNITED STATES ALSO WAS REPORTED TO HAVE TOLD THE ROK GOVERNMENT IT WOULD FEEL BETTER ABOUT CONCLUDING A STATUS OF FORCES AGREEMENT "IF THERE WERE A DEMOCRATIC GOVERNMENT IN POWER."

A FIRST STEP TO RESUMING NEGOTIATIONS, SOUCES SAID, WOULD BE FOR A U.S. MILITARY XXX JUDGE ADVOCATE TO MAKE A STEP-BY-STEP COMPARISON OF KCEAN AND US. LAWS SO THAT COMPROMISE PROVISIONS

0004

COULD BE SUGGESTED. THIS, THEY SAID, HAS NOT YET VEEN DONE.

ONE SOURCE ESTIMATED IT WOULD TAKE SIX TO EIGHT WEEKS TO COMPLETE STATUS OF FORCES NEGOTIATIONS ONCE THEY ARE STARTED.

0005

대한민국 외무부

발신전보

지급

종별

번호: WD-0293

일지: 261100

수신인: 주미대사

2월 23일 미국무성 대변인 Lincoln White 씨가 한미간의 군대지위협정 체결문제에 관하여 언급한 발표문 전문을 조사보고 하시기 바람. (방교)

장관

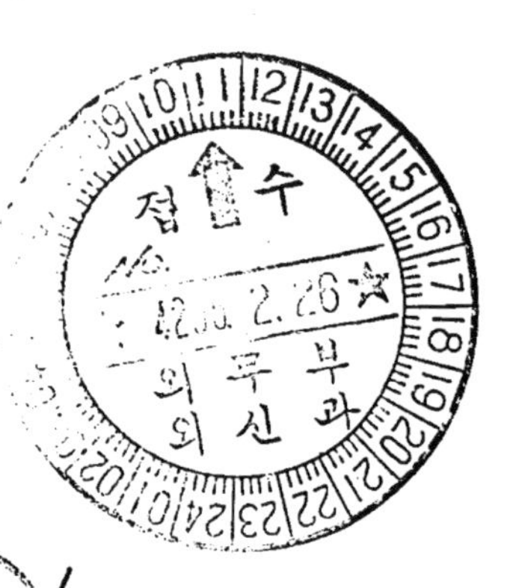

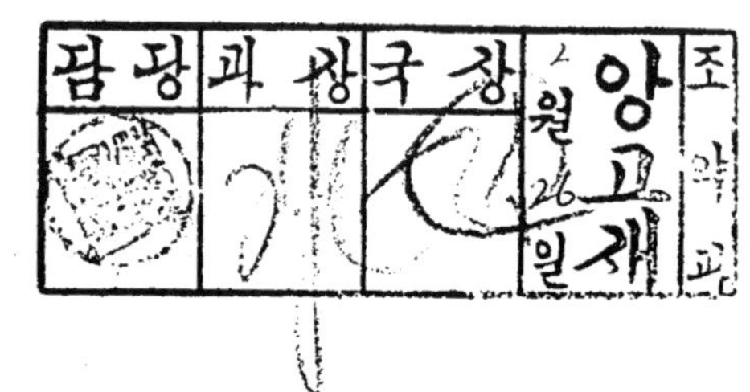

검열 1962. 2. 26 통제관

송신시간:

주무국과:

결재:

검인

외신과

0006

담 당	과 장	국 장	차 관	장 관	조 약 과

착신전보

대한민국 외무부

지 급
종 별

번 호 : DW — 02122

일 시 : 271700

수 신 인 : 외무부장관 귀하

WASH.

대 DW — 0293 호

린컨 화이트 국무성 대변인 기자회견, 한국 관계부분을 아래와 같이 보고함.(방조)

Q. " DO YOU HAVE ANY COMMENT ON THE REPORTS THAT SOUTH KOREAN GOVERNMENT IS GOING TO ASK UNITED STATES TO NEGOTIATE A STATUS OF FORCES AGREEMENT ?"

A. " WE HAVE RECENTLY RECEIVED FROM OUR AMBASSADOR IN KOREA COMMUNICATIONS PRESENTING THE KOREAN GOVERNMENT'S VIEWS ON THE MATTER AND THEY ARE PRESENTLY UNDER CONSIDERATION IN THE DEPARTMENT. WE ARE NOT NOW NEGOTIATING THIS ISSUE WITH THE KOREAN GOVERNMENT."

Q. " DID THE KOREAN GOVERNMENT ASK FOR IT?"

A. " NO, THIS IS MY REPORT. MY UNDERSTANDING OF THE REPORT IS THAT SOMEBODY SUGGESTED THAT THEY MIGHT BRING THIS UP WITH HARRIMAN IF HE GOES THERE. OBVIOUSLY HIS VISIT THERE IS GOING TO BE OF A VERY SHORT DURATION AND THIS IS SOMETHING YOU CAN'T SETTLE IN A MATTER OF A COUPLE OF DAYS OR SO. SO IF HE GOES TO KOREA, IT IS NOT EXPECTED THAT HE WILL BE THERE NOT MORE THAN ONE DAY AND THAT WOULD BE PRIMARILY FOR THE PURPOSE OF BECOMING ACQUAINTED WITH THE LEADERS OF THE KOREAN GOVERNMENT."

주 미 대 사

수신시간:

검 인

0007

외 신 과

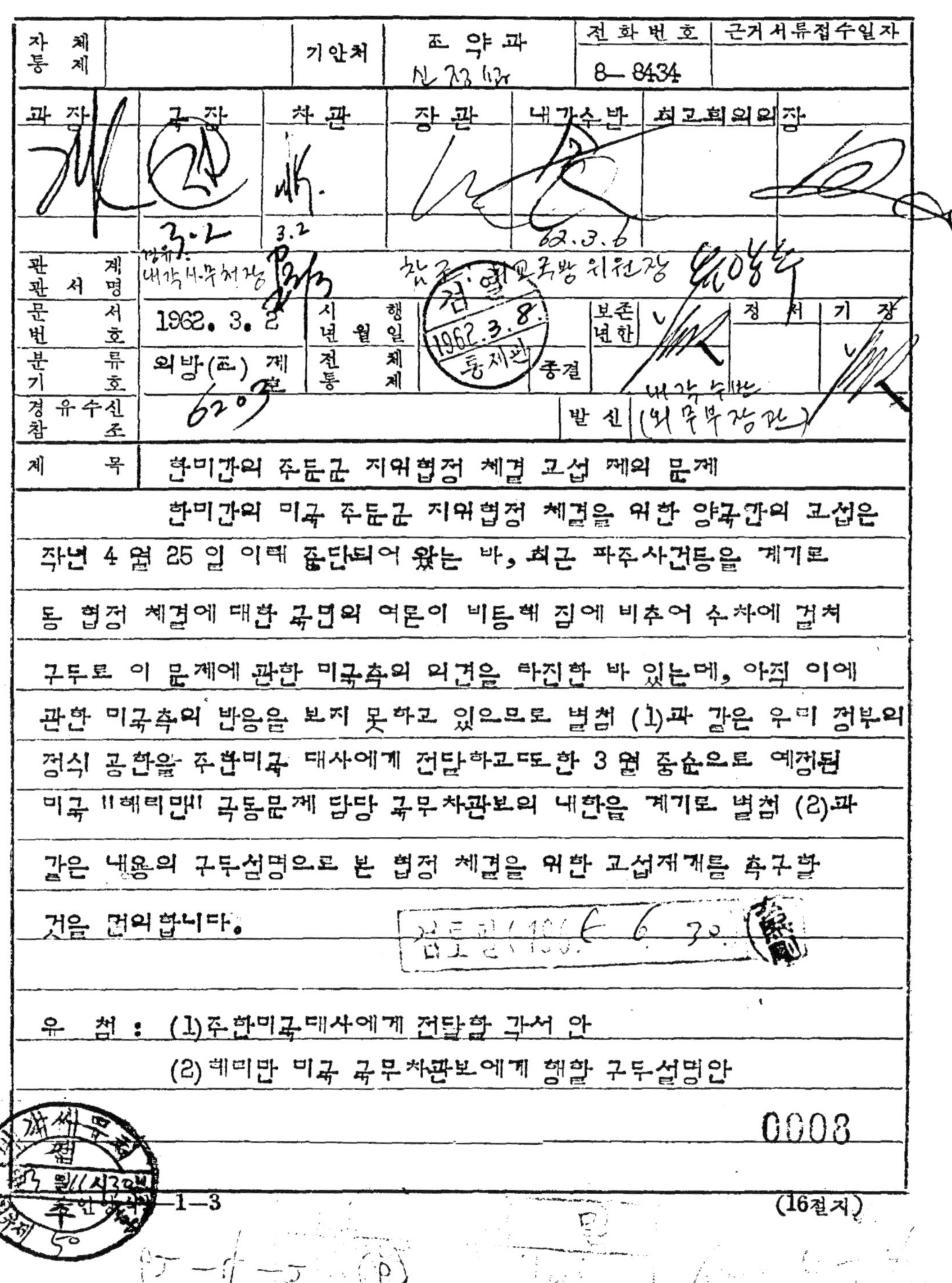

기 안 용 지

자체 통제		기안처	조약과	전화번호 8-8434	근거서류접수일자

과장	국장	차관	장관	내각수반	최고회의의장
	3.2	3.2		62.3.6	

관계 관서명	내각사무처장	참조 국방위원장			
문서 번호	1962. 3. 2	시행 년월일	1962.3.8.	보존 년한	정서 기장
분류 기호	외방(조) 계 620	전체 통제		종결	
경유수신 참조				발신	(외무부장관)

제목	한미간의 주둔군 지위협정 체결 교섭 재의 문제

한미간의 미국 주둔군 지위협정 체결을 위한 양국간의 교섭은 작년 4 월 25 일 이래 중단되어 왔는 바, 최근 파주사건등을 계기로 동 협정 체결에 대한 국민의 여론이 비등해 짐에 비추어 수차에 걸쳐 구두로 이 문제에 관한 미국측의 의견을 타진한 바 있는데, 아직 이에 관한 미국측의 반응을 보지 못하고 있으므로 별첨 (1)과 같은 우리 정부의 정식 공한을 주한미국 대사에게 전달하고 또한 3 월 중순으로 예정된 미국 "해리만" 극동문제 담당 국무차관보의 내한을 계기로 별첨 (2)과 같은 내용의 구두설명으로 본 협정 체결을 위한 교섭재개를 촉구할 것을 건의합니다.

유 첨 : (1)주한미국대사에게 전달할 각서 안

(2)해리만 미국 국무차관보에게 행할 구두설명안

0008

1—3 (16절지)

외 무 부

1962. ______________ .

각 하:

본인은 1961 년 4 월 25 일 외무부에서 제 2 차 회의를 마지막으로 개최한 이래 미국측의 요구에 의하여 중단되고 있는 주한 미군의 지위에 관한 협정의 체결을 위한 교섭을 재개하는 문제에 관하여 각하와 본인이 최근에 가졌던 협의에 언급하는 영광을 갖는 바 입니다.

미국측이 이러한 협정의 체결을 위하여 즉시 교섭을 개시할 용의를 갖추고 있음을 확인하고, 또한 위에 말한 바와 같이 그후 2 차에 걸친 회의를 성립시킨 1961 년 4 월 10 일자 장면 전 국무총리와 매카나기 전 미대사간의 공동 성명에 각하의 관심을 환기하는 바 입니다.

우리 정부는 이러한 협정의 체결이 양국의 공동 목표와 이익에 크게 이바지 할것임을 확신하는 바 입니다.

그러므로 미국 정부가 본 문제에 대하여 호의적인 고려를 행하고 본 협정의 체결을 위하여 조속한 교섭재개에 동의하는 회답을 보내 주시기를 진심으로 바라는 바 입니다.

각하에게 본인의 변함없는 최고의 경의를 표하는 바 입니다.

미 합중국 대사
사무엘 디 버어거 각 하

0003

0010

REPUBLIC OF KOREA

TRANSLATION

MINISTRY OF FOREIGN AFFAIRS March 12, 1962

Excellency:

I have the honour to refer to the conversations which Your Excellency and I recently had on the subject of resumption of negotiations for the conclusion of an agreement on the status of the United States forces in the Republic of Korea which have been suspended at the request of the representative of the United States since the last meeting held for the second time at the Foreign Ministry on April 25, 1961.

Your Excellency's attention is kindly invited to the joint statement made between former Prime Minister Chang and former Ambassador McConaughy on April 10, 1961, which confirmed the readiness of the United States Government to enter into negotiations for the conclusion of such agreement, bringing about subsequent two meetings as afore-mentioned.

It is the earnest conviction of my Government that the early conclusion of such agreement would serve to provide a greater contribution to the common cause and interests of both countries.

His Excellency
Samuel D. Berger,
Ambassador of the
United States of America

62-4-1

0011

62-11-2

미문 P2 -10

0012

It is sincerely hoped, therefore, that the United States Government give favourable consideration to this subject and make a prompt reply of concurrence for the earliest resumption of negotiations for the conclusion of this agreement.

Accept, Excellency, the renewed assurances of my highest consideration.

62-4-7

0013

62-4-2

미·분f2-10

0014

의 무 부

(안)

제 목 : 주한 미국군대의 지위에 관한 협정 체결을 위한 교섭재개

1. 1953 년의 한미간의 상호방위조약 제 4 조에 의하여 대한민국 영토 내에 미국군대가 주둔하고 있으며 또 앞으로 주둔할 것임을 유의하여 대한민국 정부는 양국의 이익을 위하여 주한 미국 군대를 규율하는 약정이 있어야 한다고 믿는 바 임.

2. 본 협정의 체결이 한국 국민과 주한 미국군대간의 보다 나은 이해와 협조를 증진하게 될 것은 재언을 요하지 않는 바 임.

3. 주한 미국군대에 대한 미국의 전속적 관할권을 규정한 잠정협정은 당시의 전쟁상태와 긴급한 필요성으로 인하여 1950 년 각서교환을 통하여 양국 정부간에 체결된 것임.

4. 1953 년 여름 이후 제 상태가 변화하였음에 비추어 상기 1950 년의 잠정협정은 그 규정이 부적당하여 현상태하에서 발생하는 모든 복잡한 문제를 해결함에 충분치 못한 것임.

5. 미국군인과 지방민간인 사이에 여러가지 사건이 발생하여 인명과 재산에 많은 손실을 가져 왔음은 유감된 일이며 1950 년의 잠정협정에 의하면 이와 같은 모든 사건은 미국의 관할에 전속하는 것임. 한국 정부는 이와 같은 사건과 현재의 사법 절차가 양국 국민간에 존재하는 우호관계를 저해하게 되지 않을까 우려하는 바 임.

6. 관할권 문제 이외에도, 시설 및 지역, 관세등 동시에 해결하여야 할 동일하게 중요한 많은 문제가 있음.

7. 정식적인 합의가 없이 주한 미군이 현재 사용하고 있는 시설 및 지역에 관하여 한국 정부는 양국의 이익을 위하여 동 문제의 조속한 해결이 이루어 져야 됨을 절감하고 있음.

8. 작년 4 월 상기 제 문제에 관한 협정을 체결하기 위하여 서울에서 양국 정부의 대표가 회의를 개최하였음.

0015

62-4-2

미.공 f2-10

0016

9. ________________ 일자 버거 주한 미국대사에게 전달한 외무부장관의 각서를 참조할 것.

10. 한국 정부는 진심으로 미국 정부가 가능한 한 조속히 본 협정의 체결을 위한 교섭재개에 대하여 신속 적절한 배려 있기를 희망함

0017

미.문p2-10

0018

/D R A F T/ **TRANSLATION**

Subject: Resumption of Negotiations for Conclusion of an Agreement concerning the Status of United States Forces in Korea

1. Having in mind that United States forces have been and will be disposed in the territory of the Republic of Korean under Article 4 of the ROK-US Mutual Defense Treaty of 1953, it is the belief of the Korean Government that terms shall be provided, for the interests of both nations, to govern the said forces in Korea.

2. The conclusion of the agreement, needless to say, will help promote better understanding and cooperation between the Korean people and United States forces in Korea.

3. A *modus vivendi* defining the exclusive jurisdiction of the United States over its military personnel in Korea, came into being between the two Governments through the exchange of notes in 1950 due to the then-prevailing condition of warfare and urgent necessity.

4. In view of the changed conditions after the summer of 1953, the aforesaid provisional arrangement of 1950 is no longer appropriate in its nature nor sufficient to meet all of the complicated problems arising under present circumstances.

5. It is with regret that numerous incidents have occurred between United States army personnel and local civilians, causing many casualties and much damage to valuable property. All of such incidents, according to the provisional arrangement of 1950, are exclusively within the jurisdiction of the United States. The Korean Government fears that such incidents, and present way of application of justice may injure

0019

미.필p2-10

0020

the friendly relationship existing between the peoples of the two countries.

6. Besides the question of jurisdiction, there are a number of other equally important problems to be solved at the same time, such as those of facilities and areas, customs duties and so forth.

7. With regard to facilities and areas, now being used by United States forces in Korea without any formal accord, it is also the Korean Government's feeling that an early settlement of the questions must be made for the benefit of the two nations.

8. The representatives of the two Governments opened conferences in Seoul last April in an effort to conclude the agreement of the above concerns.

9. Reference is to be made to the Foreign Minister's note dated March______, 1962, addressed to Ambassador Samuel D. Berger.

10. The Korean Government sincerely hopes that prompt and due consideration be given by the Government of the United States to reopen the negotiations for the conclusion of the agreement as early as possible.

6-- -- 11

0021

62-4-2(6)

미운62-10(?)

0022

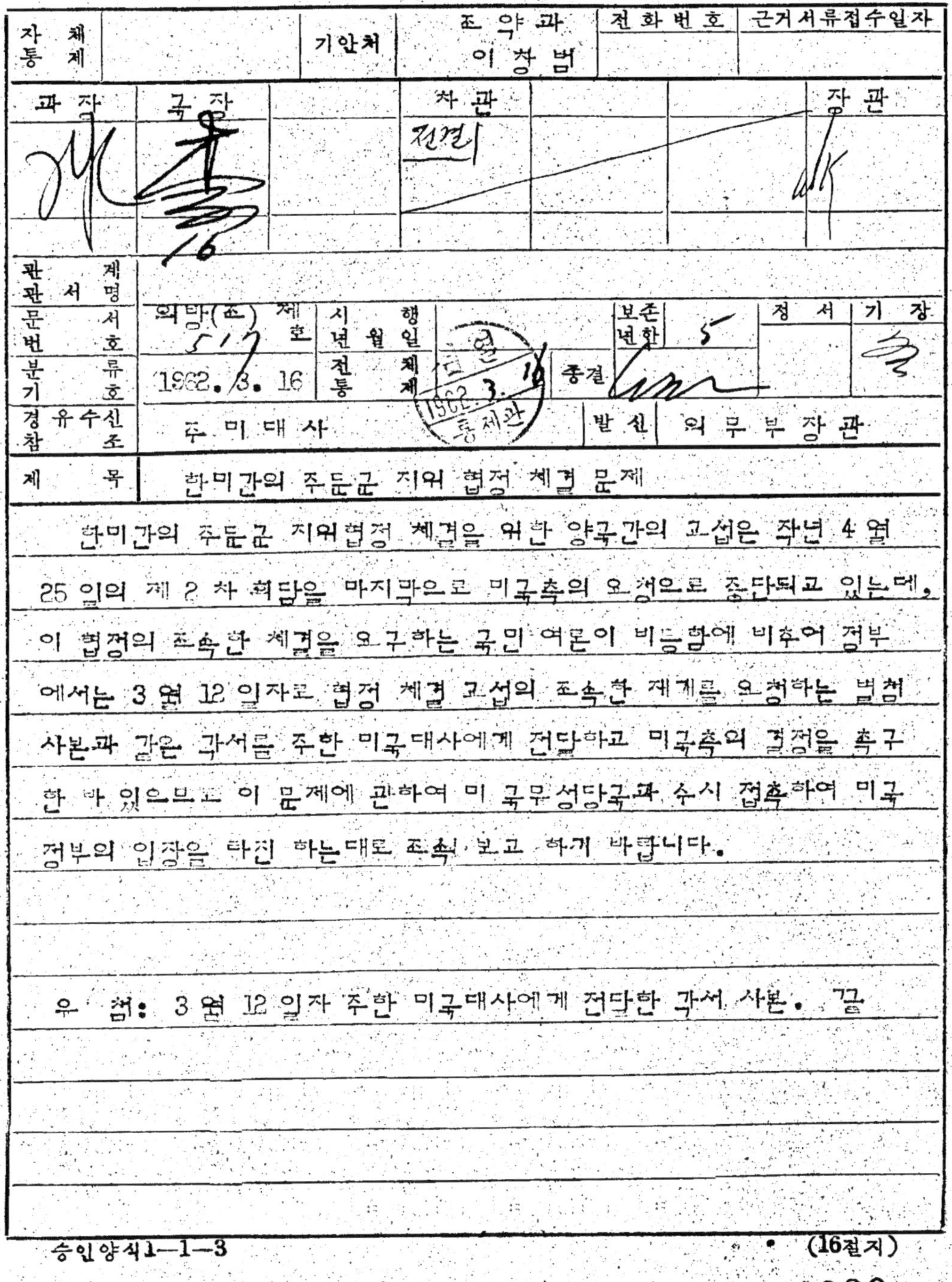

기 안 용 지

자체 통제		기안처	조약과 이창범	전화번호	근거서류접수일자
과장	국장		차관		장관
관계 관서명					
문서 번호	외방(조) 제 517 호	시행 년월일		보존 년한	5	정서	기장
분류 기호	1962. 3. 16	전체 통제	1962. 3. 16 통제관	종결			
경유 수신 참조	주 미 대 사			발신	외 무 부 장 관
제목	한미간의 주둔군 지위 협정 체결 문제				

한미간의 주둔군 지위협정 체결을 위한 양국간의 교섭은 작년 4월 25일의 제 2 차 회담을 마지막으로 미국측의 요청으로 중단되고 있는데, 이 협정의 조속한 체결을 요구하는 국민 여론이 비등함에 비추어 정부에서는 3월 12일자로 협정 체결 교섭의 조속한 재개를 요청하는 별첨 사본과 같은 각서를 주한 미국대사에게 전달하고 미국측의 결정을 촉구한 바 있으므로 이 문제에 관하여 미 국무성당국과 수시 접촉하여 미국 정부의 입장을 타진 하는대로 조속 보고 하기 바랍니다.

유 첨: 3월 12일자 주한 미국대사에게 전달한 각서 사본. 끝

승인양식1—1—3 (16절지)

0023

외 무 부 0032

외방(조) 제 517 호 1962. 3. 16.

수 신: 주 미 대 사

제 목: 한미간의 주둔군 지위협정 체결 문제

한미간의 주둔군 지위협정 체결을 위한 양국간의 교섭은 작년 4월 25일의 제 2 차 회담을 마지막으로 미국측의 요청으로 중단되고 있는데, 이 협정의 조속한 체결을 요구하는 국민 여론이 비등함에 비추어 정부에서는 3월 12일자로 협정 체결 교섭의 조속한 재개를 요청하는 별첨 사본과 같은 각서를 주한 미국대사에게 전달하고 미국측의 긍정을 촉구한 바 있으므로, 이 문제에 관하여 미 국무성 당국과 수시 접촉하여 미국정부의 입장을 타진하는대로 조속 보고 하기 바랍니다.

유 첨: 3월 12일자 주한 미국대사에게 전달한 각서 사본. 끝.

일반문서로 재분류(1962.12.31)

외 무 부 장 관 최 덕 신

0024

미문P2-8(1)

0057

0025

외 무 부

외방 (조) 제 6203 호 1962. 3. 12 9.

각 하 :

본인은 1961 년 4 월 25 일 외무부에서 제 2 차 회의를 마지막으로 개최한 이래 미국측의 요구에 의하여 중단되고 있는 주한 미군의 지위에 관한 협정의 체결을 위한 교섭을 재개하는 문제에 관하여 각하와 본인이 최근에 가졌던 협의에 언급하는 영광을 갖는 바 입니다.

미국측이 이러한 협정의 체결을 위하여 즉시 교섭을 개시할 용의를 갖추고 있음을 확인하고, 또한 위에 말한 바와 같이 그후 2 차에 걸친 회의를 성립 시킨 1961 년 4 월 10 일자 장면 전 국무총리와 매카나기 전 미대사간의 공동 성명에 각하의 관심을 환기하는 바 입니다.

우리 정부는 이러한 협정의 체결이 양국의 공동 목표와 이익에 크게 이바지 할것임을 확신하는 바 입니다.

미 합중국 대사

사무엘 디 버어거 각하

0026

그러므로 미국 정부가 본 문제에 대하여 호의적인 고려를 행하고 본 협정의 체결을 위하여 조속한 교섭 재개에 동의하는 회답을 보내 주시기를 진심으로 바라는 바 입니다.

각하에게 본인의 변함없는 최고의 경의를 표하는 바 입니다.

외 무 부 장 관

최 덕 신

0027

REPUBLIC OF KOREA

TRANSLATION

MINISTRY OF FOREIGN AFFAIRS

IT - 6203 March 12, 1962

Excellency:

I have the honour to refer to the conversations which Your Excellency and I recently had on the subject of resumption of negotiations for the conclusion of an agreement on the status of the United States forces in the Republic of Korea which have been suspended at the request of the representative of the United States since the last meeting held for the second time at the Foreign Ministry on April 25, 1961.

Your Excellency's attention is kindly invited to the joint statement made between former Prime Minister Chang and former Ambassador McConaughy on April 10, 1961, which confirmed the readiness of the United States Government to enter into negotiations for the conclusion of such agreement, bringing about subsequent two meetings as aforementioned.

It is the earnest conviction of my Government that the early conclusion of such agreement would serve to provide a greater contribution to the common cause and interests of both countries.

His Excellency
Samuel D. Berger,
Ambassador of the
United States of America

0028

미·문 p2-p

0029

It is sincerely hoped, therefore, that the United States Government give favourable consideration to this subject and make a prompt reply of concurrence for the earliest resumption of negotiations for the conclusion of this agreement.

Accept, Excellency, the renewed assurances of my highest consideration.

/s/

Choi Duk-Shin

0030

미·문 p2-p(3)

0031

Minutes of the Meeting between the Vice Minister of Foreign Affairs and Councelor W. L. Magistretti of the American Embassy

March 13, 1962

At the request of Vice Minister Lee Councelor Magistretti called on him at his office at 11 o'clock a.m., March 13, 1962. Vice Minister Lee handed him a note, dated March 12, 1962, requesting the United States to come to terms with the Republic of Korea to promptly resume negotiations for the conclusion of an agreement concerning the status of the United States forces in Korea, adding his views that the Korean Government, under the constant pressure of the rising consensus of opinion of the Korean people demanding the immediate conclusion of such agreement, is obliged to expect the earliest reply of the U.S. Government to the proposal.

Reminding the Vice Minister that the substance of this proposal which Minister Choi had already brought up with Ambassador Berger the other day was conveyed to Washington and the American Embassy in Seoul now awaits instructions from the State Department, Mr. Magistretti assured him that he would transmit the written request again to Washington in a prompt manner. Mr. Magistretti expressed his personal satisfaction with the termination of the revolutionary court, including his apprehension of the existence of the state of the martial law in connection with the matters of criminal jurisdiction.

With this regard, the Vice Minister laid stress on his view that the uppermost task with which the both Governments must primarily tackle to eventually settle the matters of the status of the United States forces is to take the proposed action for the resumption of negotiations, thus showing the Korean people sincere and faithful attitudes of both Governments on this question of great importance.

~~Both the Vice Minister and Mr. Magistretti also took up the coming visit this week of Assistant~~ Secretary of State

0032

Harriman. To satisfy the curiosity of Mr. Magistretti the Vice Minister named certain members of the Supreme Council for the National Reconstruction and the Deputy Director of the Economic Planning Board as prospective participants with Mr. Harriman's conferences with Chairman Park and with Prime Minister Song.

In commenting on the current Korea-Japan Foreign Ministers' talks in Tokyo, the Vice Minister expressed his views that at this advanced stage only the sincerity and ingenuousness, probably far more of those on the part of Japan, could work its way into the final solution of pending problems of long standing, and any movement to bring up a single new issue may readily frustrate an encouraging atmosphere which now lies over the two countries with a reasonable prospect of successful conclusion of the present negotiations. Mr. Magistretti concurred with the Vice Minister in his views. Besides, the Vice Minister asked Mr. Magistretti if he received from Tokyo any information regarding the Korea-Japan talks, for which the Vice Minister received a negative reply.

1962 년 4 월 2 일

제목 주한 미군의 지위에 관한 협정 체결 교섭

3월 27일에는 주한미국대사 Samuel D. Berger 씨가 그리고 3월 30일에는 동대사관 William L. Magistretti 참사관이 각각 최 외무장관을 방문하였음. 동 석상에서 최장관은 이미 지난 3월 12일자로 주한미대사관에 수교한 바 있는 주한 미군의 지위에 관한 협정 체결을 위한 교섭 재개를 촉구하는 공한에 언급하고 이에 대한 미국측의 조속한 회답을 재차 촉구하였음. 최장관은 설사 동 협정 체결을 위한 토의 자체에 어떠한 난관이나 어려움이 있다 하드라도 우선 쌍방 실무자들이 회합하여 교섭을 재개하는 문제만을 제 1 차적으로 결정을 보아야 한다는 점을 강조하였음. 이에 대하여 Berger 대사는 아직 국무성 당국으로 부터 어떠한 훈령을 받은 바 없으나 조만간 접수할 것으로 기대되는 동 훈령이 도착되는 즉시로 한국측에 회한할 예정임을 알렸고 또한 Magistretti 참사관은 불원 국무성 Joseph A. Yager 국장(Director of Office of East Asian Affairs Bureau, State Department) 이 래한할 예정인바 동 국장에 대하여도 본건에 관한 한국측의 촉구를 전달할 것이라고 말하였음.

0034

미·물 p2-7(1)

0035

외 교 교 섭 보 고 서

1962. 4. 27.

외방교

수신 정 ... 국 장

제목 한미간의 주둔군지위 협정 체결 교섭

당국에서 외국인과 접촉한 결과를 아래와 같이 보고합니다.

1. 접촉일시: 1962. 4. 26 오후 5 시

2. 접촉장소: 외무부 방교국장실

3. 접촉인사: 주한미국 대사관 하비브 참사관

4. 접촉목적: 한미간의 주둔군지위협정 체결 교섭

5. 접촉경위: 4 월 26 일 오후 5 시 주한 미국대사관 하비브 참사관은 최운상 방교국장을 방문하였음. 동 석상에는 노신영 조약과장이 배석하였음. 최국장은 지난 3 월 12 일자로 미국측에 수교한 바 있는 주둔군지위협정 체결을 위한 교섭재개를 촉구하는 우리측 각서에 대한 미국측의 회한이 아직것 접수되지 않고 있음을 상기시키고 이에 대한 미국측의 조속한 회신을 촉구하였음.

하비브 참사관은 당지 미국대사관측에서도 조만간 국무성으로 부터의 이에 대한 훈령이 있을것으로 기대하고 있다고 말하고 2 일전인 24 일 버거대사가 최장관을 방문하고 본건에 관하여 토의한 바 있음을 지적하였음.

하비브 참사관은 또한 한국측이 본 건 교섭에 관하여 조용한 분위기를 계속 유지하고 국민여론을 자극하는 일이 없도록 현재의 고요한 분위기를 지속해 줄것을 요망하고 또한 한국정부가 지금까지 지녀온 인내심을 계속 유지하여 줄것을 희망하였음.

최국장은 한국정부가 본 건 교섭에 있어서 미국측이 필요로 할것이라고 추측되는 제 보장 예컨데 형무소 시설의 개선등과 같은 일들을 충분히

0036

미·문72-61

0037

충족시킬수 있을 것이라고 언명하는 동시에 한국 국민의 미국에 대한 불필요한 오해를 불식하고 한미간에 존재하는 현재의 우호적 유대를 더욱 공고히 하는 의미에서도 최소한 회담의 재개만은 서둘러야 하고 절차상 문제의 토의를 조속 실현시켜야 할것임을 강조하였음.

하비브 참사관은 최국장의 의견에 찬동하는 동시에 자기로서는 본 교섭이 형사재판관할권 문제와 토지 시설문제의 보상에 관하여 가장 큰 어려움이 있을 것으로 생각한다고 말하고 형사재판관할권 문제에 있어서는 계엄령이 선포되어 있는 현 한국사태하에서 이 문제의 토의를 개시한다면 미국 국회와 국민이 이를 납득하지 못할 것임을 특히 지적하였음. 이에 대하여 최국장은 미국이 당사국으로 되어있는 각종 행정협정의 체결 교섭 기간을 살펴보건대 대략 8 개월 또는 그 이상을 소요하고 있는데 만약 한미간의 교섭이 5 월초에 재개된다치면 최종합의에 이르는 것은 아마도 명년초가 될것인 즉 그때까지는 계엄령이 해제되고 민정복귀의 준비가 이루어질 때 임으로 미국측이 현사태하에서 본국 국민의 여론과 국회의 논란을 우려하여 형사재판관할권 문제의 토의를 주저한다면 이 문제만은 토의대상 항목의 최종순위로 하여 교섭을 재개하면 될것이라고 말하였음.

하비브 참사관도 이에 동의하는 바이라고 찬의를 표명하고 한국정부의 뜻을 와싱톤에 다시 타전하겠다고 약속하고 5 시 30 분 면담을 종료하였음.

방 교 국 장　　　　최 운 상

0038

마문 72-6(4)

0039

대한민국 외무부

발신전보

번 호: WD-0507
일 시: 021540

종 별

수신인: 주미대사

(연: 외방(조) 517 호, 1962. 3. 16 자)

연호 공문으로 지시한 한미간의 주둔군 지위협정 체결에 관하여는 3월 12일자 우리측의 교섭재개 요청에 대하여 아직 미국측의 태도 표명이 없으므로 이에 대한 미국 정부의 입장을 구체적으로 타진하여 조속 보고하기 바람. 주한미대사관에서도 국무성으로부터의 훈령미달을 이유로 회답을 천연하고있음.

외무부 장관

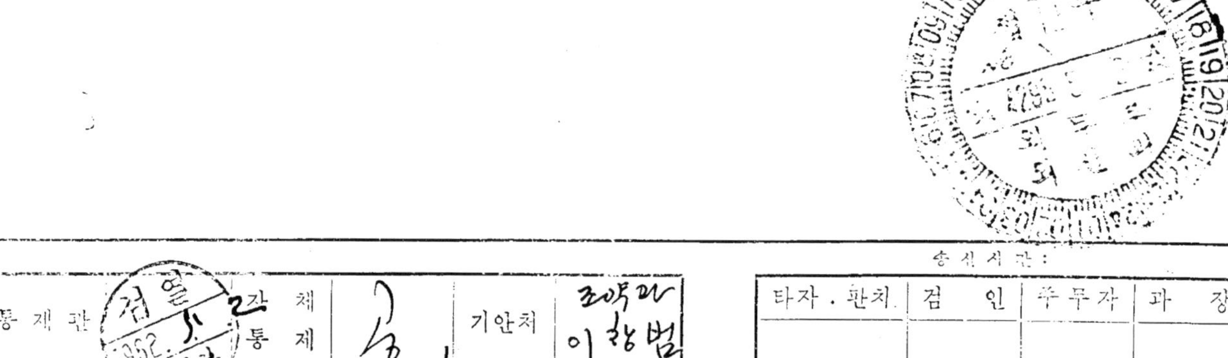

통제관	검열	주관	체		기안자	조약과 이한범
		통	제			
결	재	차관	국장	W.C. 과장		

필 요 □ 보안불필요 □

송신시간:

타자 . 판치	검 인	주무자	과 장

0040

대한민국 외무부

착신전보

번 호: DW-0520
일 시: 031800

종 별

수 신 인: 외무부 장관 귀하

대: 외방 조 517

금일 박 2등서기관은 맥도날드 한국과장을 방문 본건 3월 12일자 우리측 각서에 대하여 미국의 입장을 타진하였던바 전기 과장은 자기로서 할수있는 말을 " 동문제는 현재 고위층에 의하여 적극 고려중에있다 " " UNDER THE ACTIVE CONSIDERATION BY HIGH AUTHORITIES " 고 말하고 이상 더 언급을 회피 하였음 이에 미루어보면 국무성의 훈령이 나가지 아니한것같으며 현단계로서는 다소 시일을 두고 미국의 입장을 타진함이 가할것으로 사료되옵기 첨언함.

주미대사

예고: 일반문서로 재분류 (62. 12. 31)

수신시간:

검 인

0041

외 신 과

대한민국 외무부

번 호: DW-0551
일 시: 081900

착신전보

종 별

수신인: 외무부 장관 귀하

한미 군대 지위 협정

참조: 외정 (구) 1488, 1961 년 3 월 15 일자 당지에서의 활동상 필요하오니 참조 공한일자 이후의 서울에서의 교섭경과 및 관계 자료등 상세한 정보를 송부해주시기바랍.

주미대사

예고: 일반문서로 재분류 (자료송부후)

정무, 정보

검인

수신시간:

0042

외신과

대한민국 외무부

번 호: DW-0564
일 시: 101800

착신전보

종 별

수 신 인: 외무부장관 귀하

한미 군대지위협정

1. 국무성의 입장을 계속 타진중인바 금 10일 김참사관이 예거 동아국장을 방문 협의하였는데 버거대사로부터 건의안이와서 현재 국무 국방 양성에서 활발히 협의중이며 양성의 국장급 수준에서 취급되고있는것으로 관측됨.

2. 전기 버거대사의 건의안에관하여 정보가 있으시면 통보바람.

주미대사

예고: 일반문서로 재분류 (62. 12. 31)

정무, 정보

수신시간:

검 인

0043

외 신 과

대한민국 외무부

번호: WD-0557
일시: 120830

발신전보

종별

수신인: 주미대사

(대: DW-0520)
(연: WD-0507)

연호 공전으로 지시한 교섭에 관하여는 대사가 직접 미국무성의 High authority 와 접촉하여 미국정부의 입장을 구체적으로 타진 보고할 것을 재차 지시하며 교섭에 있어서 다음 사항을 유의하시압.

1. 주한 미국대사관에서는 우리 정부의 교섭재개 요청에 적극적인 태도를 표명하고 있으나 본국 정부의 지시가 없어 확답을 못하고 있음.
2. 단 우리나라가 현재 계엄령하에 있으며 모든 법령이 변동이 많고 형무소 시설등이 불비하다는 점등을 체결 교섭의 연기 이유로 삼어 왔음.
3. 전기 2항에 대하여 아측은 설령 한국이 현재 계엄령하에 있다 하드라도 한국의 주요법(민법, 형법, 민사소송법, 형사소송법 등)은 변동이 없었으며, 행정협정이 체결되면 미국군인의 인권옹호 및 형무소 시설에 관하여는 국제적 수준의 보장을 할 것이라는 점을 지적하실 것.

검토필(1965. 6. 30.)

4. 교섭이 재개된다 하드라도 협정 체결까지는 상당한 시일이 소요될 것이므로 지금부터 교섭을 하여야만 민정이양 준비의 구체화

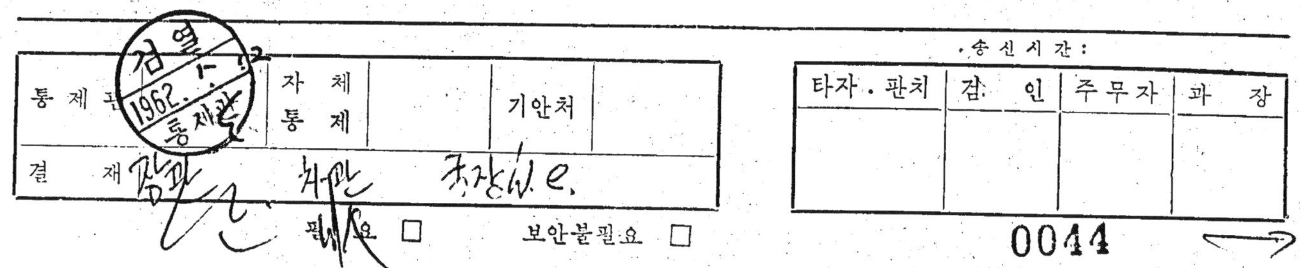

통제관	자체 통제		기안처	
결재				

필요 □ 보안불필요 □

송신시간:

타자.판치	검인	주무자	과장

0044

대한민국 외무부

번 호:
일 시:

발신전보 종 별

수신인:

와 더부러 협정체결이 가능할 것이라는 점을 강조하실 것.

5. 협정 체결 교섭에 있어서는 실질적 문제의 토의에 앞서 절차에 관한 교섭도 많을 것이므로 이러한 의미에서도 한미간 실무자가 하루 속히 모이는 것이 필요하다는 것을 강조하시압.

6. 5.16 혁명 1주년 기념에 제하여 미국정부가 본 교섭 재개에 동의한다는 것은 미국정부가 우리나라의 군사정부를 지지한다는 구체적인 표시로서 한미간 우호증진에 큰 공헌이 될것이라는 점을 설명하시고 가급적 교섭재개에 관한 발표를 5.16 전에 하도록 요청하시압.

7. 미국측은 한국에는 여론이 없다는 등의 말을 하나 이것은 사실과는 상이한 인상이며 그간 국내 중요신문의 사설과 민간단체의 진정서 제출 운동등으로 한국관민간의 협정체결에 대한 요망은 나날이 심각함을 미국측에 전하시기 바람. (방조)

장 관

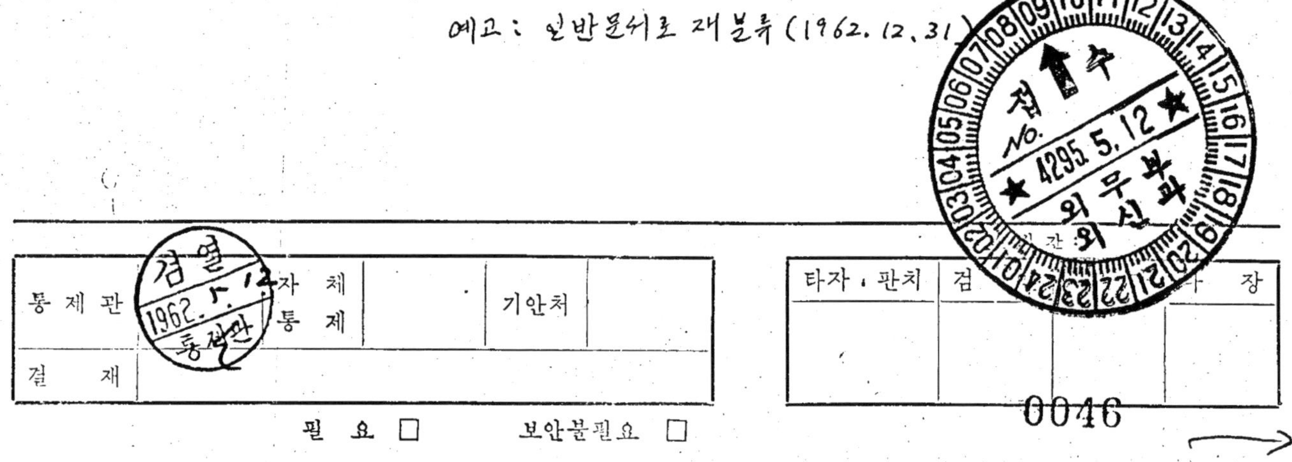

예고: 일반문서로 재분류 (1962. 12. 31)

접수 No. 4295. 5. 12 외무부 외신과

통제관	검열 1962. 5. 12 통제관	자체 통제		기안처	
결 재					

타자, 판치	검			장

0046

필 요 ☐ 보안불필요 ☐

0047

대한민국 외무부

암호

종별

발신전보

번호: WD-0563

일시: 161105

수신인: 주미대사

(대: DW-0564)

(연: WD-0557)

대호 전문으로 문의하신 버거대사의 국무성에 대한 건의안은 연호 전문으로 지시한 내용이 옳기 그리 아시고 적극 교섭을 추진하시기 바람.

장관

예고: 일반문서로 재분류 (1962. 12. 31)

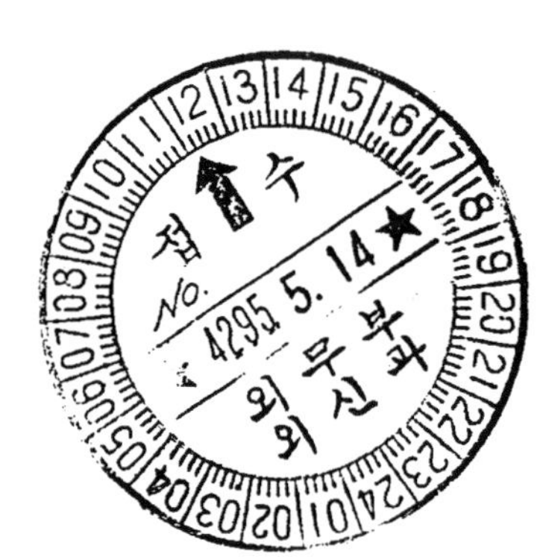

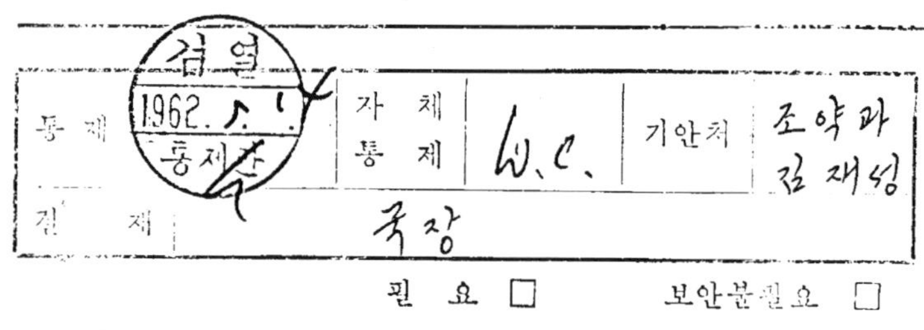

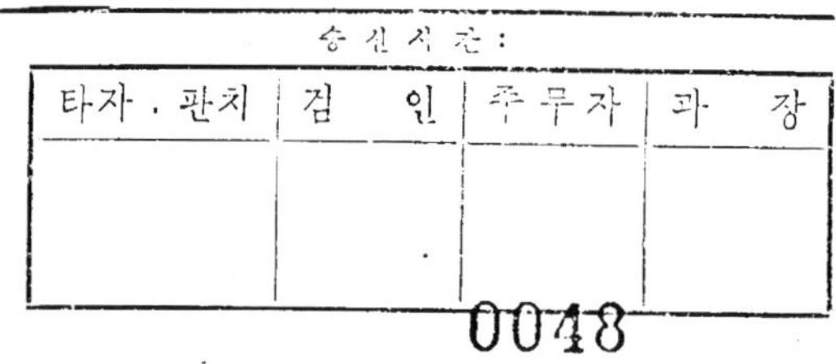

0048

대 한 민 국 외 무 부

착신전보

번 호: DW-0586
일 시: 121940

종 별

수 신 인: 외무부 장관 귀하

대: WD -0557 (방조)

금 12 일 미 국무성의 맥도날드 한국과장이 본직에게 비공식으로 알려온 바에 의하면 국무성은 어제밤 주한 미대사관에 한국측과 군대지위협정 체결교섭을 재개하도록 전문으로 지시하였다고하며 본건의 공표 여부는 서울에서 한국 정부와 미대사관측간의 협의에 의하여 결정될 것이라고 시사하였음을 보고함.

주미대사

예고: 일반문서로 재분류 (공표시)

담당	과장	국장	차관	장관	공람	조약과
					월 일	

수신시간:

방고, 정보

검인

외신과

0040

(韓미側記錄)

제 목 한미 행정 협정 체결 교섭

참석자 장관 차관

Berger 주한미대사

Magistretti 주한미대사관 참사관

장 소 : 장 관 실

일 시 : 1962 년 5 월 14 일 2 시 30 분 — 3 시

내 용

1. 버거 주한미대사는 우리정부의 3 월 12 일자 행정협정 교섭재의 요청에 대한 와싱턴의 훈령을 받았으며 그 내용은 원칙적으로 행정협정 체결 교섭을 재개하는데 동의한다는 것을 통지함. 그러나 한가지 조건이 있는데 그것은 행정협정 교섭 대상 항목중 다른 것은 실무자회의를 통하여 교섭을 진행 시키는데 이의가 없으나 형사재판권 (Criminal Jurisdiction)에 관하여는 헌법상태 (Constitutional Situation)가 정상화한 후에 시작해야 한다는 것이며 미국측으로서는 3 월 12 일자 서한에 문서로 회답하기 전에 한국측이 이러한 조건부에 동의한다는 확약을 서면으로 해주면 그후 미국측으로서의 정식 문서회답을 한국측에 전달하겠다.

2. 최장관은 이에 대하여 우리측이 그러한 조건부로 교섭을 재개한다는 것 자체에 동의할수 없는 일이며 더우기 그러한 것을 서면으로 확약한다는 것은 불가능한 일이니 우선 우리측 제안에 대한 정식회답을 미국측으로서는 보내와야 할것이다.

3. 버거대사는 자기 본국정부의 훈령에 의해서 행동하는 것이며 헌법 상태가 회복된 후에 형사재판권 문제를 다루어야 한다는 입장이니 이점을 한국측에서 이해하고 그러한 확인하에 행정협정 교섭을 추진해야 하겠다. 솔직히 이야기 해서 미국의 군부에서는 행정협정 체결에 관하여 맹렬히 반대하고 있는 바이며 또한 미국국회내에서도 이문제에 대해서는 반대하는 의견이 강하므로 한국측의 입장을 살펴서 행정협정 교섭을 시작한다 하드라도 민정복귀후 까지는 형사재판권 문제는 한국측에서 제기하지 않는다는 사전 보장이 필요한 것이다.

0050

미·문P2-4(4)

0051

4. 최장관은 행정협정 체결 문제는 한국의 여론과의 관련성에서도 비상한 관심의 대상이 되어있는 만큼 한국정부로서는 이것을 중요한 교섭으로 인식하고 있다. 특히 행정협정하고의 관련성에서 가장 문제와 비난의 대상이 되는 것이 형사재판권에 관한 것이며 또한 이는 직접적으로 주권에 관련된 문제라고 볼수 있는 것이니 형사재판권에 관하여 귀측의 그러한 사전 보장을 한다는 것은 생각하기 어려운 일이다. 다만 행정협정 자체의 교섭의 타결은 상당한 시일을 소요하는 성질의 것이니 진행방법 및 토의순서등을 조절한다는 것은 필요하며 가능한 일일는지 모르겠다. 귀측의 사전 문서확인 요청에 대해서는 응하지 못할 것이나 진행방법등에 있어서 형사재판권 토의를 뒤로 미루고 우선 다른 문제부터 토의한다는 방법은 고려할 수 있을 것으로 본다. 본인의 생각으로는 상부와도 상의하여 형사재판권 문제를 실질적으로 뒤로 미루는데 한국측으로서 이의가 없다면은 형사재판권 문제는 헌법상태가 정상화 운운의 견지에서 이를 다루지 말고 실질적인 시간적인 요소에서 이 문제를 뒤로 돌릴수도 있을 것인바 그러한 내밀적인 양해를 쌍방 구두로 하면 족할 것이 아니냐고 언급함.

5. 이에 대하여 버거대사는 쌍방의 입장이 있는 것이고 여론 또는 기타의 관련성등을 잘 감안하여 합리적인 방법을 모색하여야 할 것으로 본다. 장관의 의견이 그러시다면 장관께서 한국측의 태도를 작성한 후 자기에게 그 결과를 알려줄 때 까지 와싱톤에 대해서는 보고를 보류하고 기다리겠다. 한국측이 그러한 방법으로 진행을 시키기를 원한다면 어떠한 형식으로 양측이 공동 성명서가 나갔으면 좋을련지 그 형식(formula)을 아울러 제시해 주면 좋겠다.

6. 장관은 이에 응하였음.

0052

미·문P2-4

0053

CONFIDENTIAL

MEMORANDUM

The American Ambassador informed the Foreign Minister that the United States Government was prepared to reopen negotiations for an agreement covering the status of the United States armed forces in Korea. The Ambassador stated that in agreeing to resume discussions, it is the understanding of his government that the complex question of the exercise of criminal jurisdiction over personnel of the United States armed forces in Korea will not be raised for discussion until normal constitutional government and normal functions of the civil courts and legal procedures have been fully restored in the Republic of Korea. The Foreign Minister provided this assurance.

The Ambassador also took occasion to reaffirm his government's position that claims involving bases and facilities provided to the armed forces of the United States in Korea which might be presented by Korean owners of such real property would be the responsibility of the Government of the Republic of Korea. The Foreign Minister took note of this position but expressed his government's intention to raise this problem in the negotiations. The Ambassador took note of the Foreign Minister's position.

註 上記文中 "The Foreign Minister provided this assurance." 은 美口側 提案이고 外務部長官의 發言은 아님. (1962. 5. 14

0054

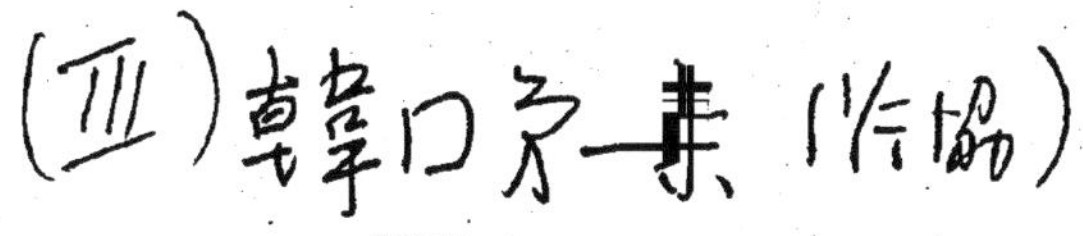

JOINT ROK - US PRESS STATEMENT

Resumption of Negotiations of Status of Forces Agreement

The American Ambassador has informed the Minister of Foreign Affairs that the United States Government is prepared to reopen negotiations for an agreement covering the status of the United States armed forces in the Republic of Korea. The Foreign Minister welcomed this development on behalf of his government.

Both sides agreed that negotiations would resume at the working level sometime in June. It is recognized that any status of forces agreement involves complex matters and it is expected that negotiations will require a considerable period of time.

0055

五月十四日 (美側記錄)
長官·美大使会談錄

CONFIDENTIAL

1. The Ambassador, upon instructions, noted that for reasons previously discussed with the Foreign Minister, the US Government cannot agree to discuss the question of criminal jurisdiction within a SOFA until:

a. The normal functions of civil courts and legal procedures have been restored; and

b. Normal constitutional government has been restored.

2. Therefore, before agreeing to resume SOFA negotiations, the US Government requests assurance from the Government of Korea that it will not raise this subject until that time. Such assurance will not be divulged publicly.

3. The Ambassador also noted that the US Government must be prepared, if questioned by either the public or Congress, to state that discussions on matters other than criminal jurisdiction are taking place and that the US would not enter into any arrangements which would bring US personnel under the jurisdiction of foreign courts unless we are assured they will get a fair trial by US standards. The substance of this latter point was stressed when the US agreed to beginning negotiation of a SOFA with the previous Government of Korea.

0056

0057

3급 비밀

1. 주한 미국 대사는 국무성으로 부터의 훈령에 의하여 외무부 장관과 이전에 논의한 이유로 인해서 미국 정부는 한미 행정 협정안에서 형사 재판권 문제를 다음 시기까지 논의하는데 동의할수 없다고 의사 표시를 하였다.

   가) 민사 재판소와 법적 절차의 평상적인 기능이 회복되었을때 및

   나) 평상적인 헌법적 정부가 회복되었을때.

2. 그럼으로 한미 행정 협정 토의를 재개하는데 동의하기 전에 미국 정부는 한국 정부로 부터 한국 정부가 이문제를 상술한 시기까지 제기치 않을 것이라는 확약을 요구하는 바이다. 그러한 확약은 공개적으로는 발표 되지 않을것이다.

3. 미국 대사는 또한 말하기를 미국 정부는 만일 일반 대중이나 의회로 부터 질문을 받았을때에는 현재 형사 재판권 이외의 문제에 관한 토론은 진행 중에 있으며 미국은 미국군인들이 미국 표준에 의하여 공정하다고 인정 되는 재판을 받을것이라고 확약을 받지 않은한 그들을 외국 재판소의 관할 하에 두게되는 어떠한 약정도 체결치 않을것이다라고 말할수 있어야 한다. 이 후자에 관한 실질적 내용은 미국이 전한국 정부와 한미 행정 협정에의 협상을 시작하는데 동의하였을때 강조된바 있었던 것이다.

0058

미문 p2-4 (4)

0059

(II)a 美口提手 (%行協)

(五月十七日)

~~DRAFT~~

CONFIDENTIAL

MEMORANDUM

별첨 I

The American Ambassador informed the Foreign Minister that the United States Government was prepared to reopen negotiations for an agreement covering the status of the United States armed forces in Korea. The Ambassador stated that in agreeing to resume discussions, it is the understanding of his government that the complex question of the exercise of criminal jurisdiction over personnel of the United States armed forces in Korea will not be raised for discussion until normal constitutional government and normal functions of the civil courts and legal procedures have been fully restored in the Republic of Korea. The Foreign Minister provided this assurance.

The Ambassador also took occasion to reaffirm his government's position that claims involving bases and facilities provided to the armed forces of the United States in Korea which might be presented by Korean owners of such real property would be the responsibility of the Government of the Republic of Korea. The Foreign Minister took note of this position but expressed his government's intention to raise this problem in the negotiations. The Ambassador took note of the Foreign Minister's position.

0060

미·문P2-3(2)

0061

주한 미 대사는 미국정부는 주한미국 군대의 지위에 관한 협정을 위한 교섭재개의 준비가 되어 있음을 외무부장관에게 통고하였다.

토의의 재개에 동의함에 있어서 동 대사는 한국에 헌법상의 정상적 정부가 회복되고 일반 법원과 법 절차의 정상적 기능이 충분히 회복될 때까지는 주한 미국군대의 구성원에 대한 형사재판 관할권 행사의 복잡한 문제는 토의 대상으로 제기되지 않는 것으로 미국정부는 이해한다는 것을 설명하였다. 외무부장관은 이를 보증하였다.

동 대사는 또한 한국인 소유자에 속하는 부동산으로서 제공되고 있는 기지와 시설에 관련된 청구권은 한국정부의 책임이라고 하는 미국정부의 입장을 재확언 하였다.

외무부장관은 그 입장에 주목하였으나 이 문제를 교섭 도중 제기하겠다는 한국정부의 의사를 표명하였다.

동 대사는 외무부장관의 입장에 주목하였다.

51

0062

미문 P2-3(2)

0063

DRAFT. (II) 6. (2月12日)

Seoul, May , 1962.

Excellency:

I have the honor to refer to Your Excellency's note of March 12, 1962, on the subject of resuming negotiations for the conclusion of an agreement on the status of United States armed forces in the Republic of Korea.

In accordance with our recent conversations on this subject, my Government is prepared to reopen negotiations for an agreement covering the status of the United States armed forces in the Republic of Korea. I propose that a mutually convenient date next month be selected to commence these negotiations.

Accept, Excellency, the renewed assurances of my highest consideration.

His Excellency
Choi Duk-shin,
Minister of Foreign Affairs,
Seoul.

0064

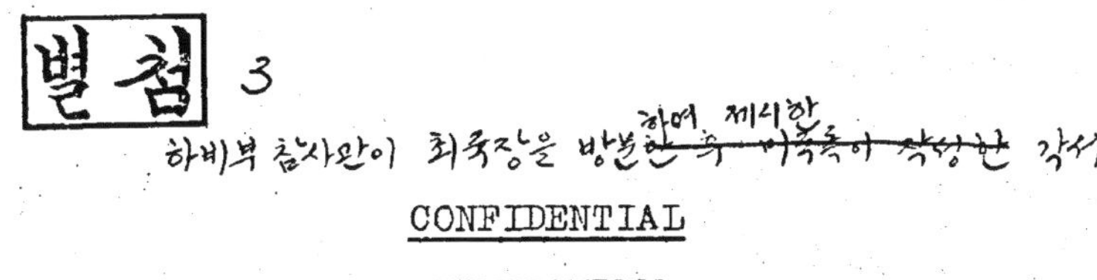

CONFIDENTIAL

MEMORANDUM

The American Ambassador informed the Foreign Minister that the United States Government was prepared to reopen negotiations for an agreement covering the status of the United States armed forces in Korea. The Ambassador stated that in agreeing to resume discussions, it is the understanding of his government that the complex question of the exercise of criminal jurisdiction over personnel of the United States armed forces in Korea will not be raised for discussion until normal constitutional government and normal functions of the civil courts and legal procedures have been fully restored in the Republic of Korea. The Foreign Minister provided this assurance.

The Ambassador also took occasion to reaffirm his government's position that claims involving bases and facilities provided to the armed forces of the United States in Korea which might be presented by Korean owners of such real property would be the responsibility of the Government of the Republic of Korea. The Foreign Minister took note of this position but expressed his government's intention to raise this problem in the negotiations. The Ambassador took note of the Foreign Minister's position.

註 上記文中 "The Foreign Minister provided this assurance." 는 美口側 提案이고. 外務部 長官의 發言은 아님

0065

최외무부 장관과 버-거 주한 미대사와의 회담 기록

시일: 1962년 5월 28일 오후 4시 - 5시 30분 까지

장소: 외무부 귀빈실

배석: 최 방교국장

매재쇼트레티 부 대사

하비브 참사관

내용: 행정 협정 교섭 재개에 관하여

본 회담은 최외무 장관이 한미 행정 협정 체결 문제에 관하여 5월 14일 미국측의 행정 협정 교섭 재개 제의에 대한 한국측 회답을 주기 위하여 주한 미대사를 외무부에 초청한것이다.

최 외무부 장관 (이하 장관이라 함)은 버거 대사에 대하여 미국측이 거반 요청한 확약은 줄수 없다고 말하였다. 그이유로서는 외교적 확약이라는 것은 오랜시일 효과가 있으며 한번 확약을 주면 다음에 정부나 외무부 장관도 구속을 받기 때문이다. 장관은 이어 말을 계속하여 한국에 강력한 여론 국민 감정 및 형사 재판권이 행정 협정에서 차지하는 중요성에 비추어 미국측이 요구하는 확약 즉 한국 정부는 형사 재판권 문제를 "한국의 재판소와 기능과 법적 절차가 정상화 될때까지 또한 한국에 정상한 헌법적 정부가 회복될때까지 " 제의하지 않을것이라는 그러한 확약을 비밀로나 공개적으로나 외무부 장관으로서 줄수 없다고 말하였다.

외무부 장관은 근본 교섭은 바로 형사 재판권 문제와 같은 문제에 대하여 합의할수 있도록 여러가지 방법을 논의하는것이 그 목적이므로 일방이 교섭 재개전에 그문제의 토의를 제의할것을 요청한다면 그러한 교섭에 유효성이 과연 무엇인가 이해하기 힘들다고 말하였다.

근본 교섭의 재개는 그 말과 같이 1961년 4월 25일부로 중단된 교섭을 재개하는 것이다. 그 교섭 재개는 깨끗하게 중단되었던 그당시에 있었던 조건과 같은 조건하에 재개되어야 할것이다고 말하였다.

0066

마문 p2-1(10)

0067

형사 재판권에 토의에 관한 연기에 관하여서는 장관은 말하기를 행정 협정 교섭이 재개된후 교섭 당사자들이 덜 복잡한 문제를 먼저 토의하는데 합의함으로서 사실상 형사 재판권 문제의 토의를 뒤로 미룰 수 있을것이라고 하였다. 장관은 또한 행정 협정에 포함되어 있는 제문제에 대하여 그 문제들이 교섭을 통하여 서명할수 있도록 성숙이 되며는 각문제에 대하여 개별적인 협정을 체결할수도 있을것이라고 말하였다.

미국측은 항상 미국 의회와의 관계 및 한국에 대한 미국의 공헌에 관한 미국 대중의 인상등을 이유로서 전기 한바와 같은 조건부 교섭 재개를 제의하나 이에 대하여서는 장관은 한국 정부도 그의 국민과 여론으로 부터 형사 재판권 문제에 관하여 같은 또는 그이상의 압력을 받고 있다는 점을 미국 대사에게 상기 시켰다.

장관은 또한 말하기를 이문제에 대해서는 쌍방이 각자 이러한 국내 문제가 있다는 점을 호회적으로 승인하고 따라서 각자는 이러한 문제 해결을 위하여 최선을 다할것을 승인하며는 충분하지 않은가라고 말하였다.

한국에 있는 미군에 대하여 제공되어 있는 기지와 시설에 관한 청구권에 대한 미국의 입장에 관하여는 장관은 이러한 미국의 입장은 교섭 도중에 제의할 문제이고 교섭 재개 사전에 통고할 성질의것이 아니라고 말하였다. 이러한 사전 통고는 오직 앞으로 올 교섭에 있어서 이 문제에 관한 충분하고 자유로운 토론을 하는데 지장을 줄 뿐이다.

결론적으로 장관은 미대사에게 교섭 재개에 관한 공동 성명서 초안이 쌍방 정부에게 충분한 보장을 주는것이라고 말하고 그럼므로 교섭 재개에 합의의 기초가 되어야 할것이라고 말하였다.

0068

마문 p2-1

0060

이러한 장관의 발언에 대하여 미국 대사는 자기는 한두가지만 말씀을 드리고 싶다고 말하였다. 그는 첫째로 아직도 미국군부간에 행정 협정 체결에 대하여 반대가 있음을 말하고 이번 국무성으로 부터 교섭 재개에 대하여 얻은 훈령도 상당한 노력을 통하여 얻은것이며 용이하게 획득된것은 아니라고 말하였다. 왜냐하면 이미국에 입장은 작년 7월에 취했던 미국의 입장에 완전한 번복을 의미하기 때문이다. 작년 7월에 한국 정부가 행정 협정 교섭재개를 제의하였을때 미국은 한국에 정상적인 헌법적 절차가 회복될때까지는 교섭재개에 응할수 없다고 대답하였던 것이다. 그러나 그후 두가지 결과가 발생하였는데 그 첫째는 한국 정부의 그간의 업적이며 둘째로는 한국 정부가 행정 협정 문제에 대하여 취한 대외적인 관계(P.R.)에 있어서 신중을 기하였다는 사실이다. 이번 국무성의 회답은 만일 파주 사건에 대한 신문 지상에 선동이 없었다며는 더 일찍이 내도하였을찌도 모를것이라고 말하였다. 한국에 신문이나 여론이 잠잠하며는 행정 협정 문제를 논의할수 있을것이다. 그런데 최근 다시 신문들이 이문제를 크게 취급하게 되었고 만일 이문제로 인하여 데모같은 것이 있는다며는 미국 정부는 이문제를 논의할수가 없을것이다라고 말하였다.

이러한 버-거 대사의 발언에 대하여 장관은 작년 7월은 시기적으로 도저히 못하였다는 시기라고 말하였다. 한국 정부는 금년 5.16 1주년을 기념하여 미국 정부가 행정 협정 재개에 대하여 응하여 줄것을 희망하였으나 금번 미국 회답에는 조건이 붙어있었으며 장관으로서는 그러한 기일보다는 그 답변의 내용이 더 중요하다고 생각하는바이라고 말하였다. 이번 미국이 제시한 그러한 조건을 국민에 납득시키는것은 어려운 것이다. 한국측이 어떠한 확약을 준다며는 그러한 확약은 오래동안 구성력이 있을것이며 행정 협정 교섭 자체도 마치 한일 회담과 같이 십년이 걸릴지도 모를것이다. 한국 정부의 대외 관계에 있어서는 (P.R.) 우리는 우리 국민들을 가급적 진정 시키도록 노력하였다. 그러나 우리는 신문을 억압 할수는 없을것이다. 우리가 신문을 가지고 있는것은 사실이다.

0070

0071

나는 (장관) 당신(미국대사)에게 여러번 확약한바와 같이 우리 정부는 행정 협정에 관련된 어떠한 사건도 이것을 국내(P.R.)에 이용치 아니하였던 것이다. 왜냐하면 그러한 조치는 교섭 재개를 방해 할지도 모르기 때문이다. 그러나 우리는 신문을 완전히 억제할수는 없을것이다.

미국 대사는 자기 생각에는 한국에 어느지도자도 데모를 선동하지 않을것이라고 말하였다. 그러나 파주 사건은 좋지 않은 감정을 남겼는데 이것은 ~~그~~ 군인이 그의 맡은바 임무를 수행하는 도중에 그사건이 이러났기 때문이다. 만약 한국측에서 문제를 삼으려고 하였더라면 다른 더 강력한 사건들이 있었을것이다.

우리는 이문제에 관하여 적극적인 면을 고려하였으며 소극적인 면은 생각지 아니하였다. 한국측이 파주 사건에 관하여 공동 조사 위원회를 설치할것을 제안하였으나 법무부, 국방부등 관계부처가 최근에야 이 위원회에 참가하게 되었던 것이다.

미국 대사는 또한 외무부 정무국에서 미국 대사관에 보내는 각서에 언급하여 미국측은 모든 사건에 관하여 한국 경찰에게 항상 충분한 사실을 제공하였다고 말하였다. 이런 사실은 미군측에 의하여 한국 경찰에게 전달되었던 것이다. 이때 하비브 참사관은 최근 한두건 사건이 있었는데 그것은 호텔에서 관진한 사건들이다.

장관은 외무부가 보내는 이러한 각서는 비단 사실을 알려고만 하는 것이 아니고 미국측에 그 사건에 대한 반영을 알려고저 하는것이다. 당신(미국대사)은 실무자 간의 합의에 의하여 미군측이 우리 경찰에게 사건에 관한 사실을 제공한다고 하나 우리의 목적은 당신들로 부터 직접 그 진상을 들고저 하는것이다. 그 각서는 일종의 항의인것이다. 이때 최방교국장이 버거대사에 대하여 그가 말하는 합의라는것이 정부간의 합의인것인가라고 물었더니 하비브 참사관이 태전 협정을 인용함으로 방교국장은 태전 협정에는 미군측이 우리 경찰에게 사건에 관한 사실을 전달한다는 등의 그러한 언급은 없다고 생각한다고 말하였다.

0072

미문P2-1

0073

그 합의라는 것은 실무자간에 그동안 이루워진 일종의 관습법이므로 한국 측에 공문에 의한 요구는 관습법 보다는 우선하여야 한다고 지적 하였다. 이러한 방교국장의 해석에 앞서 버거대사는 한국측이 전술한 "합의"("협정")를 변경하기 전에 는 한국 측 감서에 대하여 어떠한 행동도 취할수 없다고 말하였던 것이나 이와같은 방교국장의 해석을 들은후에는 한국측 견해에 수긍하였다. 즉 하비브 참사관도 말하기를 이 합의라는것은 그동안 이뤄워 진 실무자간의 절차상의 합의라고 시인하였다.

장관은 한국 정부는 외교 일원화의 원측에 따라 정부의 모든 부처가 외무부에게 대외적인 교섭을 의뢰하고 있다. 우리는 사건이 있으면 누구가 다쳤으며 또 미국측이 그사건에 대하여 어떻게 생각 하는지 그것을 알어야만 한다. 현재 국방부에서는 군사 정전 위원회에 관하여 외교를 하고 있으며 또 경제 기획원에서는 경제 외교를 추진하고 있지만 그밖에 모든 외교는 외무부가 담당하고 있는 것이다. 현재 국방부나 경제기획원이 하고 있는 외교가 외무부가 준비 태세만 가추워 지며는 우리가 할것이고 현재는 다만 그러한 태세가 가추어지고 있지 않고 있기 때문에 국방 외교나 경제 외교를 타부처가 하고 있을뿐이다.

미국대사는 행정협정에 관련된 사건이 여러 천건있는데 그중 어떤 사건에 대하여 알고 싶어하는가라고 묻었더니 외무장관은 우리는 오직 중요한 사건에 대하여서만 알고저 한다고 말하였다. 이때 하비브 참사관은 최근에는 중요한 사건이 두건 정도 있다고 말하였다.

미국대사는 말을 이어 자기는 한국에 신문에 대하여 염려하는데 외냐하면 행정 협정 재개에 대하여 이문제가 "활발히 고려되고 있다" 고 보도하었기 때문이다. 그렴으로 그 결과에 대하여 그들이 몹시 궁굼하게 생각할것이기 때문이다.

0074

미·문 p2-1

0075

장관은 미대사에게 외무부가 주미 대사관에 지시하여 앞으로는 한미 행정 협정 재개 교섭에 관하여 어떠한 사람에게도 비밀을 누설치 않도록 경고하였다고 말하였다. 최근에 와싱톤 주재 특파원 설국환씨가 이문제에 대해서 기사를 보내온바가 있는데 만일 어떤자가 비밀을 누설하였다면은 그것은 "신사적" 아니라고 생각된다. 그러나 사람들은 말하기를 설국환씨가 미국무성 안에 한국과의 친구들이 많다고 한다.

<u>한일 관계에 관하여</u>

이어 미대사는 장관에게 최근의 한일 관계가 어떻게 진견되어 가는지 문의하였다. 장관은 말하기를 요시다 전일본 수상이 도미하여 케네디 대통령을 만나보고 일본에 돌아온후에 한일 양국은 형제 지간이므로 같이 손을 잡아야 한다고 말한것은 의의가 있다고 본다. 들건데 케네디 대통령이 요시다 전수상에게 한일 관계를 개선하는데 요시다가 힘이 되도록 말하였다는데 이점은 감사히 생각하는바이다. 장관은 말하기를 일본측에서는 이께다 수상이 가지고 있는 여러가지 난관에도 불구하고 무엇인가 할려고 노력하는것 같이 보인다. 그들이 자기 집안 일을 정돈한 후에는 우리도 어떤 행동을 취할것이다. 최근에 한두가지 적은 사건이 있었는데 그것은 첫재로 일본 외무성이 우라벳 참사관을 공사라고 사칭하여 한국에 파견하려고 하였던 사실이다. 그런데 일본측은 우라베씨가 재산 청구권 문제에 밝다고 하나 그 이유로 만은 우리생각에는 우라베씨가 한국에 올필요가 없다고 생각한다. 이미 양국 외상간에 회담에 있었기 때문에 일본이 어떤 사람을 한국에 파견하려면 그사람은 외상 보다는 높은 사람이어야 한다. 한국에 오는 사람은 고위 정치 회담에 선발대 역활을 하여야 할것이다. 예를 들면 서울에서 8월에 한일 정치 회담이 있다하며는 즉 일본 외상이나 일본에 요인이한국에 도착한다며는 이 선발대는 그전에 한국에 와서 정치 회담에 소지를 마련하여야 할것이다.

0076

미문 P2-1

0077

장관은 이어 말하기를 자기는 지난번 일본 고사까 외상과 회담하였을 때 그에게 한국에 올것을 초청하였는 바 고사까 외상은 한국에 일본 대표부가 없다는 말을 하므로 장관은 답변하기를 그렇다면 고사까 외상이 오기전에 적당한 선발대를 보내면 되지 않는가하고 말한적이 있다.

일본은 6월 1일을 기하여 일본을 통과하는 한국인에 체류기간을 72시간에서 24시간으로 단축하였는데 이러한 조치가 한국에게만 적용하는것인지 또한 한국과 같이 일본과 외교관계가 없는 나라에게만 적용되는 것인지 의심되는 바이다. 일본 측은 말하기를 외교관계가 없는 나라에게만 금번 조치가 적용된다고 하나 사실상으로는 한국만이 일본하고 외교 관계가 없으므로 실제로는 한국에게만 적용되는 결과가 되는것이다. 외무부는 이번에 이러한 일본의 조치에 대하여 한국의 모든 재외 공관에 지시하여 한국사람들이 통경을 경유치 않도록 노력하라고 하였다. 과거에 어떤 대사관에서는 한국 국민에게 과도히 친절하여 일본 입국수속등을 편의를 보아 주었는데 앞으로는 그러한 일이 없도록 하라고 지시하였다. 우리들은 우리들의 위신을 지켜야 하며 일본에게 우리의 머리를 숙여서는 아니될것이다.

일본 어선의 나포에 관하여

버거 대사는 국무성에서 전달이 오기를 한국측이 일본 어선을 다량으로 나포하지 않을것을 희망한다고 말하였다. 미국측의 견해로서는 앞으로 오는 7월 8월이 한일 문제 해결에도 더욱 희망적이라고 생각하는바이므로 일본 어선을 많이 나포하며는 어떤 사람들은 이것을 "탄압"으로 삼아 한일 회담 재개를 방해할지모른다. 그러므로 이께다 수상이 회담을 재개할수 있을때까지 일본 어선을 다량으로 나포하지 않을것을 바라는 바이다.

0078

미문 p2ㄱ

0079

장관은 일본 어선의 나포은 내무부 소속 해안 경비대가 하고 있는바 나로서는 그들에게 앞으로는 강화하지 않도록 말할것이다. 그러나 그에 앞서 일본측에서 어선들이 우리 평화선 안에 들어오지 않는것이 선결 문제이며 만일 들어와서 우리에게 도전한다면 나포 하지 않을수 없는것도 사실이다.

그다음 일본이 취한 일본 통과시간 제한에 대해서는 우리는 이문제에 적극적인 면을 고려하여 우리 국민을 지도하기로 결정하였고 결코 일본에 대해서 복수하려는 생각은 없다. (이점에 대해서 버거대사는 수긍하는듯한 태도를 표시하였다.) 한국은 아직도 일본인에 대하여 입국 사증을 용이하게 발급하고 있다. 그러나 일본사람은 한국인이 입국 사증을 신청하였을 때 오랜 시간이 걸리며 보통 3주일은 걸린다. 외무부가 주일 대표부 근무 외교관들의 입국 사증을 신청하였지만 아직도 안나와서 부임 못하고 있는 처지다.

버거대사는 한국에 온 일본인들이 한국에 관하여 아주 좋은 인사을 가지고 귀국하기 때문에 일본 사람이 한국에 용이하게 올수 있다는점은 이러한 관점에서 한국에 유익할것이다라고 말하였다. 최근에 일본 어선 나포 사건이 3건이 있었는데 버거대사 생각에는 현재 한일 문제 교섭이 극히 중요한 단계에 들어가고 있음으로 한국측이 인내해주기를 바란다고 말하였다. 일본에서도 신문들이 한국에 관하여 좋게 평하고 있으며 일본에 실업가들도 한국에 투자하려고 관심을 가지고 있는것 같다.

<u>행정 협정 교섭 재개에 관하여</u>

버거대사는 행정 협정 재개에 관한 한국의 입장을 국무성에 보고하고 새로운 지시를 받을것이다고 말하였다. 그는 또한 금번 동협정 재개 지시를 국무성으로 부터 받기까지는 자기가 상당히 우쟁하였다는 점을 말하고 이것은

0080

0081

왜냐하면 자기는 미국무성의 입장을 번복시키는데 성공하였기 때문이다. 그런데 약 3주일전에 박의장은 성명서를 발표하여 한국에 법원이 부패되었다고 말하였는데 이것은 행정 협정 교섭에 상당히 영향을 주는 말이라고 생각한다. 이때 최 방교국장은 설명하기를 그 성명은 필경 법원내에 있는 부패된 몇몇 인사들을 지층해서 말하는것이고 결코 한국의 법원 제도 전체에 대한 즉 "제도"에 대한 부패의 비난은 아니라고 생각한다고 말하였다.

버거대사는 행정 협정 교섭 재개에 조건으로 외무부 장관이 "현상하에서는 형사 재판권 문제가 한국에 헌법 정부가 복귀되고 재판소의 기능과 법적 절차가 정상화 될때까지는 논의안될것이다.고 유의하였다." 라고 할수 있겠는가 물어 보았다. 외무 장관은 이점에 대해서는 좀더 검토하여야 되겠다고 말하였는바 버거대사는 이것은 다만 버거대사 자신의 사견이며 국무성의 승인을 얻은것은 아니므로 너무 장관이 개념하신 필요는 없다고 말하였다. 장관은 또한 행정 협정 교섭 진행에 있어서 협정안에 포함되어 있는 각종 문제에 대하여 개별적으로 협정을 체결해 나갈수도 있지 않은가 말하였다. 이점에 대하여 하비브 참사관이 미국은 과거에 다른 나라와의 행정 협정 교섭에 있어서 그러한 예가 없다고 말한바 최 방교국장은 사실은 1957년에 미국측이 이러한 개별적 조인안을 제의한바 있다고 지적하였다. 하비브 참사관은 1961년에 회담이 재개 되었을 때에는 공동 위원회가 하나밖에 없었는데 만일 이와같이 개별적 협정을 체결한다면 여러개의 공동 위원회가 생겨야 할것이다고 말하였다. 버거대사는 미국측은 행정 협정 교섭 재개전에 한국에 모든 법률을 검토하여야 되겠다고 말하였다.

버거대사는 현재 미군이 사용하고 있는 기지와 시설에 대하여 한국측이 조사를 추진해 주기를 바란다고 말하였다. 왜냐하면 그중에서 미군이 한국측에 반환할수 있는 것도 있기 때문이다. 그리고 이러한 조사는 행정 협정 교섭 자체를 신속하게 할것이다. 이에 대하여 장관은 이미 국방부가 이문제에 관한 자료는 있겠지만 다시 한번

0082

미문 p27

0083

국방부에 통보하겠다고 말하였다. 버거대사는 자기는 어떻게 하여서던지 행정 협정을 교섭을 재개할수 있도록 어떠한 공식을 모색하고져 한다고 말하였다.

주한 미대사관 건물 신축에 관하여

버거대사는 미국 대사관측에서 현재 대사관 건물에 대하여 그 위치등에 관하여 이상적이라고 생각하고 있지 않다고 말하고 한국 정부가 새로운 미대사관 건물 건축을 위한 대지를 줄수 없을가하고 문의하였다. 그는 말하기를 희랍 정부가 미국 정부에 대희랍 원조등에 대한 사의 표시에 일환으로서 주희랍 미대사관 건물 신축용 대지를 제공한바 있다고 예를 들어 말하였다. 희랍은 여러정부 대지를 미국측에 제공하여 그중의 하나를 미국측이 선택토록 하였다. 그래서 미국측은 그대지중에서 가장 적합한 것을 선택하여 아름다운 대사관 건물을 진바 있다. 버거대사는 현재에 미대사관 건물을 매각하여 그돈으로 새로운 대사관 건물을 건축할 예정이라고 말하였다. 그는 소요되는 대지의 넓이가 1 에이카 반 정도라고 말하였다. 그는 또한 현재에 미대사관저도 이를 철거하고 그자리에 새로운 관저를 건축할 예정인바 현재 관저의 건물들은 1882년 때부터 서있었던 역사적인 건물로서 그중의 7할은 다시 사용할수 있으므로 이건물들을 다른데로 옮겨서 한미 친선을 위한 재단 또는 사교적 센타로서 사용하였으면 좋겠다고 제의하였다. 그런데 그는 오 공보부 장관이 이미 이러한 요청을 하여왔으므로 장차 그렇게 될것이라고 말하였다. 그는 새로운 대사관 건물 건축에 필요된 대지는 한국의 계량법으로서는 반정보가 되지 않을가 말하였다. 이러한 미대사의 문의에 대하여 최외무 장관은 자기는 쾌히 이러한 요청을 정부에 전달하여 한미간에 우의가 돈독함에 비추어 이계획의 실현이 가능하도록 노력하겠다고 답변하였다.

0084

마·론P2-1(10)

0085

1962. 5. 28
4 P.M.

After refering to the previous conversation had with Ambassador Berger, Foreign Minister Choi informed him of the following:

1. In view of the strong public opinion, sentiments of the Korean people and the importance of the criminal jurisdiction in the SOFA, Foreign Minister is not in a position to give any assurance, secret or open, that the Korean Government will not raise the question of the criminal jurisdiction "until: a. The normal functions of civil courts and legal procedures have been restored; and b. Normal constitutional government has been restored."

2. Foreign Minister feels that the negotiations should be resumed for the very purpose of discussing various ways and means of reaching an agreement on such question as the criminal jurisdiction. He, therefore, finds it difficult to comprehend the utility of any negotiations when one side forecloses the discussion of the subject in advance.

3. The present "resumption" of the negotiations is, as the word indicates, to "resume the negotiations suspended as of April 25, 1961." It should be resumed on the basis of "clean slate," and under the same conditions as existed on that date.

4. As for the deferment of the discussion on the criminal jurisdiction, Minister suggested that after the negotiations are resumed, the negotiators, by agreeing to take up less complex subjects first,

0086

may be able to defer, in fact, the discussion on the criminal jurisdiction until later date. Minister also mentioned the advisability of concluding individual agreements for various subjects of SOFA, as they become mature for signature through negotiations.

5. The American side always cites relationship with the Congress and the public image of American contribution to Korea as the reasons for having to propose the conditions referred to above. However, the Minister reminded Ambassador that the Korean Government is under the same or no less pressure from its people and public opinion on this question of the criminal jurisdiction. He said that it would suffice if both sides recognize reciprocally that either side has domestic problems and that they will do their utmost to solve such problems.

6. As regards the American position of the claims involving bases and facilities provided to the armed forces of the United States in Korea, Minister again feels that any such American position should be made known during the negotiations and should not constitute a subject of advance notification, which serves only to vitiate a full and free discussion on the subject during the forthcoming negotiations.

7. In conclusion, Minister informed Ambassador that the draft joint statement on the resumption of the negotiations provides sufficient guaranty for both Governments and should be the basis of agreement to resume the negotiations.

0087

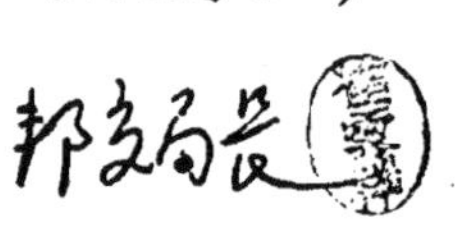

별첨 III

MEMORANDUM

The American Ambassador called on the Foreign Minister on ____________ and informed him that the United States Government was prepared to reopen general negotiations for a full agreement covering the status of the United States armed forces in Korea.

The Ambassador stated that in agreeing to resume ~~dis-cussions~~ the negotiations, it is the desire of his Government that the complex question of the exercise of criminal jurisdiction over personnel of the United States armed forces in Korea will not be raised for discussion until normal constitutional government and normal functions of the civil courts and legal procedures have been fully restored in the Republic of Korea.

The Foreign Minister replied, however, that the policy of his Government has always been to resume the negotiations which would include all the subjects of a status of forces agreement and stated that, in the course of negotiations, both sides may discuss the possibility of taking up less complex subjects first. The Ambassador agreed to this position of the Foreign Minister.

The Ambassador also took the occasion to state his Government's position that claims involving bases and facilities provided to the armed forces of the United States in Korea would be the responsibility of the Government of the Republic of Korea. The Foreign Minister expressed his regret that the United States would wish to foreclose the discussion of this subject in advance of the negotiations and emphasized his Government's intention to raise this problem in the negotiations. The Ambassador took note of the Foreign Minister's position.

0088

In conclusion, the Foreign Minister informed the Ambassador that his Government would be willing to conclude individual agreements on the various subjects of SOFA, i.e. subject by subject, and that the order of negotiating the subjects should be made public at the time of ~~commencement~~ resumption of the negotiations. The Ambassador agreed to this proposal of the Foreign Minister.

주한 미 대사는 ○월 ○일 외무부장관을 방문하고 미합중국 정부가 주한미국 군대의 지위를 규율하는 전면적 협정의 총체적인 교섭을 재개 할 준비가 되어 있음을 전달하였다.

동 대사는 교섭재개를 합의함에 있어 미국정부는 주한미국 군대 구성원에 대한 형사관할권 행사에 관한 복잡한 문제는 대한민국에 헌법상의 정상적 정부와 일반법원과 법절차의 정상적 기능이 충분히 회복될때 까지 토의 하지 않을것을 원한다고 말하였다.

그러나 외무부장관은 군대지위 협정의 모든 문제를 포함하여 교섭재개를 하는 것이 항상 한국정부의 정책이였음을 말하고 교섭 도중에 양측은 보다 복잡하지 않는 문제를 먼저 취급하는 가능성을 토의할수 있음을 진술하였다. 동 대사는 외무부장관의 이 입장에 동의하였다.

동 대사는 역시 주한미국 군대에 제공된 기지 및 시설을 포함하는 청구권은 대한민국 정부의 책임이라는 미국정부의 입장을 진술하는 기회를 가졌다. 외무부장관은 미국이 교섭에 앞서 이 문제의 토의를 미리 막을것을 원하는 것은 유감된 일이라 표명하고 한국정부의 의도는 이 문제를 교섭에 있어 토의할것을 강조하였다. 동 대사는 외무부장관의 입장에 주목하였다.

결론적으로, 외무부장관은 동 대사에게 한국정부는 군대지위에 관한 여러가지 문제에 대한 개별적 협정 즉 문제별 협정을 체결할 의도가 있으며 또 문제의 교섭 순서는 교섭재개시에 공개하여야 할것임을 통고하였다. 동 대사는 외무부장관의 이 제안에 동의하였다.

0090

한미 공동 발표 성명

군대지위 협정 교섭 재개

주한 미국대사는 외무부장관에게 미합중국 정부는 대한민국에 주둔하는 미국 군대의 지위를 규율하는 협정 교섭 재개의 준비가 되어 있음을 통고하였으며 외무부장관은 정부를 대신하여 이 진전을 환영하였다.

양측은 2月 중에 실무자급에서 교섭을 재개할 것에 합의하였다.

어떠한 군대지위협정도 복잡한 문제를 내포하고 있음이 인정되며 교섭은 상당한 기간을 요할 것으로 예측된다.

0091

주한 미국 군대의 지위에 관한 한미간의 협정 체결을 위한 교섭 재개 공동 성명서

1962 년 5 월 일

1. 주한 미국 대사 사무엘 디. 버어거 씨는 금일 외무부로 최 덕 신 외무부 장관을 방문하고 1961 년 4 월에 2 차에 걸친 회합이 있은 후 중단된 바 있는 주한 미국 군대의 지위에 관한 협정 체결을 위하여 그 교섭의 재개에 응할 준비가 되어 있음을 통고하였다. 동 석상에는 이 원 경 외무부 차관도 동석하였다.

2. 버어거 대사의 방문은 교섭의 조속한 재개를 촉구하여 동 대사에게 보낸 1962 년 3 월 12 일자의 정식 공한에 대한 미국측의 호의적 반응인 것이다.

3. 최장관은 미국측 반응에 환영과 만족의 뜻을 표명하였으며 이러한 진전은 기존하는 양국간의 우호 관계를 더욱 증진시키고, 한미간의 유대 강화에 기여하는 바 클 것임을 확인하였다.

4. 교섭 재개를 위한 최초의 회합은 1962 년_____월_____일에 있을 것이며 토의의 절차와 세부적 방법등은 추후에 형성될 실무자급 회담에서 결정될 것이다.

5. 양측은 최대한의 성의와 노력으로서 앞으로 당면하게 될 교섭상의 난관을 극복하고 양국 국민들이 희망하는 방향으로 문제의 해결을 모색하는 동시에 호양과 인내의 정신으로 토의를 진행시킬 것에 합의하였다.

0092

대한민국 외무부

발신전보

암호
종별

번호: WUS-05119
일시: 290950

수신인: 주미대사

주한 미국 군대 지위협정 교섭재개에 관한 당지 한미간 접촉 경위의 개요를 알리오니 참조하고 다음 요령에 따라 주미대사가 국미성 고위층을 직접 방문하여 강력한 교섭을 추진할 것을 지시함.

1. 1961년 4월 25일 이래 중단되어 온 동 협정 체결을 위한 교섭재개를 촉구하는 1962년 3월 12일자 당부 공한에 대하여 버거 주한 미대사는 지난 5월 14일 최장관을 방문하고 동 협정 체결 교섭 재개에 관하여 국무성으로 부터 훈령을 받았음을 언급하고, 한국에 헌법상의 정상정부가 회복되고 일반 법원의 기능과 법절차가 정상화될 때까지는 형사재판관할권 문제는 제기하지 않을것을 한국정부가 확약할 것을 조건으로 교섭을 재개할 것을 통고하였음. 최장관은 이에 대하여 한국측으로서는 그러한 조건부 교섭재개에는 응할수 없으며 다만 교섭재개 후 진행방법에 있어서 사실상 형사재판관할권을 뒤로 미루고 다른 문제부터 토의하는 방법은 고려할수 있다고 회답하였음.

2. 5월 17일 하비브 참사관은 최방교국장을 통하여 형사재판관할권 문제를 제기하지 않을것을 별도 비밀각서로 합의하고 대외적으로는 공표치 않는 조건하에 교섭을 재개할것을 제의하였음. 미국측은 또한 미군이 사용중인 토지 및 시설에 관한 청구권을 한국정부가 책임을 져야 한다고

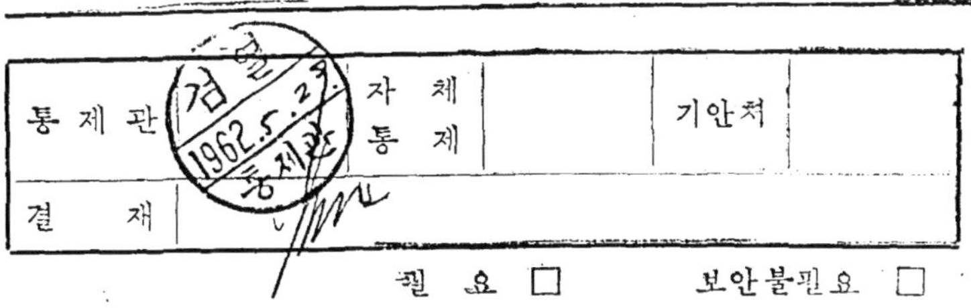

통제관	검열 1962.5.29 통제관	자체 통제		기안처	
결재					

필요 ☐ 보안불필요 ☐

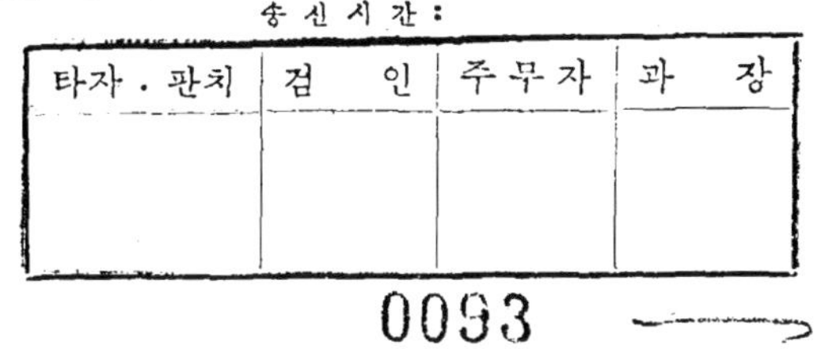

송신시간:

타자 . 관치	검인	주무자	과장

0093

미·문/2-2(3)

0094

대한민국 외무부

번 호:
일 시:

발신전보

종 별

수 신 인:

강조하였음. 이에 대하여 한국측은 이 문제를 교섭에서 제외할수 없다고 주장하고 있음.

3. 5월 28일 최장관은 버거대사를 초치하여 본 협정교섭 재개에 관한 현재의 한국측 태도를 다음과 같이 천명하였음.

(가) 한국의 여론, 국민감정 및 형사재판권이 행정협정에서 차지하고 있는 중요성에 감하여 교섭재개에 앞서 형사재판권 토의를 제외한다는 확약은 줄수 없다.

(나) 본 교섭재개는 1961년 4월 25일 중단된 교섭을 그 당시와 같은 조건하에 재개한다 하는 것이고 교섭재개는 아무런 조건없이 시작되어야 한다.

(다) 단, 교섭재개후 형사재판권 문제를 사실상 후에 토의하도록 교섭자간에 합의할수는 있을것이다.

~~(라) 교섭재개는 별기 교섭재개 공동성명서 초안에 내포된 것을 최대한의 조건으로 개시한다.~~

(라) 미측은 항상 미국의회에 대한 해명의 곤난성, 현 한국정부의 형태 및 미국민의 대한 감정등을 이유로 상기한 바와 같은 조건을 제시하나 이는 미국 국내문제이고 한국정부도 (가)항에 열기된 바와 같은 미국에 못지않는 국내사정이 있으므로 이 문제는 피차 논하지

송신시간:

통제관		자체 통제		기안처	
결 재					

타자. 판치	검 인	주무자	과 장

필 요 ☐ 보안불필요 ☐

0095

미·문 12-2

0096

대한민국 외무부

번 호:

발신전보

담당	과장	국장	차관	장관	시행 5월 28일	조약과

수신인:

않음이 좋을것이다.

4. 주미대사는 전절에 열거한 정부 방첩에 의거 국무성 고위층과 ~~극동하관부 의상~~ 직접 ~~급과 과국~~ 교섭을 추진하고 그 결과를 보고할 것.

5. ~~본건교섭추진에 있어서는 어떠한~~ ~~본건~~ 교섭진행상 방해가 될가 염려되오니 본교섭에 관하여는 어떠한 자에게도 비밀이 누설되지않도록 각별 유념하시압. ~~(외방)~~

~~장관~~

6. 본건 관계서류는 추후 파우치 편으로 송부위계임 (외방)

장관

~~교섭재개에 관한 공동성명서~~ 안

JOINT-US PRESS STATEMENT

Resumption of Negotiations of Status of Forces Agreement

~~The American Ambassador has informed the Minister of Foreign Affairs that the United States Government is prepared to reopen negotiations for an agreement covering the status of the United States armed forces in the Republic of Korea. The Foreign Minister welcomed this development on behalf of his government.~~

~~Both sides agreed that negotiations would resume at the working level sometime in June. It is recognized that any status of forces agreement involves complex matters and it is expected that negotiations will require a considerable period of time.~~ ~~(외방)~~

~~장 관~~

예고: 일반문서로 재분류(1962. 12.31)

통제관		자체 통제		기안처	
결재					

필요 ☐ 보안불필요 ☐

송신시

타자 . 관치	검

0097

미문 f2-2(3)

0098

ROK-US JOINT STATEMENT CONCERNING RESUMPTION OF NEGOTIATIONS FOR CONCLUSION OF AGREEMENT ON STATUS OF UNITED STATES FORCES IN KOREA

May ____, 1962

1. United States Ambassador Samuel D. Berger called on Minister Duck-Shin Choi at the Ministry of Foreign Affairs today, and informed him that the United States was prepared to resume negotiations, which had been suspended after the 2nd working level conference held in April 1961, for conclusion of an agreement concerning the status of the United States forces in Korea. Vice Minister Won Kyung Lee of the Foreign Ministry also attended the meeting.

2. Ambassador Berger's visit represented a favorable response on the part of the United States to an official note of March 12, 1962, addressed to Ambassador Berger, requesting the immediate resumption of negotiations.

3. Expressing satisfaction and gratitude, Minister Choi assured Ambassador Berger that such a development initiated by the United States side would no doubt further promote the friendly relations already existing between the two countries, contributing toward a greater consolidation of their unswerving ties.

4. A meeting between the representatives of the two countries to pave the way for the resumption of negotiations will first be convened on __________, 1962. Procedural and other detailed matters on forthcoming discussions will be decided at a working level meeting to be formed later.

5. Furthermore, both sides agreed that they would pursue, in such way as would satisfy desires of the peoples of both countries, a conclusive settlement of outstanding issues in a spirit of mutual concession and perseverence, overcoming any obstacle that might confront them in the course of negotiations with the maximum integrity and endeavor.

0090

기 안 용 지

자체통제		기안처		전화번호	근거서류접수일자
과장	국장	차관	장관	내각수반	
W.C.					

관계관 서명	정무국장
기안 년월일	시행 년월일	보존 년한	정서	기장
분류 기호	전체 통제	종결		
경유 수신 참조		발신		
제목	주한 미국군대의 지위에 관한 협정 체결을 위한 교섭재개

1961 년 4 월 25 일 이래 중단되어 온 주한 미국 군대의 지위에 관한 협정 체결을 위한 교섭의 재개를 촉구하는 1962 년 3 월 12 일자 당부의 공한에 대하여 주한 미국대사 사무엘, 버-거 씨는 지난 5 월 14 일 최외무부장관을 방문하고 별첨 1 과 같은 내용의 각서에 한국측이 동의할 것을 전제로 하여 회담 재개에 응할 의사가 있음을 통고하였음.

동 각서의 내용에 의하면 미국은 본 회담 재개의 조건으로서

(1) 형사재판 관할권 문제에 관하여 한국에 헌법상의 정상적 정부가 회복되고 일반 법원의 기능과 법 절차가 정상화 될 때까지는 한국 정부가 이 문제를 제기하지 않겠다는 확약을 줄 것과,

(2) 미군이 사용중인 토지, 시설에 관한 청구권 문제는 한국정부가 책임을 져야 한다는 것은 재차 강조하는 바이나 회담 재개중 한국측이 이 문제를 제기할수는 있다는 것으로 양해할 것을 요구

승인양식 1-1-3 (1112-040-016-018) (190mm×260mm16절지)

0100

하고 있으며, 전기 (1) 의 확약은 일체 공개하지 않은것을 주장하고 있음.

이러한 미국의 요구 조건을 검토하건데, 설사 형사재판관할권 문제가 현안 문제의 해결중 제일 어려운 것임에는 틀림없다 치더라도 교섭재개의 전제조건으로 이 문제를 사전에 토의 항목에서 일정한 기간이나마 제거하고 이를 위해 한국측이 미국측에 비밀 확약을 준다는 것은 극히 부당할 뿐만 아니라, 지금까지 미국이 당사국으로 되어 있는 각종 행정협정 체결 교섭에서도 그 예를 찾기 힘든 것으로서 이를 그대로 수락할수는 없는것으로 단정됨.

그러나 미국이 지적하는 "정상적 정부가 회복되고 일반법원의 기능과 법 절차가 정상화 될때까지"라는 말이 대략은 "계엄령이 해제되고 민정으로 복귀된 다음"이라는 것으로 해석됨에 감하여 앞으로 일정한 시기동안 사실상으로 형사재판 관할권 문제는 토의하고 싶지 않다는 것이 미국측의 확고한 방침일 진대는 차라리 이 문제를 토의항목의 서열에서 뒤로 미루어 놓고 해결이 비교적 용이한 문제부터 토의를 시작하는 것이 현명한 방안으로 생각됨.

미군이 사용중인 토지, 시설의 보상 청구권 문제는 이 문제가 형사재판관할권에 다음 가는 중요한 문제일 뿐만 아니라, 현지 미군이 사용중인 막대한 토지 시설에 대한 보상을 미국측이 원하는 대로 한국정부의 재력으로 부담할수가 없을뿐 더러, 만약 이 문제에 대한 만족할만한 해결마저 기대할수가 없다면, 설사 미국측이 교섭 재개에 응하여 준다 치더라도 우리가 얻을수 있는 실익이란 극히 제한된 근소한 것에 불과할 것임으로 이도 또한 그대로 수락할수는 없는 것임.

그리하여 우리측으로서는 미국측 각서에 대한 대안으로서

별첨 II 와 같은 각서를 작성하여 이를 교섭재개에 대한 우리의 기본 노선으로 삼는 동시에 미국측에 제시하고저 하는 바, 이 각서는

첫째로, 모든 문제를 포함하는 전면적 회담을 재개하되, 비교적 해결이 용이한 문제의 토의를 선행시킬수 있도록 하여 필요하다면 형사재판관할권 문제의 토의는 뒤로 미룰수 있는 가능성을 설정하였고

둘째로, 토지시설의 보상문제는 한국정부가 단호히, 토의항목으로 제기할 것임을 재확언하였으며,

셋째로, 한국정부는 각 항목마다 합의를 보는대로 개별협정의 체결도 환영할 것이라는 것을 첨언하였음.

만약 이 각서에 미국측이 동의한다면 당부는 회담재개를 위한 세부적 준비에 착수하겠음.

유첨 : 1. 버-거 주한미국 대사가 제안한 각서

2. 외무부장관이 제안한 대안 각서

승인양식 1-1-2 (1112-040-016-017) (190mm×260mm 16절지)

0102

제 목 : 한미간의 미국 주둔군 지위협정 체결을 위한 ~~금번도~~

교섭 경위 (62. 2. 13 — 5. 29. 간)

1. 1962. 2. 13 최외무부장관은 버거 미국대사를 초치하고 협정의 조속한 체결을 구두로 요청 하였음. 이에 대하여 동 대사는 하등 거절할 이유가 없다고 언명하고 한국정부의 뜻을 미국정부에 전달하겠다고 말 하였음.

2. 1962. 2. 23 미 대사관 마지스트렛틱 부대사는 외무부차관, 문 정무국장, 전 방교국장을 오찬에 초청하고 2 월 23 일자 "유.피.아이"와싱톤 발신 기사에 언급하고 미국대사관측으로서는 동 내용에 대하여 전혀 아는 바 없으며 외무부장관이 버거 대사에게 표시한 조속한 교섭 재개의사를 국무성에 타전하고 그 회보를 대기 중이라고 말하였음.

3. 1962. 3. 12. 정부는 1961 년 4 월 25 일 이래 중단 되어 온 교섭재개를 촉구하는 각서를 미국 대사에게 수교하고 조속한 미국측의 반응을 요청 하였음. ~~(별첨 (1) 참조)~~

4. 1962. 3. 16 해리만 미 국무차관보의 내한을 계기로 정부는 협정 체결에 대한 국민의 여론을 전달하고 미국정부의 조속한 결단을 촉구함.

5. 1962. 3. 16 외무부장관은 협정 체결을 위한 조속한 미국측의 결정을 촉구하도록 미국무성 고위층과 교섭토록 주미대사에게 훈령 함. ~~(별첨 (2) 참조)~~

6. 1962. 3. 27 에 버거대사, 그리고 3. 30 에는 마지스트렛틱 부대사가 각각 최 외무부장관을 방문하였음. 동 석상에서 최장관은 3. 12 자로 수교한 우리측 각서에 대한 미국측의 조속한 회답을 촉구하였음. 이에 대하여 버거 대사는 아직 미국무성 당국으로 부터 훈령을 받지 못하였으나 조만간 훈령이 올것으로 기대되며 이를 접수하는대로 즉시 한국측에 회답할 것임을 확언 하였음.

7. 1962. 4. 26 주한 미국대사관 하비브 참사관은 최 방교국장을 방문하고 협정 체결을 위한 교섭 재개문제를 논의 하였음. 동 석상에서 최 방교

2 - 1

0103

62-4-1 (3)

0104

국장은 3. 12 자로 미국측에 수교한 우리측 각서에 대한 미국측의 회한이 아직것 접수되지 않고 있음을 상기시키고 이에 대한 미국측의 조속한 회신을 촉구하였음. 이에 대하여 하비브 참사관은 미국대사관 측에서도 조만간 국무성으로 부터의 이에 대한 훈령이 있을 것으로 기대하고 있다고 말하고 2일전 버거 대사가 최 장관을 방문하고 본 건에 관하여 토의 한 바 있음을 지적하였음.

8. 1962. 5. 2 외무부는 주미대사에게 훈령하여 협정 체결 교섭 재개에 대한 미국정부의 입장을 구체적으로 타진 보고 토록 지시 함.(별첨 (3) 참조)

9. 1962. 5. 7. 주한 미국 대사관 하비브 참사관은 최 방교국장을 방문하고 협정 체결 문제를 논의 하였음. 동 석상에서 최국장은 교섭재개에 관한 국무성으로 부터의 지시가 있었는지의 여부를 문의하였으며 이에 대하여 하비브 참사관은 아직 아무런 지시를 받지 못하였다고 말하였음. 최국장은 현재 국내의 모든 질서가 정상화되어 과거 어느 때 보다 협정 체결을 위한 교섭재개의 분위기가 조성되었음을 지적하고 가까운 시일 내에 미국측의 태도결정이 있기를 촉구하였음. 이에 대하여 하비브 참사관은 개인적으로 찬의를 표하고 오늘의 회담 내용을 국무성에 보고하겠다고 언명하였음.

10. 1962. 5. 10 주미대사는 국무성에 의견을 타진하였든 바, 현재 국무. 국방 양성에서 이 문제에 관하여 활발히 협의가 진행중이라고 보고 하여 왔음. (별첨 (4) 참조)

11. 1962. 5. 12 외무부는 주미대사에게 재차 훈령하여 미 국무성의 고위층과 재 접촉하여 미국정부의 입장을 구체적으로 타진 보고토록 지시함. (별첨 (5) 참조)

12. 1962. 5. 12 주미대사는 미국무성이 주한 미대사관에 대하여 한국측과 군대지위협정 체결 교섭을 재개토록 지시하였다고 보고하여 왔음. (별첨 (6) 참조)

62-4-2

2-2

0105

62-4-1

미표 79-27

0106

13. 1962. 5. 14버거대사는 최 외무부장관을 방문하고 협정 체결 교섭재개에 관하여 국무성으로 부터 훈령을 받았음을 언급하고 다만 미국정부가 국내사정으로 형사재판관할권에 관하여는 즉시 교섭에 들어 감이 곤란하다고 함으로 최장관은 그 문제가 복잡한 문제 이지만 행정협정의 핵심이므로 그 문제를 포함하여 교섭재개에 응하도록 버거 대사에게 회답한 바, 동 대사는 본국정부에 청훈하여 그 방향으로 노력할 것을 다짐하였음.

14. 1962. 5. 17 외무부와 미 대사관 실무자간에 교섭재개에 관하여 재차 회담이 있었음.

15. 1962. 5. 28 최 외무부장관은 버거 대사를 초치하고 협정 교섭 재개에 관한 현재의 한국측 태도를 재차 천명하였음. 즉, (1)한국의 여론 및 국민 감정에 비추어 형사재판권이 행정협정에서 차지하고 있는 중요성에 감하여 교섭재개에 앞서 형사재판권의 토의를 제외한다는 확약은 줄수없다. (2) 본 교섭재개는 1961. 4. 25 중단된 교섭을 그 당시와 같은 조건하에서 재개하는 것이므로 교섭재개는 아무런 조건 없이 시작되어야 한다. (3) 단, 교섭 재개 후 형사재판권 문제를 사실상 후에 토의 하도록 교섭자간에 합의할수 있을 것이다. (4) 미국측은 항상 미국의회에 대한 해명의 곤란성, 현 한국정부의 형태 및 미국민의 대한 감정 등을 이유로 상기한 바와 같은 조건을 제시하나 어느 미국국내 문제이고 한국정부도 (1) 항에 열거된 바와 같은 국내사정이 있으므로 이 문제는 피차에 논하지 않음이 좋을 것이다.

이에 대하여 버거 대사는 이 뜻을 미국무성에 보고 하겠다고 언명하였음.

16. 1962. 5. 29 외무부는 주미대사에 대하여 한국정부의 태도를 전달하고 미국무성 고위층과 즉시 행정협정 교섭재개에 대하여 재차 교섭할것을 지시 함(-별첨-(7)-참조).

보통문서로 재분류 (1966. 12. 31.)

2-3

0107

62-4-1 (3)

0108

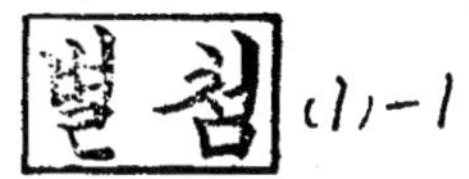

외교활동보고서

외방 (조) 제 호 1962. 2. 23.

수신 : 장관 참조. 정보 국장

제목 : 한미간의 주둔군지위 협정 체결 교섭 문제

당국에서 외국 인사와 접촉한 내용 및 경위를 아래와 같이 보고합니다.

— 아 래 —

1. 접촉인사 : Magistretti 미국 대사관 부대사 Habib 참사관
2. 접촉일시 : 1962. 2. 23
3. 접촉장소 : 오찬회 석상
4. 접촉목적 : Magistretti 부대사 초청 오찬
5. 접촉경위 및 내용 : 이 외무부 차관, 문 정무국장, 전 방교국장은 미국 대사관 부대사 Magistretti 씨의 오찬 초대에 참석하였다. 동 석상에서 여러가지 화제중 방교국 소관 사항으로 Magistretti 씨는 2월 23일자 와싱톤 발 UPI 기사 (한미행정협정 체결 교섭문제)에 언급하고 미국 대사관측으로서는 동 내용에 대하여 전혀 아는 바 없음을 명확히 하는 동시에 동 대사관으로서는 얼마전 최외무부 장관이 행정협정의 조속한 체결을 위한 교섭 재개의 의사를 Berger 대사에게 표시한 바를 국무성에 타전하고 그에 대한 회보를 기다리는 중이라고 말하였음. 이에 대하여 이 차관은 비록 여사한 UPI 기사가 미국측의 공적 견해는 아니라 하드래도 파주사건의 여파로 한동안 흥분되었던 한국 언론이 현재 겨우 진정되려는 이 때에

11-3

0109

0110

여사한 기사가 던지는 파문은 새로운 자극을 초래할 우려가 있는 것으로 생각한다고 말하였음.

또한 Magistretti 씨는 Berger 대사가 마니라에서 개최되는 공관장 회의에 참석하기 위하여 3 월 2 일 서울을 출발할 예정임을 밝혔음. (동행자 데론 공보담당 참사관, 존슨 행정 담당 참사관, 김편 유섭 처장)

건 의

3 월 2 일 Berger 대사가 마니라로 향발할 것이 확실시 됨에 따라 중단되었던 한미행정 협정 체결을 위한 교섭재개의 우리측제의는 동 대사가 출발하기 전인 2 월 28 일경 까지는 이를 작성하여 동 대사에게 수교함이 좋을것으로 생각함.

보고서 작성자 방 고 국 장 전 상 진

방 고 국 장 전 상 진

11-4 0111

0112

외 무 부

외방(조) 제 1203 호 1962. 3. 12.

미 합중국 대사

사무엘 디. 버어거 각 하

각 하:

본인은 1961 년 4 월 25 일 외무부에서 제 2 차 회의를 마지막으로 개최한 이래 미국측의 요구에 의하여 중단되고 있는 주한 미군의 지위에 관한 협정의 체결을 위한 고섭을 재개하는 문제에 관하여 각하와 본인이 최근에 가졌던 협의에 언급하는 영광을 갖는 바 입니다.

미국측이 이러한 협정의 체결을 위하여 즉시 고섭을 개시할 용의를 갖추고 있음을 확인하고, 또한 위에 말한 바와 같이 그후 2 차에 걸친 회의를 성립시킨 1961 년 4 월 10 일자 장면 전 국무총리와 매카나기 전 미대사간의 공동 성명에 각하의 관심을 환기하는 바 입니다.

우리 정부는 이러한 협정의체결이 양국의 공동 목표와 이익에 크게 이바지 할것임을 확신하는 바 입니다.

그러므로 미국 정부가 본 문제에 대하여 호의적인 고려를 행하고 본 협정의 체결을 위하여 조속한 고섭 재개에 동의하는 회답을 보내 주시기를 진심으로 바라는 바 입니다.

각하에게 본인의 변함없는 최고의 경의를 표하는 바 입니다.

외 무 부 장 관

최 덕 신

62-4-

보통문서로 재분류(1966.12.31)

1966.12.31에 예고문에 의거 일반문서로 재분류됨

16-1

0113

62-4-3 (3)

0114

TRANSLATION

IT - 6203 March 12, 1962

Excellency:

I have the honour to refer to the conversations which Your Excellency and I recently had on the subject of resumption of negotiations for the conclusion of an agreement on the status of the United States forces in the Republic of Korea which have been suspended at the request of the representative of the United States since the last meeting held for the second time at the Foreign Ministry on April 25, 1961.

Your Excellency's attention is kindly invited to the joint statement made between former Prime Minister Chang and former Ambassador McConaughy on April 10, 1961, which confirmed the readiness of the United States Government to enter into negotiations for the conclusion of such agreement, bringing about subsequent two meetings as aforementioned.

It is the earnest conviction of my Government that the ealry conclusion of such agreement would serve to provide a greater contribution to the common cause and interests of both countries.

His Excellency
Samuel D. Berger
Ambassador of the
United States of America

62-4-12

16-2

0115

2-4-3 (3).

미관 70-25

0116

It is sincerely hoped, therefore, that the United States Government give favourable consideration to this subject and make a prompt reply of concurrence for the earliest resumption of negotiations for the conclusion of this agreement.

Accept, Excellency, the renewed assurances of my highest consideration.

/s/

Choi Duk-Shin

보통문서로 재분류(1966.12.31)

62-6-16

1966.12.31.에 예고문에 의거 일반문서로 재분류됨

16-3

0117

62-4-3 (3)

0118

별첨 (2)-1

외 무 부

외방(조) 제 517 호　　　　　　　　1962. 3. 16.

수신 : 주 미 대 사

제목 : 한·미간의 주둔군 지위 협정 체결 문제

한미간의 주둔군 지위협정 체결을 위한 양국간의 교섭은 작년 4월 25일의 제 2 차 회담을 마지막으로 미국측의 요청으로 중단되고 있는데, 이 협정의 조속한 체결을 요구하는 국민 여론이 비등함에 비추어 정부에서는 3 월 12 일자로 협정 체결 교섭의 조속한 재개를 요청하는 별첨 사본과 같은 각서를 주한 미국대사에게 전달하고 미국측의 결정을 촉구한 바 있으므로, 이 문제에 관하여 미 국무성 당국과 수시 접촉하여 미국정부의 입장을 타진하는데로 조속 보고하기 바랍니다.

유첨 : 3 월 12 일자 주한 미국대사에게 전달한 각서 사본.　끝

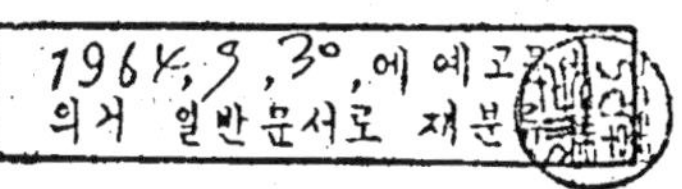

외 무 부 장 관　　최 덕 신

18-1

0110

1962 년 4 월 2 일

제목 주한 미군의 지위에 관한 협정 체결 교섭

3 월 27 일에는 주한미국 대사 Samuel D. Berger 씨가 그리고 3 월 30 일에는 동 대사관 William L. Magistretti 참사관이 각각 최 외무장관을 방문하였음. 동 석상에서 최장관은 이미 지난 3 월 12 일자로 주한 미대사관에 수교한 바 있는 주한 미군의 지위에 관한 협정 체결을 위한 교섭 재개를 촉구하는 공한에 언급하고 이에 대한 미국측의 조속한 회답을 재차 촉구하였음. 최장관은 설사 동 협정 체결을 위한 토의 자체에 어떠한 난관이나 어려움이 있다 하드래도 우선 쌍방 실무자들이 회합하여 교섭을 재개하는 문제만을 제 1 차적으로 결정을 보아야 한다는 점을 강조하였음. 이에 대하여 Berger 대사는 아직 국무성 당국으로 부터 어떠한 훈령을 받은 바 없으나 조만간 접수할 것으로 기대되는 동 훈령이 도착되는 즉시로 한국측에 회한할 예정임을 알렸고 또한 Magistretti 참사관은 불원 국무성 Joseph A. Yager 국장(Director of Office of East Asian Affairs Bureau, State Department) 이 내한할 예정인 바 동 국장에 대하여도 본건에 관한 한국측의 촉구를 전달할 것이라고 말하였음.

19-1

0120

(31-1)

외교교섭보고서

1962. 4. 27.

외방교

수신 장관

제목 한미간의 주둔군지위 협정 체결 교섭

당국에서 외국인과 접촉한 결과를 아래와 같이 보고합니다.

1. 접촉일시: 1962. 4. 26 오후 5 시
2. 접촉장소: 외무부 방교국장실
3. 접촉인사: 주한미국 대사관 하비브 참사관
4. 접촉목적: 한미간의 주둔군지위협정 체결 교섭
5. 접촉경위: 4 월 26 일 오후 5 시 주한 미국대사관 하비브 참사관은 최윤상 방교국장을 방문하였음. 동 석상에는 노신영 조약과장이 배석하였음.

최국장은 지난 3 월 12 일자로 미국측에 수교한 바 있는 주둔군지위협정 체결을 위한 교섭재개를 촉구하는 우리측 각서에 대한 미국측의 회답이 아직까지 접수되지 않고 있음을 상기시키고 이에 대한 미국측의 조속한 회신을 촉구하였음.

하비브 참사관은 당지 미국대사관측에서도 조만간 국무성으로 부터의 이에 대한 훈령이 있을것으로 기대하고 있다고 말하고 2 일전인 24 일 버거대사가 외무장관을 방문하고 본건에 관하여 토의한 바 있음을 지적하였음.

하비브 참사관은 또한 한국측이 본 건 교섭에 관하여 조용한 분위기를 계속 유지하고 국민여론을 자극하는 일이 없도록 현재의 고요한 분위기를 지속해 줄것을 요망하고 또한 한국정부가 지금까지 지녀온 인내심을 계속 유지하여 줄것을 희망하였음.

최국장은 한국정부가 본 건 교섭에 있어서 미국측이 원으로 할것이라고 추측되는 제 보장 예컨대 형무소 시설의 개선등과 같은 일들을 충분히

2.01

0121

충족시킬수 있을 것이라고 언명하는 동시에 한국 국민의 미국에 대한 불필요한 오해를 불식하고 한미간에 존재하는 현재의 우호적 유대를 더욱 공고히 하는 의미에서도 최소한 회담의 재개만은 서둘러야 하고 절차상 문제의 토의를 조속 실현시켜야 할것임을 강조하였음.

하비브 참사관은 최국장의 의견에 찬동하는 동시에 자기로서는 본 교섭이 형사재판관할권 문제와 토지 시설문제의 보상에 관하여 가장 큰 어려움이 있을 것으로 생각한다고 말하고 형사재판관할권 문제에 있어서는 계엄령이 선포되어 있는 현 한국사태하에서 이 문제의 토의를 개시한다면 미국 국회와 국민이 이를 납득하지 못할 것임을 특히 지적하였음. 이에 대하여 최국장은 미국이 당사국으로 되어있는 各種 행정협정의 체결교섭 기간을 살펴보건데 대략 8 개월 또는 그 이상을 소요하고 있는데 만약 한미간의 교섭이 5 월초에 재개된다치면 최종협의에 이르는 것은 아마도 명년초가 될것인 즉 그 때까지는 계엄령이 해제되고 민정복귀의 준비가 이루어질 때 임으로 미국측이 현사태하에서 본국 국민의 여론과 국회의 논란을 우려하여 형사재판관할권 문제의 토의를 주저한다면 이 문제만은 토의대상 항목의 최종순위로 하여 교섭을 재개하면 될것이라고 말하였음.

하비브 참사관도 이에 동의하는 바이라고 찬의를 표명하고 한국정부의 뜻을 와싱톤에 다시 타전하겠다고 약속하고 5 시 30 분 면담을 종료하였음.

방 교 국 장　　　　최 운 상

20-2

0122

별첨 (3)-2

대한민국 외무부

발신전보

번 호: WD-0507

일 시: 021540

종 별: 지급

수신인: 주미대사

(연: 외방(조) 517 호, 1962. 3. 16자)

연호 공문으로 지시한 한미간의 주둔군 지위협정 체결에 관하여는 3월 12일자 우리측의 교섭재개 요청에 대하여 아직 미국측의 태도 표명이 없으므로 이에 대한 미국 정부의 입장을 구체적으로 타진하여 조속 보고하기 바람. 주한 미 대사관에서도 국무성으로부터의 훈령 미접을 이유로 회답을 지연하고 있음.

외무부 장관

송신시간:

통제관		자체 통제		기안처	
결재					

타자. 관치	검인	주무자	과장

필요 ☐ 보안불필요 ☐

0123

별첨 (4)-1 대한민국 외무부

번 호: —0564
일 시: 101800

착신전보

종 별

수신인: 외무부 장관 귀하

한미 군대지위 협정

1. 국무성의 입장을 계속 타진중인 바 금 10일 강참사관이 에거 동아국장을 방문 협의하였는데 버거대사로 부터 건의안이 와서 현재 국무 국방 양성에서 완밀히 협의중이며 양성의 국장급 수준에서 취급되고 있는것으로 관측됨.

2. 전기 버거대사의 건의안에 관하여 정보가 있으시면 통보 바람.

주 미대사

예고 : 일반문서로 재분류 (62. 12. 31)

정무, 정보

1-1

수신시간:

1964. 9. 30.에 예고문에 의거 일반문서로 재분류됨

외 신 과

0124

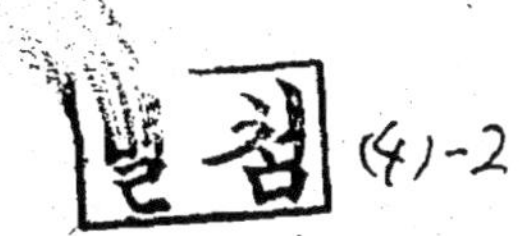

외 교 활 동 보 고

시일 : 1962 년 5 월 7 일 오후 5 시 부터 30 분간

장소 : 방교국장 실

참가인원 : 방교국장 최 운 상

국제기구과장 이 범 석

미국 대사관 하비브 참사관

" 오도나휴 3 등서기관

회담 내용 :

1. 유엔총회 (17 차) 기본 대책 03-1 문제에 관한 건

가) 방교국장은 지난달 위의 문제에 관하여 외무부 차관과 언커크 바이칸 호주 대표와의 회담 내용을 설명하고 특히 그중 바이칸의 이러한 한국정부의 정책이 성공할 것을 진심으로 바란다고 말한 것을 전달하고 동시에 바이칸 씨가 지적한 몇가지 가정에 대하여 설명하였음. 또한 방교국장은 바이칸씨가 자기 정부에 정식으로 청훈하면 토이기 정부는 반드시 유엔 대표부에 문의할 것인바 다행히 토이기 유엔대사를 바이칸씨가 사적으로 잘 아는 관계로 그분에게 여하한 사정을 사신 연락하겠다고 말한것을 전달하였음.

나) 하비브 참사관은 방교국장 발언에 대하여 감사의 뜻을 표하고 자기 본국정부에 보고함과 동시에 아직 까지는 본국정부로 부터 받지못한 우력의 17 차 총회 기본대책에 대한 미국무성의 전반적인 반응을 독촉할 것이라고 하였음. 하비브 참사관은 근일중에 바이칸씨와 다시 만나기로 되어있는 관계상 방교국장의 이와 같은 정보에 대하여 대단히 유의할것이라고 하였음.

다) 하비브 참사관은 대한민국이 다음 총회에 한국문제를 상정시킬 것인가의 여부에 관하여 우력의 입장을 문의한바 이에 대하여 최국장은 한국정부는 상정되는것을 원하고 있다고 지적하였음.

0125

-미·일 p2-6(4)

0126

다) 상정여부 문제에 관하여 하비브 참사관은 그 결정이 최종적인 것인가 또는 앞으로 이 문제에 대하여 다시 한번 결정 단계를 거쳐야 할것이라고 문의한데 대하여 국제기구과장은 상정여부의 결정단계는 기본 대책에서 명시된 바와 같이 6 월에 가서 다시 한번 있을 것이나 지금 현재의 정부의 입장은 상정하는것을 원칙으로 하고 있음을 전달하였음.

2. 한미행정 협정에 관하여

가) 한미 행정 협정 체결을 위한 교섭에 관하여 최국장은 본부로 부터 어떤 새로운 지시가 없었는가 하고 하비브 참사관에게 문의한 바 하비브 참사관은 상금 아무런 지시도 없다고 대답하였음.

나) 최국장은 주미대사관으로 부터 들어온 보고에 의하면은 이 문제에 관하여 현재 국무성은 고위층에서 논의하고 있다가 하였는데 이 문제에 관하여 아는 바 없는가고 문의하였던 바 하비브 참사관은 자기로서는 그러한 사실을 알지는 못하나 한미행정 협정 문제가 고위층으로 이관되었다는 것은 멀지않은 장래에 동 문제에 대한 결정이 내릴것이라는 징조라고 보며 반가운 소식이라고 하였음.

다) 최국장은 지금 현재 국내 모든 질서가 잡혔으며 과거 어느 때 보다도 협정 체결 교섭을 시작하기 위한 분위기가 조정되었음을 지적함과 동시에 만일 미국정부가 이 문제에 대하여 가까운 장래에 결정을 내려 준다면 혁명 1 주년 기념에 대한 기꺼운 선물이 될것이라고 하였으며 하비브 참사관은 이에 대하여 자기로서도 그렇게 되기를 간절히 희망하며, 본부의 지시를 기다리고 있다고 언명함과 동시에 오늘의 회담내용을 본부에 보고하겠다고 언약하였음.

0127

미·조P2-6

0128

별첨 5

대한민국 외무부

발신전보

암호
종별

번호: WP—0557
일시: 120830

수신인: 주미대사

(대: DW—0520)
(연: WP—0507)

연도 공전으로 지시한 고섭에 관하여는 대사가 직접 미국무성의 High authority 와 접촉하여 미국정부의 입장을 구체적으로 타진 보고할 것을 재차 지시하며 고섭에 있어서 다음 사항을 유의하시압.

1. 주한 미국대사관에서는 우리 정부의 고섭재개 요청에 적극적인 태도를 표명하고 있으나 본국 정부의 지시가 없어 확답을 못하고 있음.

2. 단 우리나라가 현재 계엄령하에 있으며 모든 법령이 변동이 많고 형무소 시설등이 불비하다는 점 등을 체결 고섭의 연기 이유로 삼어 왔음.

3. 전기 2 항에 대하여 아측은 설령 한국이 현재 계엄령하에 있다 하드래도 한국의 주요법(민법, 형법, 민사소송법, 형사소송법 등)은 변동이 없었으며, 행정협정이 체결되면 미국군인의 인권옹호 및 형무소 시설에 관하여는 국제적 수준의 보장을 할것이라는 점을 지적하실 것.

4. 고섭이 재개된다 하드래도 협정 체결까지는 상당한 시일이 소요될 것이므로 지금부터 고섭을 하여야만 민정이양 준비의 구체화

송신시간:

통제관		자체 통제		기안처	
결재					3-1

타자.판치	검인	주무자	과장

필요 □ 보안불필요 □

0129

미국(마)118-24(2)

0130

대한민국 외무부

번 호:
일 시:

발신전보

종 별

수신인:

구체회와 대부의 협정체결이 가능할 것이라는 점을 강조하실 것.

5. 협정 체결 교섭에 있어서는 실질적 문제의 토의에 앞서 절차에 관한 교섭도 많은것이므로 이러한 의미에서도 양국간 실무자가 먼저 속히 모이는 것이 필요하다는 것을 강조하시압.

6. 5.16 혁명 1주년 기념에 제하여 미국정부가 본 교섭재개에 동의한다는 것은 미국정부가 우리나라의 군사정부를 지지한다는 구체적인 표시로서 한미간 우호증진에 큰 공헌이 될것이라는 점을 설명하시고 가급적 교섭재개에 관한 발표를 5.16 전에 하도록 요청하시압.

7. 미국측은 한국에는 여론이 없다는 등의 말은 하나 이것은 사실과는 상이한 인상이며 그간 국내 중요신문의 사설과 민간단체의 진정서 제출 운동등으로 한국관민간의 협정체결에 대한 요망은 나날이 심각함을 미국측에 전하시기 바람. (방조)

장 관

~~예고 : 일반문서로 재분류 (1962. 12. 31)~~

송신시간:

통제관		자체 통제			
결 재					3-2

타자.판치	검 인	주무자	과 장

필 요 ☐ 보안불필요 ☐

0131

0132

첨 6

대한민국 외무부

번 호: DW-0586
일 시: 121940

착신전보

종 별

수신인: 외무부 장관 귀하

대: WD-0557 (방교)

금 12일 미국무성의 맥도날드 한국과장이 본직에게 비공식으로 알려온 바에 의하면 국무성은 어제 밤 주한 미대사관에 한국측과 군대지위 협정 체결 교섭을 재개하도록 전문으로 지시하였다고 하며 본건의 공표 여부는 서울에서 한국정부와 미대사관 측간의 협의에 의하여 결정될 것이라고 시사하였음을 보고함.

주미대사

예고: 일반문서로 재분류 (공표시)

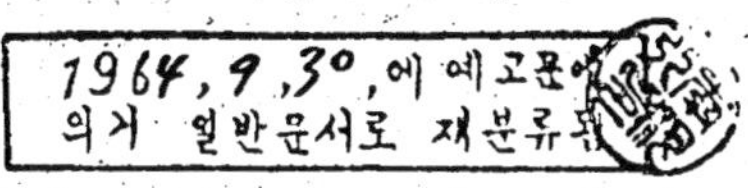
1964. 9. 30. 에 예고문에 의거 일반문서로 재분류됨

2-1

수신시간:

0133

검 인

외 신 과

별첨 (7)-1

제목 한미행정협정 체결교섭

참석자 장관 차관

Berger 주한미대사

Magistretti 주한미대사관 참사관

장소 장관실

일시 1962년 5월 14일 2시 30분—3 시

내용

1. 버거 주한미대사는 우리정부의 3월 12일자 행정협정 교섭재의요청에 대한 워싱톤의 훈령을 받았으며 그 내용은 원칙적으로 행정협정 체결 교섭을 재개하는데 동의한다는 것을 통지함. 그러나 한가지 조건이 있는데 그것은 행정협정 교섭 대상 항목중 다른것은 실무자회의를 통하여 교섭을 진행시키는데 이의가 없으나, 형사재판권 (Criminal Jurisdiction)에 관하여는 헌법상태(Constitutional Situation) 가 정상화한 후에 시작해야 한다는 것이며 미국측으로서는 3월 12일자 서한에 문서로 회답하기 전에 한국측이 이러한 조건부에 동의한다는 약속을 서면으로 요구한 그후 미국측으로서의 정식 문서회답을 한국측에 전달하겠다.

2. 최장관은 이에 대하여 우리측이 그러한 조건부로 교섭을 재개한다는 것 자체에도 찬성할수 없는일이며 더우기 그러한 것을 서면으로 약속한다는 것은 곤란한 일이니 우선 우리측 제안에 대한 정식회답은 미국측으로서는 보내와야 할것이다.

3. 버거대사는 자기 본국정부의 훈령에 의해서 행동하는 것이며 헌법상태가 회복된 후에 형사재판권 문제를 다루어야 한다는 입장이니 이 점을 한국측에서 이해하고 그 테두리 안에 행정협정 교섭을 추진해야 하겠다. 솔직히 이야기 해서 미국의 군부에서는 행정협정 체결에 관하여 맹렬히 반대하고 있는 바이며 또한 미국 국회내에서도 이 문제에 대해서는 반대하는 의견이 강하므로 한국측의 입장을 살펴서 행정협정 교섭을 시작한다 하더라도 민정 복귀후 까지는 형사재판권 문제는 한국측에서 제기

22

24-1

0135

마지 않는 바는 사전 보장이 필요한 것이다.

4. 차관은 행정 협정 체결문제는 한국의 여론과의 관련성에서도 비상한 관심의 대상이 되어 있는 만큼 한국정부로서는 이것을 중요한 교섭으로 인식하고 있다. 특히 행정협정 체고의 관련성에서 가장 문제와 비난의 대상이 되는 것이 형사재판권에 관한 것이며 또한 이는 직접적으로 주권에 관련된 문제라고 볼수 있는것이니 형사재판권에 관하여 귀측의 그러한 사전 보장을 받다는 것은 생각하기 어려운 일이다. 다만 행정협정 자체의 교섭의 타결은 상당한 시일을 요하는 성질의 것이니 진행방법 및 토의 순서등을 조절한다는 것은 필요하며 가능한 일일는지 모르겠다. 귀측의 사전 문서 확인 요청에 대해서는 응하지 못할것이나 진행방법 등에 있어서 형사재판권 토의를 뒤로 미루고 우선 다른 문제부터 토의한다는 방법은 고려할수 있는것으로 본다. 본인의 생각으로는 상부와도 상의하여 형사재판권 문제를 실질적으로 뒤로 미루는데 한국측으로서 이의가 없다면은 형사재판권 문제는 헌법 실제가 진상과 운운의 견지에서 이를 다루지 말고 실질적인 시간적인 요소에서 이 문제를 뒤로 돌릴수도 있을 것인바 그러한 내면적인 양해를 쌍방이 구두로 하면 족할것이 아니냐고 언급함.

5. 이에 대하여 버거대사는 쌍방의 입장이 있는것이고 미군 또는 기타의 관련성등을 잘 감안하여 합리적인 방법을 모색하여야 할것으로 본다. 차관의 의견이 그러시다면 차관께서 한국측의 태도를 작성한후 자기에게 그 결과를 알려줄때까지 와싱톤에 대해서는 보고를 보류하고 기다리겠다. 한국측이 그러한 방법으로 진행을 시키기를 원한다면 어떠한 형식으로 합의 이 같은 성명서가 나갔으면 좋은편지 그 형식(formula)을 아울러 제시하여 주면 좋겠다.

6. 차관은 이에 응하였다.

0136

24-2

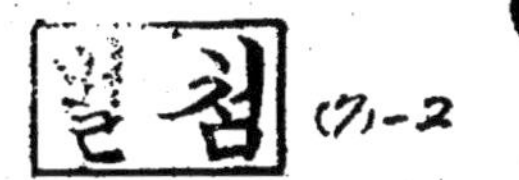

DRAFT

Seoul, May , 1962

Excellency:

I have the honor to refer to Your Excellency's note of March 12, 1962, on the subject of resuming negotiations for the conclusion of an agreement on the status of United States armed forces in the Republic of Korea.

In accordance with our recent conversations on this subject, "my Government is prepared to reopen negotiations for an agreement covering the status of the United States armed forces in the Republic of Korea". I propose that a mutually convenient date next month be selected to commence these negotiations.

Accept, Excellency, the renewed assurances of my highest consideration.

His Excellency
Minister of Foreign Affairs,
Seoul.

18-2

0137

(미국측 기록)

CONFIDENTIAL

1. The Ambassador, upon instructions, noted that for reasons previously discussed with the Foreign Minister, the US Government cannot agree to discuss the question of criminal jurisdiction within a SOFA until:

a. The normal functions of civil courts and legal procedures have been restored; and

b. Normal constitutional government has been restored.

2. Therefore, before agreeing to resume SOFA negotiations, the US Government requests assurance from the Government of Korea that it will not raise this subject until that time. Such assurance will not be divulged publicly.

3. The Ambassador also noted that the US Government must be prepared, if questioned by either the public or Congress, to state that discussions on matters other than criminal jurisdiction are taking place and that the US would not enter into any arrangements which would bring US personnel under the jurisdiction of foreign courts unless we are assured they will get a fair trial by US standards. The substance of this latter point was st[illegible]ssed when the US agreed to beginning negotiation of a SOFA with the previous Government of Korea.

24-3 0138

CONFIDENTIAL

MEMORANDUM

The American Ambassador informed the Foreign Minister that the United States Government was prepared to reopen negotiations for an agreement covering the status of the United States armed forces in Korea. The Ambassador stated that in agreeing to resume discussions, it is the understanding of his government that the complex question of the exercise of criminal jurisdiction over personnel of the United States armed forces in Korea will not be raised for discussion until normal constitutional government and normal functions of the civil courts and legal procedures have been fully restored in the Republic of Korea. The Foreign Minister provided this assurance.

The Ambassador also took occasion to reaffirm his government's position that claims involving bases and facilities provided to the armed forces of the United States in Korea which might be presented by Korean owners of such real property would be the responsibility of the Government of the Republic of Korea. The Foreign Minister took note of this position but expressed his government's intention to raise this problem in the negotiations. The Ambassador took note of the Foreign Minister's position.

註 上記文中 "The Foreign Minister provided this assurance" 는 美國側 提案이고 外務部長官의 發言은 아님

17-1

0139

24

Confidential

최외무부 장관과 버-거 주한 미대사와의 면담 기록

시일: 1962년 5월 28일 오후 4시 - 5시 30분까지

장소: 외무부 귀빈실

배석: 최 방교국장

하베스트레미 부대사

하비브 참사관

내용:

행정 협정 교섭 재개에 관하여

본 면담은 최외무 장관이 한미 행정 협정 체결 문제에 관하여 5월 14일 미국측의 행정 협정 교섭 재개 제의에 대한 한국측 회답을 주기 위하여 주한 미대사를 외무부에 초청한것이다.

최 외무부 장관 (이하 장관이라 함)은 버거 대사에 대하여 미국측이 거반 요청한 확약은 준수 없다고 말하였다. 그이유로서는 외교적 확약이라는 것은 오랜시일 효과가 있으며 한번 확약을 주면 다음에 정부나 외무부 장관도 구속을 받기 때문이다. 장관은 이어 말을 계속하여 한국에 강력한 여론 국민 감정 및 형사 재판권이 행정 협정에서 차지하는 중요성에 비추어 미국측이 요구하는 확약 즉 한국 정부는 형사 재판권 문제를 "한국의 재판소와 기능과 법적 절차가 정상화 될 때까지 또한 한국에 정상한 헌법적 정부가 회복 될때까지 " 제의하지 않을것이라는 그러한 확약은 비밀로나 공개적으로나 외무부 장관으로서 준수 없다고 말하였다.

외무부 장관은 근본 교섭은 바로 형사 재판권 문제와 같은 문제에 대하여 합의할수 있도록 여러가지 방법을 논의하는것이 그 목적이므로 일방이 교섭 재개전에 그문제의 토의를 제의말것을 요청한다면 그러한 교섭에 유효성이 과연 무엇인가 이해하기 힘들다고 말하였다.

근본 교섭의 재개는 그 말과 같이 1961년 4월 25일부로 중단된 교섭을 재개하는 것이다. 그 교섭 재개는 깨끗하게 중단되었던 그당시에 있었던 조건과 같은 조건하에 재개되어야 할것이라고 말하였다.

27-1

0140

형사 재판권에 토의에 관한 연기에 관하여서는 장관은 말하기를 행정 협정 교섭이 재개된후 교섭 당사자들이 더 복잡한 문제를 먼저 토의하는데 합의함으로서 사실상 형사 재판권 문제의 토의를 뒤로 미룰수 있은것이라고 하였다. 장관은 또한 행정 협정에 포함되어 있는 제문제에 대하여 그 문제들이 교섭을 통하여 서명할수 있도록 성숙이 되며는 각문제에 대하여 개별적인 협정을 체결할수도 있을것이라고 말하였다.

미국측은 항상 미국 의회와의 관계 및 한국에 대한 미국의 공헌에 관한 미국 대중의 인상등을 이유로서 전기 한바와 같은 조건부 교섭 재개를 제의하나 이에 대하여서는 장관은 한국 정부도 그의 국민과 여론으로 부터 형사 재판권 문제에 관하여 같은 또는 그이상의 압력을 받고 있다는 점을 미국 대사에게 상기 시켰다.

장관은 또한 말하기를 이문제에 대해서는 쌍방이 각자 이러한 국내 문제가 있다는 점을 묵시적으로 승인하고 따라서 각자는 이러한 문제 해결을 위하여 최선을 다할것을 승인하며는 충분하지 않은가라고 말하였다.

한국에 있는 미군에 대하여 제공되어 있는 기지와 시설에 관한 청구권에 대한 미국의 입장에 관하여는 장관은 이러한 미국의 입장은 교섭 도중에 제의할 문제이고 교섭 재개 사전에 통고할 성질의것이 아니라고 말하였다. 이러한 사전 통고는 오직 앞으로 올 교섭에 있어서 이 문제에 관한 충분하고 자유로운 토론을 하는데 지장을 줄 뿐이다.

결론적으로 장관은 미대사에게 교섭 재개에 관한 공동 성명서 초안이 쌍방 정부에게 충분한 보장을 주는것이라고 말하고 그럼으로 교섭 재개에 합의의 기초가 되어야 할것이라고 말하였다.

27-2 0141

이러한 장관의 발언에 대하여 미국 대사는 자기는 한두가지만 말씀을 드리고 싶다고 말하였다. 그는 첫째로 아직도 미국군부간에 행정 협정 체결에 대하여 반대가 있음을 말하고 이번 국무성으로 부터 교섭 재개에 대하여 얻은 훈령도 상당한 노력을 통하여 얻은것이며 용이하게 획득된것은 아니라고 말하였다. 왜냐하면 이미국에 입장은 작년 7월에 취했던 미국의 입장에 완전한 번복을 의미하기 때문이다. 작년 7월에 한국 정부가 행정 협정 교섭재개를 제의하였을때 미국은 한국에 정상적인 헌법적 절차가 회복될때까지는 교섭재개에 응할수 없다고 대답하였던 것이다. 그러나 그후 두가지 결과가 발생하였는데 그 첫째는 한국 정부의 그간의 업적이며 둘째로는 한국 정부가 행정 협정 문제에 대하여 취한 대외적인 관계(　　)에 있어서 신중을 기하였다는 사실이다. 이번 국무성의 회답은 만일 파주 사건에 대한 신문 지상에 선동이 없었다면은 더 일찍이 내도하였을찌도 모를것이라고 말하였다. 한국에 신문이나 여론이 잠잠하면은 행정 협정 문제를 논의할수 있을것이다. 그런데 최근 다시 신문들이 이문제를 크게 취급하게 되었고 만일 이문제로 인하여 데모같은 것이 있는다면은 미국 정부는 이문제를 논의할수가 없을것이다라고 말하였다.

이러한 버-거 대사의 발언에 대하여 장관은 작년 7월은 시기적으로 ~~도래치 못하였다는 시기라고~~ 말하였다. 한국 정부는 금년 5.16 1주년을 기념하여 미국 정부가 행정 협정 재개에 대하여 응하여 준것을 희망하였으나 금번 미국 회답에는 조건이 붙어있었으며 장관으로서는 그러한 기일보다는 그 답변의 내용이 더 중요하다고 생각하는바이라고 말하였다. 이번 미국이 제시한 그러한 조건을 국민에 납득시키는것은 어려운 것이다. 한국측이 어떠한 확약을 준다면은 그러한 확약은 오래동안 구성력이 있을것이며 행정 협정 교섭 자체도 마치 한일 회담과 같이 십년이 걸릴지도 모를것이다. 한국 정부의 대외 관계에 있어서는 (　　) 우리는 우리 국민들을 가급적 진정 시키도록 노력하였다. 그러나 우리는 신문은 억압 할수는 없을것이다. 우리가 신문을 가지고 있는것은 사실이다.

27-3　　0142

나는 (장관) 당신(미국대사)에게 여러번 확약한바와 같이 우리 정부는 행정 협정에 관련된 어떠한 사건도 이것을 국내(정치)에 이용치 아니하였던 것이다. 왜냐하면 그러한 조치는 교섭 재개를 방해 할지도 모르기 때문이다. 그러나 우리는 신문을 완전히 억제할수는 없을것이다.

미국 대사는 자기 생각에는 한국에 어느지도자도 데모를 선동하지 않을것이라고 말하였다. 그러나 파주 사건은 좋지 않은 감정을 남겼는데 이것은 그 군인이 그의 받은바 임무를 수행하는 도중에 그사건이 이러났기 때문이다. 만약 한국측에서 문제를 삼으려고 하였더라면 다른 더 강력한 사건들이 있었을것이다.

우리는 이문제에 관하여 적극적인 면을 고려하였으며 소극적인 면은 생각지 아니하였다. 한국측이 파주 사건에 관하여 공동 조사 위원회를 설치할것을 제안하였으나 법무부, 국방부등 관계부처가 최근에야 이 위원회에 참가하게 되었던 것이다.

미국 대사는 또한 외무부 정무국에서 미국 대사관에 보내는 각서에 언급하여 미국측은 모든 사건에 관하여 한국 경찰에게 항상 충분한 사실을 제공하였다고 말하였다. 이런 사실은 미군측에 의하여 한국 경찰에게 전달되었던 것이다. 이때 하비브 참사관은 최근 한두건 사건이 있었는데 그것은 오해에서 야기된 사건들이다.

장관은 외무부가 보내는 이러한 각서는 비단 사실을 알려고만 하는 것이 아니고 미국측에 그 사건에 대한 반영을 알리고저 하는것이다. 당신(미국대사)은 실무자 간의 합의에 의하여 미군측이 우리 경찰에게 사건에 관한 사실을 제공한다고 하나 우리의 목적은 당신들로 부터 직접 그 진상을 듣고저 하는것이다. 그 각서는 일종의 항의인것이다. 이때 최방교국장이 버거대사에 대하여 그가 말하는 합의라는것이 정부간의 합의인것인가라고 물었더니 하비브 참사관이 대전 협정을 인용함으로 방교국장은 대전 협정에는 미군측이 우리 경찰에게 사건에 관한 사실을 전달한다는 등의 그러한 언급은 없다고 생각한다고 말하였다.

21-4

0143

그 합의라는 것은 실무자간에 그동안 이루워진 일종의 관습법이므로 한국 측에 공문에 의한 요구는 관습법 보다는 우선하여야 한다고 지적하였다. 이러한 방교국장의 해석에 앞서 버거대사는 한국측이 전술한 "합의" ("협정")를 변경하기 전에는 한국 측 각서에 대하여 어떠한 행동도 취할수 없다고 말하였던 것이나 이와같은 방교국장의 해석을 들은후에는 한국측 견해에 수긍하였다. 즉 하비브 참사관도 말하기를 이 합의라는것은 그동안 이루워진 실무자간의 절차상의 합의라고 시인하였다.

장관은 한국 정부는 외교 일원화의 원측에 따라 정부의 모든 부처가 외무부에게 대외적인 교섭을 의뢰하고 있다. 우리는 사건이 있으면 누구가 다쳤으며 또 미국측이 그사건에 대하여 어떻게 생각하는지 그것을 알어야만 한다. 현재 국방부에서는 군사 정전 위원회에 관하여 외교를 하고 있으며 또 경제 기획원에서는 경제 외교를 추진하고 있지만 그밖에 모든 외교는 외무부가 담당하고 있는 것이다. 현재 국방부나 경제기획원이 하고 있는 외교가 외무부가 준비 태세만 갖추워 지며는 우리가 할것이고 현재는 다만 그러한 태세가 갖추어지고 있지 않고 있기 때문에 국방 외교나 경제 외교를 타부처가 하고 있을 뿐이다.

미국대사는 행정협정에 관련된 사건이 어려 천건있는데 그중 어떤 사건에 대하여 알고 싶어하는가라고 묻었더니 외무장관은 우리는 오직 중요한 사건에 대하여서만 알고저 한다고 말하였다. 이때 하비브 참사관은 최근에는 중요한 사건이 두건 정도 있다고 말하였다.

미국대사는 말을 이어 자기는 한국에 신문에 대하여 염려하는데 외냐하면 행정 협정 재개에 대하여 이문제가 "활발히 고려되고 있다"고 보도하였기 때문이다. 그럼으로 그 결과에 대하여 그들이 몹시 궁금하게 생각한것이기 때문이다.

2 7 - 5

0144

장관은 미대사에게 외무부가 주미 대사관에 지시하여 앞으로는 한미 행정 협정 재개 교섭에 관하여 어떠한 사람에게도 비밀을 누설치 않도록 경고하였다고 말하였다. 최근에 와싱톤 주재 특파원 설국환씨가 이문제에 대해서 기사를 보내온바가 있는데 만일 어떤자가 비밀을 누설하였다며는 그것은 "신사적" 아니라고 생각된다. 그러나 사람들은 말하기를 설국환씨가 미국무성 안에 한국과의 친구들이 많다고 한다.

한일 관계에 관하여

이어 미대사는 장관에게 최근의 한일 관계가 어떻게 진전되어 가는지 문의하였다. 장관은 말하기를 오시다 전일본 수상이 도미하여 케네디 대통령을 만나보고 일본에 돌아온후에 한일 양국은 현재 지간이므로 같이 손을 잡아야 한다고 말한것은 의의가 있다고 본다. 듣건데 케네디 대통령이 오시다 전수상에게 한일 관계를 개선하는데 오시다가 힘이 되도록 말하였다는데 이점은 감사히 생각하는 바이다. 장관은 말하기를 일본측에서는 이께다 수상이 가지고 있는 여러가지 난관에도 불구하고 무엇인가 할려고 노력하는것 같이 보인다. 그들이 자기 집안 일을 정돈한 후에는 우리도 어떤 행동을 취할것이다. 최근에 한두가지 적은 사건이 있었는데 그것은 첫째로 일본 외무성의 우마벨 참사관을 공사라고 사칭하여 한국에 파견하려고 하였던 사실이다. 그런데 일본측은 우마베씨가 재산 청구권 문제에 밝다고 하나 그 이유로 만은 우리생각에는 우마베씨가 한국에 올필요가 없다고 생각한다. 이미 양국 외상간에 회담에 있었기 때문에 일본이 어떤 사람을 한국에 파견하려면 그 사람은 외상 보다는 높은 사람이어야 한다. 한국에 오는 사람은 고위 정치 회담에 선발대 역활을 하여야 할것이다. 예를 들면 서울에서 8월에 한일 정치 회담이 있다하며는 즉 일본 외상이나 일본에 요인이 한국에 도착한다며는 이 선발대는 그전에 한국에 와서 정치 회담에 소지를 마련하여야 할것이다.

21-6 0145

장관은 이어 말하기를 자기는 지난번 일본 고사가 외상과 회담하였을때 그에게 한국에 올것을 초청하였는바 고사가 외상은 한국에 일본 대표부가 없다는 말을 하므로 장관은 답변하기를 그렇다면 고사가 외상이 오기전에 적당한 선발대를 보내면 되지 않는가하고 말한적이 있다.

일본은 6월 1일을 기하여 일본을 통과하는 한국인에 체류기간을 72시간에서 24시간으로 단축하였는데 이러한 조치가 한국에게만 적용하는 것인지 또한 한국과 같이 일본과 외교관계가 없는 나라에게만 적용되는 것인지 의심되는 바이다. 일본 측은 말하기를 외교관계가 없는 나라에게만 금번 조치가 적용된다고 하나 사실상으로는 한국만이 일본하고 외교 관계가 없으므로 실제로는 한국에게만 적용되는 결과가 되는것이다. 외무부는 이번에 이러한 일본의 조치에 대하여 한국의 모든 재외 공관에 지시하여 한국사람들이 동경을 경유치 않도록 노력하라고 하였다. 과거에 어떤 대사관에서는 한국 국민에게 과도히 친절하여 일본 입국수속등은 편의를 보아 주었는데 앞으로는 그러한 일이 없도록 하라고 지시하였다. 우리들은 우리들의 위신을 지켜야 하며 일본에게 우리의 머리를 숙여서는 아니될것이다.

일본 어선의 나포에 관하여

버거 대사는 국무성에서 전달이 오기를 한국측이 일본 어선을 다량으로 나포하지 않을것을 희망한다고 말하였다. 미국측의 견해로서는 앞으로 오는 7월 8월이 한일 문제 해결에도 더욱 희망적이라고 생각하는바이므로 일본 어선을 많이 나포하면는 어떤 사람들은 이것을 "탄약"으로 삼아 한일 회담 재개를 방해할지모른다. 그러므로 이께다 수상이 회담을 재개할수 있을때까지 일본 어선을 다량으로 나포하지 않을것을 바라는 바이다.

0146

21-7

장관은 일본 어선의 나포(나포은) 내무부 소속 해안 경비대가 하고 있는바 나로서는 그들에게 앞으로는 강화하지 않도록 말할것이다. 그러나 그에 앞서 일본측에서 어선들이 우리 평화선 안에 들어오지 않는것이 선결 문제이며 만일 들어와서 우리에게 도전한다면 나포 하지 않을수 없는것도 사실이다.

그 다음 일본이 취한 입본 통과시간 제한에 대해서는 우리는 이문제에 적극적인 면을 고려하여 우리 국민을 지도하기로 결정하였고 결코 일본에 대해서 복수하려는 생각은 없다. (이점에 대해서 버거대사는 수긍하는듯한 태도를 표시하였다.) 한국은 아직도 일본인에 대하여 입국 사증을 용이하게 발급하고 있다. 그러나 일본사람은 한국인이 입국 사증을 신청하였을 때 오랜 시간이 걸리며 보통 3주일은 걸린다. 외무부가 주일 대표부 근무 외교관들의 입국 사증을 신청하였지만 아직도 안나와서 부임 못하고 있는 처지다.

버거대사는 한국에 온 일본인들이 한국에 관하여 아주 좋은 인상을 가지고 귀국하기 때문에 일본 사람이 한국에 용이하게 올수 있다는점은 이러한 관점에서 한국에 유의할것이다라고 말하였다. 최근에 일본 어선 나포 사건이 3건이 있었는데 버거대사 생각에는 현재 한일 문제 교섭이 극히 중요한 단계에 들어가고 있음으로 한국측이 인내해주기를 바란다고 말하였다. 일본에서도 신문들이 한국에 관하여 좋게 평하고 있으며 일본에 실업가들도 한국에 투자하려고 관심을 가지고 있는것 같다.

행정 협정 교섭 재개에 관하여

버거대사는 행정 협정 재개에 관한 한국의 입장을 국무성에 보고하고 새로운 지시를 받을것이다라고 말하였다. 그는 또한 금번 동협정 재개 지시를 국무성으로 부터 받기까지는 자기가 상당히 투쟁하였다는 점을 말하고 이것은

0147

27-8

왜냐하면 자기는 미국무성의 입장을 번복시키는데 성공하였기 때문이다. 그런데 약 3주일전에 박의장은 성명서를 발표하여 한국에 법원이 부패되었다고 말하였는데이것은 행정 협정 교섭에 상당히 영향을 주는 말이라고 생각한다. 이때 최 방교국장은 설명하기를 그 성명은 필경 법원내에 있는 부패된 몇몇 인사들을 지칭해서 말하는것이고 결코 한국의 법원 제도 전체에 대한 즉 "제도"에 대한 부패의 비난은 아니라고 생각한다고 말하였다.

버거대사는 행정 협정 교섭 재개에 조건으로 외무부 장관이 "현상태하에서는 형사 재판권 문제가 한국에 헌법 정부가 복귀되고 재판소의 기능과 법적 절차가 정상화 될때까지는 논의안될것이다.고 유의하였다." 라고 할수 있겠는가 물어 보았다. 외무 장관은 이점에 대해서는 좀더 검토하여야 되겠다고 말하였는바 버거대사는 이것은 다만 버거대사 자신의 사견이며 국무성의 승인을 얻은것은 아니므로 너무 장관이 개념하신 필요는 없다고 말하였다. 장관은 또한 행정 협정 교섭 진행에 있어서 협정안에 포함되어 있는 각종 문제에 대하여 개별적으로 협정을 체결해 나갈수도 있지 않은가 말하였다. 이점에 대하여 하비브 참사관이 미국은 과거에 다른 나라와의 행정 협정 교섭에 있어서 그러한 예가 없다고 말한바 최 방교국장은 사실은 1957년에 미국측이 이러한 개별적 조인안을 제의한바 있다고 지적하였다. 하비브 참사관은 1961년에 회담이 재개 되었을때에는 공동 위원회가 하나밖에 없었는데 만일 이와같이 개별적 협정을 체결한다면 여러개의 공동 위원회가 생겨야 할것이다고 말하였다. 버거대사는 미국측은 행정 협정 교섭 재개전에 한국에 모든 법률을 검토하여야 되겠다고 말하였다.

버거대사는 현재 미군이 사용하고 있는 기지와 시설에 대하여 한국측이 조사를 추진해 주기를 바란다고 말하였다. 왜냐하면 그중에서 미군이 한국측에 반환할수 있는 것도 있기 때문이다. 그리고 이러한 조사는 행정 협정 교섭 자체를 신속하게 할것이다. 이에 대하여 장관은 이미 국방부가 이문제에 관한 자료는 있겠지만 다시 한번

2-1-9

0148

국방부에 통보하겠다고 말하였다. 버거대사는 자기는 어떻게 하여서던지 행정 협정을 교섭을 재개할수 있도록 어떠한 공식을 모색하고저 한다고 말하였다.

비공개

주한 미대사관 건물 신축에 관하여

버거대사는 미국 대사관측에서 현재 대사관 건물에 대하여 그 위치등에 관하여 이상적이라고 생각하고 있지 않다고 말하고 한국 정부가 새로운 미 대사관 건물 건축을 위한 대지를 줄수 없을가하고 문의하였다. 그는 말하기를 희랍 정부가 미국 정부에 대희랍 원조등에 대한 사의 표시에 일환으로서 주희랍 미대사관 건물 신축용 대지를 제공한바 있다고 예를 들어 말하였다. 희랍은 여러정부 대지를 미국측에 제공하여 그중의 하나를 미국측이 선택토록 하였다. 그래서 미국측은 그대지중에서 가장 적합한 것을 선택하여 아름다운 대사관 건물을 진바 있다. 버거대사는 현재에 미대사관 건물을 매각하여 그돈으로 새로운 대사관 건물을 건축할 예정이라고 말하였다. 그는 소요되는 대지의 넓이가 1 에이카 반 정도라고 말하였다. 그는 또한 현재에 미대사관저도 이를 철거하고 그자리에 새로운 관저를 건축할 예정인바 현재 관저의 건물들은 1882년 때부터 서있었던 역사적인 건물로서 그중의 7채은 다시 사용할수 있으므로 이건물들을 다른데로 옮겨서 한미 친선을 위한 재단 또는 사교적 센타로서 사용하였으면 좋겠다고 제의하였다. 그런데 그는 오 공보부 장관이 이미 이러한 요청을 하여왔으므로 장차 그렇게 될것이라고 말하였다. 그는 새로운 대사관 건물 건축에 필요된 대지는 한국의 계량법으로서는 반정보가 되지 않을가 말하였다. 이러한 미대사의 문의에 대하여 최외무 장관은 자기는 꽤히 이러한 요청을 정부에 전달하여 한미간에 우의가 돈독함에 비추어 이계획의 실현이 가능하도록 노력하겠다고 답변하였다.

27-10 0149

inf. copy 5/28 4 p.m. Received from B. of I.R.

After refering to the previous conversation had with Ambassador Berger, Foreign Minister Choi informed him of the following:

1. In view of the strong public opinion, sentiments of the Korean people and the importance of the criminal jurisdiction in the SOFA, Foreign Minister is not in a position to give any assurance, secret or open, that the Korean Government will not raise the question of the criminal jurisdiction "until: a. The normal functions of civil courts and legal procedures have been restored; and b. Normal constitutional government has been restored."

2. Foreign Minister feels that the negotiations should be resumed for the very purpose of discussing various ways and means of reaching an agreement on such question as the criminal jurisdiction. He, therefore, finds it difficult to comprehend the utility of any negotiations when one side forecloses the discussion of the subject in advance.

3. The present "resumption" of the negotiations is, as the word indicates, to "resume the negotiations suspended as of April 25, 1961." It should be resumed on the basis of "clean slate," and under the same conditions as existed on that date.

4. As for the deferment of the discussion on the criminal jurisdiction, Minister suggested that after the negotiations are resumed, the negotiators, by agreeing to take up less complex subjects first,

27-1 0150

may be able to defer, <u>in fact</u>, the discussion on the criminal jurisdiction until later date. Minister also mentioned the advisability of concluding individual agreements for various subjects of SOFA, as they become mature for signature through negotiations.

5. The American side always cites relationship with the Congress and the public image of American contribution to Korea as the reasons for having to propose the conditions referred to above. However, the Minister reminded Ambassador that the Korean Government is under the same or no less pressure from its people and public opinion on this question of the criminal jurisdiction. He said that it would suffice if both sides recognize reciprocally that either side has domestic problems and that they will do their utmost to solve such problems.

6. As regards the American position of the claims involving bases and facilities provided to the armed forces of the United States in Korea, Minister again feels that any such American position should be made known during the negotiations and should not constitute a subject of advance notification, which serves only to vitiate a full and free discussion on the subject during the forthcoming negotiations.

7. In conclusion, Minister informed Ambassador that the draft joint statement on the resumption of the negotiations provides sufficient guaranty for both Governments and should be the basis of agreement to resume the negotiations.

27-12 0151

條約課長

MEMORANDUM

The American Ambassador called on the Foreign Minister on ____________ and informed him that the United States Government was prepared to reopen general negotiations for a full agreement covering the status of the United States armed forces in Korea.

The Ambassador stated that in agreeing to resume discussions, it is the desire of his Government that the complex question of the exercise of criminal jurisdiction over personnel of the United States armed forces in Korea will not be raised for discussion until normal constitutional government and normal functions of the civil courts and legal procedures have been fully restored in the Republic of Korea.

The Foreign Minister replied, however, that the policy of his Government has always been to resume the negotiations which would include all the subjects of a status of forces agreement and stated that, in the course of negotiations, both sides may discuss the possibility of taking up less complex subjects first. The Ambassador agreed to this position of the Foreign Minister.

The Ambassador also took the occasion to state his Government's position that claims involving bases and facilities provided to the armed forces of the United States in Korea would be the responsibility of the Government of the Republic of Korea. The Foreign Minister expressed his regret that the United States would wish to foreclose the discussion of this subject in advance of the negotiations and emphasized his Government's intention to raise this problem in the negotiations. The Ambassador took note of the Foreign Minister's position.

26-1

0152

In conclusion, the Foreign Minister informed the Ambassador that his Government would be willing to conclude individual agreements on the various subjects of SOFA, i.e. subject by subject, and that the order of negotiating the subjects should be made public at the time of commencement of negotiations. The Ambassador agreed to this proposal of the Foreign Minister.

26-2

0153

별첨 (7)-4

대한민국 외무부

발신전보

암호
종별

번호: — 05119
일시: 290950

수신인: 주미대사

주한 미국 군대 지위 협정 교섭재개에 관한 당지 한미간 접촉경위의 개요를 알려오니 참조하고 다음 요령에 따라 주미대사가 국무성 고위층을 직접 방문하여 강력한 교섭을 추진할 것을 지시함.

1. 1961년 4월 25일 이래 중단되어 온 동 협정 체결을 위한 교섭재개를 촉구하는 1962년 3월 12일자 당부 공한에 대하여 버거 주한 미대사는 지난 5월 14일 최장관을 방문하고 동 협정 체결 교섭재개에 관하여 국무성으로 부터 훈령을 받았음을 언급하고, 한국에 헌법상의 정상정부가 회복되고 일반 법원의 기능과 법 절차가 정상화될 때까지는 형사재판관할권 문제는 제기하지 않을것을 한국정부가 확약할 것을 조건으로 교섭을 재개할 것을 통고하였음. 최장관은 이에 대하여 한국측으로서는 그러한 조건부 교섭재개에는 응할수 없으며 다만 교섭재개 후 진행방법에 있어서 사실상 형사재판관할권을 뒤로 미루고 다른 문제부터 토의하는 방법은 고려할수 있다고 회답하였음.

2. 5월 17일 하비브 참사관은 최방교국장을 통하여 형사재판관할권 문제를 제기하지 않을것을 별도 비밀각서로 합의하고 대외적으로는 공표치 않는 조건하에 교섭을 재개할 것을 제의하였음. 미국측은 또한 미군이 사용중인 토지 및 시설에 관한 청구권을 한국정부가 책임을 져야 한다고 강조하였음. 이에 대하여 한국측은 이 문제를 교섭에서 제외할수 없다고

송신시간:

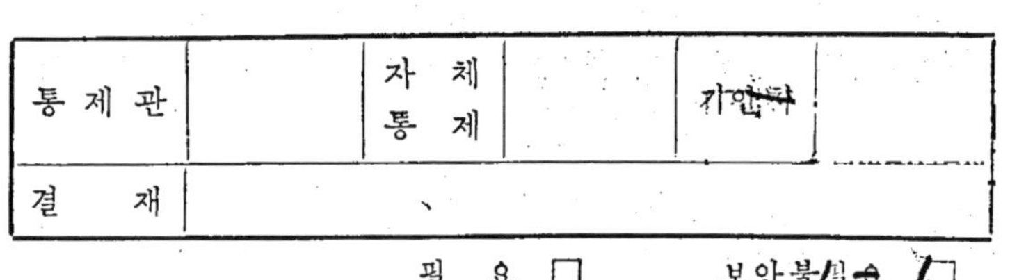

통제관		자체 통제		기안자	
결재					

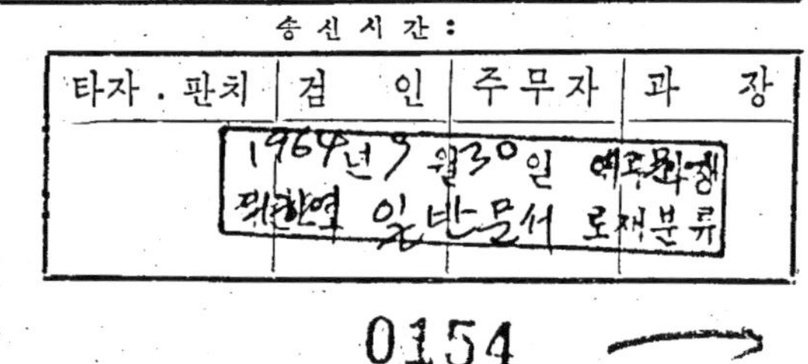

타자 . 판치	검인	주무자	과장
	1964년 9월 30일 예고문에 의하여 일반문서로 재분류		

필요 □ 보안불필요 ☑

0154 →

마이콘 18-25(3)

0155

대한민국 외무부

발신전보

번 호:
일 시:

종 별

— 2 —   수 신 인:

주장하고 있음.

3. 5월 28일 최장관은 버거대사를 초치하여 본 협정교섭 재개에 관한 현재의 한국측 태도를 다음과 같이 천명하였음.

(가) 한국의 여론, 국민감정 및 형사재판권이 행정협정에서 차지하고 있는 중요성에 감하여 교섭재개에 앞서 형사재판권 토의를 제외한다는 확약은 줄수 없다.

(나) 본 교섭재개는 1961년 4월 25일 중단된 교섭을 그 당시와 같은 조건하에 재개만 하는 것이고 교섭재개는 아무런 조건 없이 시작되어야 한다.

(다) 단, 교섭재개후 형사재판권 문제를 사실상 후에 토의하도록 교섭자간에 합의할수는 있을것이다.

(라) 미측은 항상 미국의회에 대한 해명의 곤난성, 현 한국정부의 형태 및 미국민의 대한 감정등을 이유로 상기한 바와 같은 조건을 제시하나 이는 미국 국내문제이고 한국정부도 (가) 항에 열거된 바와 같은 미국에 못지않는 국내사정이 있으므로 이 문제는 피차 논하지 않음이 좋을것이다.

4. 주미대사는 전절에 열거한 정부 방침에 의거 국무성 고위층과 직접 교섭을 추진하고 그 결과를 보고할 것.

송신시간:

통제관		자체 통제		기안처	
결 재					

타자. 판치	검 인	주무자	과 장

필 요 □ 보안불필요 □ ㅁ-2

0156 ⟶

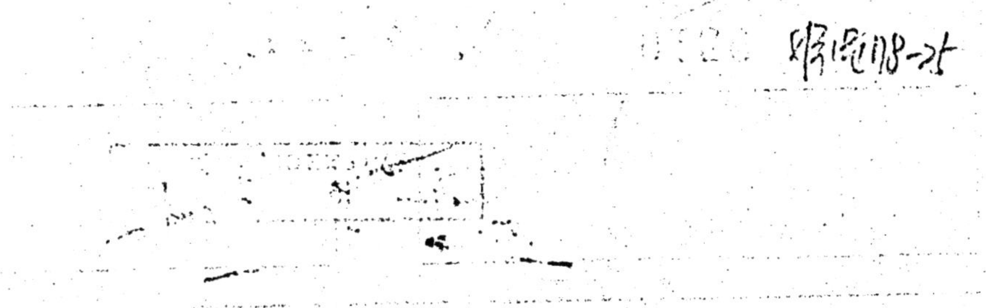

0157

대한민국 외무부

발신전보 　종별　 번호: 일시:

수신인:

— 3 —

5. 교섭진행상 방해가 될가 염려되오니 본건 교섭에 관하여는 어떠한 자에게도 비밀이 누설되지 않도록 각별 유념하시압.

6. 본건 관계 서류는 추후 파우치 편으로 송부위계임. (외방)

장 관

예고 : 일반문서로 재분류 (1962. 12. 31)

송신시간:

통제관		자체 통제		기안처	
결재					

마장·판치	검 인	주무자	과 장

필요 □　　보안불필요 3

0158

마이문 78-25(3)

0159

외 무 부

외정무 1962. 6. 5.

수 신: 내각수반

제 목: 파주 "린치" 사건을 중심으로 한 버— 거 미국 대사와의 회담 내용에 관한 보고

1962년 6월 4일 오전 10시부터 11시까지 본관은 주한 미국대사 버— 거씨를 외무부로 초치하여 별첨 내용과 같은 회담을 갖었아옵기 보고 드립니다.

유 첨: 파주 "린치" 사건을 중심으로한 버—거 주한 미국대사와의 회담 내용에 관한 보고서 1통. 끝

외 무 부 장 관 최 덕 신

0160

28-1

예고 79-24(10)

0161

坡州 "린치" 事件을 中心으로 한 버-거 駐韓美國大使와의 會談内容에 関한 報告

1. 本官은 一九六一年 六月四日 午前 十時부터 十一時까지 駐韓 美國大使 버-거 氏를 外務部로 招致코 지난 五月二十九日의 坡州 린치 事件을 中心으로 하여 韓日関係, 자노우 美國際開発處 極東副局長의 訪韓成果 및 美國의 对 라오스 政策等에 関한 意見交換을 하였는바.

(1) 韓日関係에 있어서는 特히 最近 新聞紙上에 報導된 日本側에 依한 北送延長 企圖의 不当性을 指摘하여 同問題에 對한 美側의 関心을 喚起시켰으며,

(2) 자노우 美國際開發處 極東副局長의 來韓을 契機로 來年度 對韓援助에 对한 展望과 協調를 要請하였으며,

(3) 最近 라오스 事態에 関聯한 美國의 对 라오스 政策에 関하여 問議하는 同時에,

28-2

1

0162

미문 19-24

0163

(4) 特히 重点的으로 지난 五月二十九日 坡州에서 發生한 "린치" 事件에 対한 우리側의 至大한 関心과 遺憾의 뜻을 表示하는 同時 事後対策에 関한 要請을 口頭 및 文書로서 傳達하였읍니다. 아울러 本官은 이러한 事件의 頻発로 말미암아 우리 政府는 輿論의 強力한 圧力下에 處하고 있다는 点을 指摘하고 韓美 両国間의 같은 友好関係의 保全을 為하여 早速히 根本的으로 이고 効果的인 対策이 講究되어야 할 것을 強調하였읍니다.

여기에 対하여 「버거」大使는 今般의 坡州 린치 事件은 昨年 五.一六 革命以後 顯著하게 減少되었다가 今年初부터 다시 增加하기 始作한 美國軍人에 依한 韓國民 加害事件의 하나로서 如斯한 言語道断의 行為에 驚愕과 憤怒를 禁치 못한다고 말하고 우리側의 抗議에 対하여 深甚한 遺憾의 뜻을 表明하는 同時 事件発生 即時로 自己는 "와싱톤" 國務省에 報告하였을 뿐

28-3

0164

2

미원 119-24

0165

아니라 「메로이」 유엔總司令官과 長時間 対策을 論議한바 있음을 밝히면서 美側으로서도 此種 事件의 再発을 防止하기 為하여 各將兵 個人에 対한 定期的 月例 特別命令의 反復等 全力을 다하고 있음을 다짐 하였읍니다. 또한 同大使는 加害者의 嚴罰, 被害者에 対한 充分한 補償 金의 支拂 및 再発防止를 為한 加一層의 努力과 措置를 促求하는 外務部의 覺書를 手交 받고 이에 対하여 그 結果를 通知하여 주겠다고 約束하였으며 特히 事件의 再発防止를 為하여 유엔軍当局과 緊密한 研究와 検討를 다시 하여 우리 政府 高位層과 対策에 関하여 論議하겠다고 말 하였읍니다. 이와 関聯하여 「버－거」大使는 이미 韓美両側에서 合意된 韓美合同委員會의 機能을 早速히 発揮 시키는 것이 좋을것이라고 하면서 美側은 이를 為한 準備態勢가 充分히 되고 있다고 言明하였읍니다.

0166

28-4

3

미문79-24

0167

2. 本官은 各種 美軍人에 依한 韓國民 加害 事件이 그 性質上 앞으로도 継續 發生할것으로 豫測하며 이를 根絶하기는 困難한 것으로서 行政協定의 締結만으로서도 解決되지 않으며 特히 公務執行中에 発生하는 事件에 関하여서는 行政協定이 別로 影響을 미치지 못하는것이 慣例임에 비추어 이러한 事件의 發生을 最大限으로 抑制하고 韓美兩國間의 紐帶와 友好 関係를 增進하고 保全하기 爲하여서는 双方이 더 建設的이고 具体的인 相互協調와 積極的인 措置를 取할 必要가 있다고 思慮합니다.

3. 이 点에 鑑하여 本官은 特히 다음과 같은 事項을 建議하고저 합니다.

28-5 0168

4

미원 09-24

0160

(1) 外務部로서는 如斯한 事件의 再発을 防止하기 為한 美側의 強力한 措置와 努力을 継続的으로 促求하는 한편 行政協定의 締結, 合同委員会의 強化等을 包含한 可能한 모든 方策을 実現토록 強力한 外交交渉을 推進할 것이오니 関係部処는 이러한 外務部의 努力을 뒤받침하기 為하여 美側当局의 協調가 必要한 事項에 対하여서는 遅滞없이 外務部에 連絡하고 要請하도록 할 것.

(2) 国防部에 指示하여 韓美合同委員会의 充分한 活用을 為한 態勢를 갖우도록 할 것.

(3) 内務部에서 美軍部隊隣接地域에 対한 住民의 接近을 強力히 統制토록하는 同時, 治安担当官들이 該当地方住民들에 対한 啓蒙및 教育方式을 通하여 事件의 未然防止를 為한 行政的, 社会的措置를 強化할 것.

2-8-6

5

0170

비문79-24

0171

(4) 地方治安担当官과 美軍部隊当局者間에 連絡및 協調가 더 緊密히 되수있는 措置를 講究토록 治安当局에 指示할것.

(5) 関係当局으로 하여금 事件発生에 関한 発表와 아울러 그 事件에 対한 事後措置 結果를 発表토록하여 韓国과 美国民間의 感情을 好転向上시키기 為한 公報活動을 強化하여 言論機関의 好奇心과 取材의 偏重에서 부터 오는 一方的인 報導傾向을 止揚토록 措置할것.

(6) 韓美両国의 合同研究로서 此種事件의 発生原因과 防止를 為한 必要한 調査를 実施토록하는 同時 "워-카. 힐" 等의 観光施設의 完備가 事件의 防止에 寄与하는 바를 検討토록 할것. 끝

28-7
6

0172

비문 119-24

0173

발신전보

대한민국 외무부

지급 Code
종 별

번 호: WD-0627
일 시: 060900

수 신 인: 주 미 대 사

주한 미군의 신분에 관한 협정 체결 교섭이 현재 한미 양국간의 견해 차이로 재개되지 못하고 있는바 계속적으로 발생하고 있는 미군에 의한 한국민 가해 사건은 한국내 여론을 극도로 자극하고있으며 한미 양국간의 우호 증진에 악영향을 미칠 우려가 크며 국내 각신문 사설및 기사도 이문제를 대대적으로 취급하여 한미 행정협정 체결을 촉구하는 여론이 높아 가고 있음에 비추어 동협정 체결 교섭을 조속히 재개할 긴급한 필요성이 있으니 귀하는 이러한 사정을 미국무성 당국에 시급히 인식 시키는 동시, ~~한미간 견해 차이의 소점이 되고있는 미측의 교섭 재개 조건 즉 1) 한국 사법 기관 및 절차의 정상적 회복, 2) 정상적 헌법에 의한 정부의 복귀 가 있을때 까지 행정 협정의 핵심적 문제인 형사 관할권 문제에 대한 토의를 연기한다는 미측의 체결 교섭 재개 조건에 대하여~~ 할수없다는 ~~귀하는 그 철폐를~~ 교섭재개를 위하여 적극적으로 ~~교섭하는 동시~~ 노력하시고 최소한 필요하다면 의사전향해가 비교적 쉬운 문제 부터 어려운 문제에로 점차적으로 ~~체결 교섭을~~ 토의를 진행 시키면 좋을것이라는 점을 미측에 설득 시켜 교섭의 재개를 실현 시키도록 노력하여 그결과를 보고 하시압.

송신시간:

통 제 관		자체 통제		기안처	
결 재					4-1

타자. 판치	검 인	주무자	과 장

필 요 ☐ 보안불필요 ☐

0174

기밀 78-23

0175

대한민국 외무부

번 호:
일 시:

발신전보

종 별

수신인:

특히 행정 협정 체결에 강경한 입장을 취하고 있는 것으로 알려지고 있는 미 국방성 당국과 효과적인 접촉과 교섭을 병행 하여 주시기 바람. (정. 미)

장 관

( ) 분류에 일반문서로

보통문서로 재분류(1966.12.31.)

1964 년 9 월 30 일 직권으로 예고문

미주과	기안 고재 월 일	담 당	과 장	국 장	특별보좌관	차 관	장 관

1966.12.31.에 예고문에 의거 일반문서로 재분류됨

송신시간:

통제관		자체 통제		기안처	
결 재	4-2				

필 요 ☐ 보안불필요 ☐

타자 . 판치	검 인	주무자	과 장

0176

0177

외무부장관과 "버거" 주한미국대사와의 회담 내용

1. 시 일 : 1962. 6. 6. 오후 4시 30분 — 6시 15분

2. 장 소 : 외무부 장관 실

3. 참석자 : 외무부측 — 외무부 장관, 정무국장, 미주과장

주한미대사관측 — 버거대사, 하비브 참사관

4. 회담내용 :

가. 고려대학생 데모 사건과 파주 "린치" 사건에 관하여 :

(1) 외무부장관은 버거대사에게 정부가 고려대학생의 데모 기도를 경찰력까지 동원하여 효과적으로 예방 저지하고 대사관에 아무런 피해없이 무사히 해산시켰을뿐만 아니라, 주모자를 백수십명 구속하여 데모 배후관계를 엄중히 문초중이며, 또한 내각수반께서 데모 행위를 불허한다는 강력한 성명서를 발표하는등 우리측으로서 한미간의 두터운 우의관계를 손상시키지 않을려고 최선의 노력을 다하고 있다는 점을 강조하였음.

(2) 이러한 한국측의 성의있는 노력에 대해서 미국측으로서도 비등하고 있는 우리국민 감정을 완화시키고 파주사건 같은 한국인 인권과 존엄성 유린 사건을 방지하고 국민이 납득할만한 사후 처리와 한미행정 협정 체결에 대한 열렬한 국민의 감정에 대하여 미국측으로서는 현재까지 너무도 소극적이며, 미온적인 반응을 보여 왔으며, 이제야말로 미국측으로서도 중대한 결심을 하고 한미 양국간의 우호 호전을 위하여 획기적인 행동을 취하여 줄것을 강력히 촉구하였음.

(3) 여기에 대하여 버거대사는 데모에 관해서는 최초 한국 씨.아이.에이 에서부터 정보를 받았으며, 우선 무엇보다도 먼저 한국정부측에서 사전에 적극적이고 효과적인 대책을 강구함으로서 큰 사태로

30-1

0178

0138

0179

- 2 -

0181

확대되지 않고 대사관도 아무 피해없이 수습된것을 감사히 생각한다고 하면서 자기는 오늘 데모 원인에 대하여 몇가지 생각한바가 있으니 참고로 말씀드린다고 하였음.

(4) 첫째 동 대사는 학생들의 이번 파주 "린치" 사건을 하나의 계기로 삼아 그들이 데모를 행할 기회를 포착하고 데모 행위가 금지되어있음에도 불구하고 그러한 행위를 감행함으로서 그들 자신의 존재를 과시하려는 의도에서 나온수도 있고,

둘째로 이러한 데모뒤에 공산당이나 혹은 정부에 대한 불평분자의 숨은 공작과 선동이 있을런지도 모르며,

셋째로 오늘 동 대사는 멜로이 장군을 맞났던바, 동 장군에 의하면 미군에 의한 불상 사건은 과거 보다도 최근에 와서 그 건수가 줄어들었다는 사실을 발견하였으며, 따라서 자기 생각으로서는 이러한 불상사가 과거에는 신문 지상에 비교적으로 보도되지 않고 무시되던 것이 근래에 와서 각 언론기관에서 이 문제를 대대적으로 취급하고 있기때문에 국민들은 사건이 더 많이 일어나고 있는것 같은 인상을 받고 있는것 같으며,

넷째로 멜로이 장군은 자기 지휘하에 있는 미군 장병들의 불량한 행동에 대하여 깊은 염려를 하고 있으며, 우선 긴급조치로 부대주위 일대를 출입금지 지역으로 만들어 사건의 재발을 방지하도록 노력하고 있다고 말하였음.

(5) 외무부 장관은 버거대사에게 동 대사가 언급한 그러한 데모의 원인이 실지로 있는지 없는지는 현재 수사 당국에서 엄중히 추궁중이며, 만일에 있다면 장관도 알고 있을터이나 현재까지 전혀 그러한 사실을 들은바 없으며, 또 앞으로 만일 있으면 곧 장관이 알게될것이라고 말하면서 현재 국민 여론이 극히 비등하고 있으며, 특히 젊은 학생과 청년들의 감정이 고조되고 있으니, 만일에 미국측에서 즉시로 또는 적어도 오는 내일 안으로 국민을 납득시킬만한 조치를 강구하지

30-2

0180

0181

0183

않는다면 사태는 수습하기 곤란한 지경에 까지 발전할 우려가 있다는 점을 강조하였음.

(6) 이를 위하여 외무부 장관은,

첫째 미국 대사관 측에서 국민이 납득할만한 성명서를 발표해줄 것을 요구하고 그 성명서는 파주 "린치" 사건 관련자 미국 장병을 엄벌에 처하고 그러한 사건 때문에 데모까지 일어나게 된것을 유감히 생각한다는 것과 동시에 연행 구속된 데모 가담 학생을 관대히 처벌해 주기를 희망한다는 요지의 내용을 포함하고 있어야 할것이라고 말하였음.

둘째로 버거대사의 한국언론기관에 대한 논평에 언급하여 우리 언론인도 애국심과 양심이 있는것이며, 파주 린치 사건과 같은 인권 유린을 보고 어떻게 그대로 있을수 있겠느냐고 반문하면서 우리 언론기관은 국민에 대하여 의무를 가지고 있으며, 대사가 언론인을 원망함은 그들을 양성하고 육성시키는데 조금도 도움이 되지 못할 뿐더러 우리는 신문인들만을 책망할수가 없는 것이라고 하였음. 또 언론인에 대한 정부의 지배가 뜻대로 되는 듯한 인상을 동 대사가 아직도 버리지 못하고 벌써 수차 언론인을 책망하는듯한 말을 하는 것은 유감으로 생각한다고 말하였음.

(7) 버거대사는 미국측의 성명서 발표를 요구한데 대하여 동 문제를 메로이 장군과 협의하여 곧 회답하겠다고 약속하였으며, 이 문제에 관련하여 우려되는것은 파주사건 피고측 변호인에게 유리한 구실을 제공하여 현재 진행중인 군법회의에 있어서 상부와 사회 여론의 비등에 인한 피고에 대한 박해적 분위기를 이유로 군법회의가 이사건의 처리에 있어서 적절하고 충분한 처벌을 주기 곤란한 입장에 서도록 변호인측을 유리하게 하여서는 안될것이라는 점을 메로이 장군은 인식하고 있기때문에 외무부 장관이 요청하는 성명서 발표를

30-3

0182

신중히 검토하고 군법회의에 악영향을 미치지 않고 그러한 성명서 발표가 가능한가 알아 보겠다고 약속하였음.

(8) 외무부 장관은 이러한 성명의 시기를 잃으면 아무 효과가 없어지는 것이니 적어도 금명 2,3 일간에 여기에 대한 조치가 취하여 져야 할것이라고 말하였음.

나. 한미 합동위원회 설치 제안 :

(1) 외무부 장관은 앞으로 행정협정이 체결되어 실지로 효력을 발생할때까지의 공백 기간을 막고 앞으로도 계속하여 일어날 가능성이 많은 미군인에 의한 불상 사건에 대하여 그때까지라도 국민이 납득할수 있고 한미 양국간의 감정을 손상시키지 않기 위하여 잠정적 조치로서 한미합동위원회를 설치하고 이위원회로 하여금 사건의 재발을 방지하고 발생된 사건에 대한 사후 처리를 강구할수 있도록 하는 제안을 미국측에 제의하였음.

(2) 여기에 대하여 버거대사는 이 문제도 역시 자기 혼자로서 결정할수 없으며 멜로이 장군과 의논하여 곧 회답하겠다고 약속하였음.

다. 행정 협정 체결 교섭 재개 :

(1) 먼저 외무부 장관은 한미행정협정 체결 교섭을 재개하는데 있어서 미측이 직면하고 있는 여러가지 곤란한 입장을 그위층 요인에게 설명드린바 있으며, 여기에 대하여 만일에 미국측에서 헌법적 정부와 정상적 사법 제도의 복귀를 교섭 재개의 전제 조건으로 하여야만 안심이 된다면 우리 정부측에서는 지금 즉시로 행정협정 체결 교섭을 재개하고 모든 문제를 하나하나 모든 합의하여 나게되 완전히 행정협정에 관한 합의가 성립되드라도 헌법적 정부 수립후에 그 효력을 발생토록 하면 될것이며, 이를 위하여 한국측은 내년에 있을 민정 복귀와 헌법적 정부 수립 이전에는 비록 협정 체결에 대한 교섭이

30-4

완료하여도 협정의 효력은 그 이전에는 발생시키지 않는다는 약속은 할수 있다고 하였음. 이렇게까지 우리측에서 미국측의 기우를 해소시키고 미국측의 교섭 재개를 위한 입장을 용이하게 하여 줄려고 하고 있으니 만큼 미국측도 여기에 대하여서는 성의 있는 반응을 보여 즉시 채결 교섭회담을 재개할것을 요망함.

(2) 버거대사는 말하기를 이러한 한국의 의도를 본국에 즉시로 보고하겠으며, 자기도 최선의 노력을 다하겠다고 다짐하였음.

(3) 외무부 장관은 파주 린치사건 현장 사진을 버거대사에게 보여주면서 이러한 분개스러운 인권 유린에 대하여 미국측은 성의 있는 반응과 태도를 보여야만 한미간의 우호적 관계에 손상이 없을 것이라고 하면서 필요하다면 정부는 그간의 교섭 경위를 국민 앞에 공개 발표하여야 할지도 모른다고 경고하였음.

(4) 대사관으로 돌아간 직후 전화로 버거대사는 행정협정 문제가 현재 "적극적으로 고려되고 있다" (Under Active Consideration) 는 점을 "하비브" 정치 담당 참사관을 통하여 전화로서 통보하여 왔음.

3 0 - 5 0186

AIDE MEMOIRE

The Ministry of Foreign Affairs is deeply concerned over the incident which took place in Paju, Kyunggi-do on Tuesday, May 29, 1962, involving a Korean national and seven U.S. soldiers. The Korean national, Il Yong Lee, 29, was seriously beaten by 1st Lieutenants David W. Swanson, Commander of Company C and Thomas M. Wilde, Company Executive Officer, and by five other soldiers, of the 4th U.S. Cavalry Regiment stationed in Paju.

The Ministry regrets that such incident recurred in the same area where the so-called "Spoonbill Sector Incident" took place only a few months ago. As the memory of the latter incident is still fresh in the minds of the Korean public, the Ministry is keenly aware of the possibility that the latest incident might hurt the friendly feelings that exist between the peoples of Korean and the United States.

Therefore, the Ministry requests the Embassy of the United States to ensure that a) strict penal measures be taken against those soldiers, b) adequate compensation be paid to the Korean national involved, and c) increased efforts be exerted by the U.S. authorities concerned to prevent the recurrence of such incident in the future. The Ministry also wishes to be informed of measures taken by the U.S. authorities on this incident.

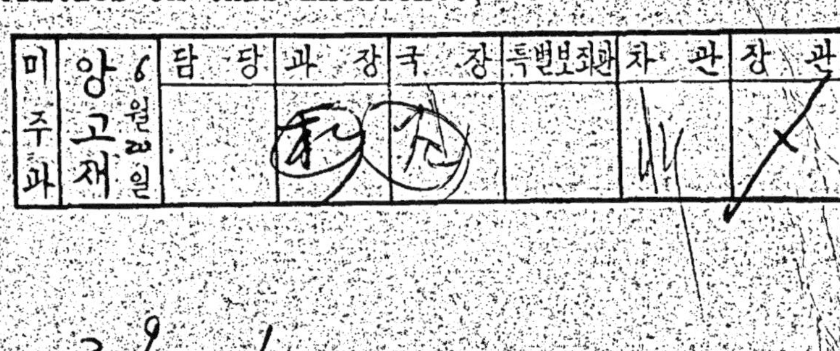

June 4, 1962
Seoul, Korea

29-1

0188

0189

駐韓美國軍隊地位協定交涉再開에
關한 經緯概要

1961.....
1959....

1. 1961年 4月 25日 以來 中斷되어 온 同協定締結을 爲한 交涉再開를 促求하는 1962年 3月 12日字 當部公翰에 對하여 버거 駐韓美大使는 지난 5月 14日 本人을 訪問하고 同協定締結交涉再開에 關하여 國務省으로 부터 訓令을 받았음을 言及하고 韓國에 憲法上의 正常政府가 回復되고 一般法院의 機能과 法節次가 正常化될때 까지는 刑事裁判管轄權 問題는

1961.4.25
gap
62.3.12

1966.12.31.에 예고문에 의거 일반문서로 재분류됨

-1-

1964년 9월 30일 미주과장 직권으로 예고문 로재분류

0190

提起하지 않을것을 韓國政府가 確約할것을 條件으로 交涉을 再開할 것을 通告하여 왔으므로 이에 對하여 韓國側으로서는 그러한 條件附 交涉再開에는 応할수 없으며 다만 交涉再開後에 進行方法에 있어서 事實上 刑事裁判 管轄權을 뒤로 미루고 다른 問題부터 討議하는 方法은 考慮할수 있다고 回答하였음.

2. 5月17日 駐韓美大使館은 刑事裁判 管轄權問題를 提起하지 않을것을 別途 秘密覺書로 合意하고

對外的으로는 公表치 않는 條件下에 交涉을 再開할것을 提議하였음. 美國側은 또한 美軍이 使用中인 土地및 施設에 關한 請求權을 韓國政府가 責任을 져야 한다고 強調하였음. 이에 對하여 韓國側은 이 問題를 交涉에서 除外할수 없다고 主張하였음.

3. 5月 28日 本人은 버거大使를 招致하여 本協定交涉 再開에 關한 現在의 韓國側 態度를 다음과 같이 闡明하였음.

(1) 韓國의 輿論, 國民感情및

刑事裁判權이 行政協定에서 차지하고있는 重要性에 鑑하여 交涉再開에 앞서 刑事裁判權의 討議를 除外한다는 確約은 줄수없다.

(2) 本 交涉再開는 1961年 4月25日 中断된 交涉을 그 當時와 같은 條件下에 再開만 하는 것이고 交涉再開는 아무런 條件없이 始作되어야 한다.

(3) 但, 交涉再開後 刑事裁判權 問題를 事實上 後에 討議하도록 交涉者間에 合意할수 있을것이다.

(4) 美國側은 恒常 美國議會에

~4~

0193

對한 解배의 困難性. 現 韓國政府의 形態및 美國民의 對韓 感情等을 理由로 上記한 바와 같은 條件을 提示하니 이는 美國々內 問題이고 韓國政府도 (1)項에 列擧된바와 같은 美國에 못지 않은 國內事情이 있으므로 이 問題는 彼此 論하지 않음이 좋을것이다.

이러한 本人의 通告에 對하여 버거大使는 即時 國務省에 請訓하여 此後다시 回答하겠다고 말하였음. 그는 어떠한 "方式"으로 든지

~5~

0194

雙方에 滿足한 交涉再開 條件이 発

見될것을 希望한다고 添言하고, 自

己도 継續 努力하겠다고 말하였음

가, 5月29日 外務部長官은 駐美大使에게 美國務省高官에게 韓國政府의 立場을 伝達, 納得시키고 協定締結을 爲한 交涉再開를 다시 促求토록 指示함.

나, 6月1日, 外務部 政務局長은 "하비브" 参事官을 불러 5月21日의 交涉再開促求를 再次 反復하는 同時, 條件附 再開를 固執하는 美國側 立場의 不當性을 强調하였음.

다, 6月4日. 外務部長官은 버거 美國大使를 招致하여 坡州린치事件에 対한 抗議覚書를 手交하는 同時에 協定締結을 爲한 交涉의 再開를 强力히 促求하였음.

翌日, 外務部長官은 다시 駐美大使에게 指示하여 交涉再開를 爲한 外交活動을 指示함.

라, 6月6日, 高大学生 데모 때를 계기로 外務部長官은 다시 버거 美國大使를 招致코, 民政복귀후에 発効토록 한다는 약속을 해도 좋으니 速刻再開할것을 要求.

한바, 同大使는 이 事實을 本國政府에 보고하겠다고 하였으며, 협정 체결 문제를 ~~積極~~ 積極的으로 考慮中이라고 첨언하였음.

5月 14日 會議錄

題目 韓美行政協定 締結交涉

參席者 外務部長官 外務部次官

버거(Berger) 駐韓美大使

마지스트레티(Magistretti) 駐韓美大使館 參事官

場所 長官室

日時 1962年 5月 14日 2時30分 ~ 3時

內容

1. 버거駐韓美大使는 우리 政府의 3月 12日字 行政協定 交涉 提議要請에 對한 「와싱톤」의 訓令을 받았으며 그 內容은 原則的으로 行政協定締結交

~7~

0196

涉을 提起하는데 同意한다는 것을 通知함. 그러나 한가지 條件이 있는데 그것은 行政協定 交涉對象 項目中 다른것은 實務者會議를 通하여 交涉을 進行시키는데 異意가 없으나 刑事裁判權 (Criminal Jurisdiction)에 關하여는 憲法狀態 (Constitutional Situation)가 正常化한 後에 始作해야 한다는 것이며 美國側으로서는 3月12日字 書翰에 文書로 回答하기 前에 韓國側이 이러한 條件附에 同意한다는 確約을

-8-

0197

書面으로 해주면 그後 美國側으로서의 正式 文書回答을 韓國側에 傳達하겠다.

2. 崔長官은 이에 對하여 우리側이 그러한 條件附로 交涉을 再開한다는것 自体에 同意할수 없는 일이며 더욱이 그러한것을 書面으로 確約한다는 것은 不可能한 일이니 于先 우리側 提案에 對한 正式回答을 美國側으로서는 보내와야 할것이다.

3. 버거大使는 自己 本國政府의 訓令에 依해서 行動하는 것이며 憲法狀

態가 回復된後에 刑事裁判權 問題를 다루워야 한다는 立場이니 이点을 韓國側에서 理解하고 그러한 確認下에 行政協定 交涉을 推進해야 하겠다. 率直히 이야기해서 美國의 軍部에서는 行政協定締結에 關하여 猛烈히 反對하고 있는 바이며 또한 美國 國會內에서도 이 問題에 對해서는 反對하는 意見이 强하므로 韓國側의 立場을 살펴서 行政協定交涉을 始作한다 하드라도 民政復歸後까지는 刑事裁判權問題는 韓國側에서 提起하

~10~

0199

지 않는다는 事前保障이 必要한것이 다.

4. 崔長官은 行政協定締結問題는 韓國의 輿論과의 關聯性에서도 非常한 關心의 對象이 되어있는만큼 韓國政府로서는 이것을 重要한 交涉으로 認識하고 있다. 特히 行政協定과의 關聯性에서 가장問題와 비난의 對象이 되는것이 刑事裁判權에 關한 것이며 또한 이는 直接的으로 主權에 關聯된 問題라고 볼수있는 것이나 刑事裁判權에 關하여 그러한 事前保障을 한다는것은 생각하

~11~

0200

기 어려운 일이다.

다만 行政協定 自体의 交涉의 妥結은 相當한 時日을 所要하는 性質의 것이나 進行方法 및 討議順序等을 講究한다는것은 필요하며 可能한 일일는지는 모르겠다. 貴側의 事前 文書確認 要請에 對하여는 應하지 못할 것이나 進行方法等에 있어서 刑事裁判權 討議를 뒤로 미루고 于先 다른 問題부터 討議한다는 方法은 考慮할수 있을것으로 본다.

本人의 生覺으로는 上部와도 相議하여 刑事裁判權問題를 實質的으로 一키

로 미루는데 韓國側으로서 異意가 없다면은 刑事裁判權 問題는 憲法狀態가 正常化 云云의 見地에서 이를 다루지 말고 實質的인 時間的인 要素에서 이 問題를 뒤로 돌릴수도 있을것인바 그러한 内容的 諒解를 双方 口頭로 하면 족할것이 아니냐고 言及함

5. 이에 對하여 버거大使는 双方의 立場이 있는것이고 與論又는 其他의 關聯性等을 잘 勘案하여 合理的인 方法을 摸索하여야 할것

~13~

0202

으로 본다.

長官의 意見이 그러시다면 長官께서 韓國側의 態度를 作成한後 自己에게 그 結果를 알려줄때까지 와싱톤에 對해서는 報告를 考慮하고 기다리겠다 韓國側이 그러한 方法으로 進行을 시키기를 願한다면 어떠한 形式으로 兩側이 共同聲明書가 나갔으면 좋을런지 그 形式 (formula) 을 아울러 提示해주면 좋겠다.

6. 長官은 이에 應하였음

5月17日 駐韓美大使館이
提示한 覺書案

駐韓美大使는 美國政府가 駐韓美國軍隊地位에 關한 協定을 爲한 交涉再開의 準備가 되어 있음을 外務部長官에게 通告하였다.

討議의 再開에 同意함에 있어서 同大使는 韓國에 憲法上의 正常的 政府가 回復되고 一般法院과 法廷次의 正常的 機能이 充分히 回復될 때까지는 駐韓美國軍隊의 構成員에 對한 刑事裁判管轄權 行事의 複雜한 問題는 討議의 對象으로 提起되지

~15~

0204

않는 것으로 美國政府는 理解한다는 것을 聲明하였다. 外務部長官은 이를 保證하였다.

同大使는 또한 韓國人 所有者에 屬하는 不動産으로서 提供되고 있는 基地 및 施設에 關聯된 請求權은 韓國政府의 責任이라고 하는 美國政府의 立場을 再確言하였다. 外務部長官은 그 立場에 注目하였으나 이 問題를 交涉途中에 提起하겠다는 韓國政府의 意思를 表明하였다. 同大使는 外務部長官의 立場에 注目하였다.

註: 上記文中 「外務部長官은 이를 保證하였다」는 美國側 提案이고 外務部長官의 發言은 아님.

0205

CONFIDENTIAL

MEMORANDUM

The American Ambassador informed the Foreign Minister that the United States Government was prepared to reopen negotiations for an agreement coverning the status of the United States armed forces in Korea. The Ambassador stated that in agreeing to resume discussions, it is the understanding of his government that the complex question of the exercise of criminal jurisdiction over personnel of the United States armed forces in Korea will not be raised for discussion until normal constitutional government and normal functions of the civil courts and legal procedures have been fully restored in the Republic of Korea. The Foreign Minister provided this assurance.

The Ambassador also took occasion to reaffirm his government's position that claims invloving bases and facilities provided to the armed forces of the United States in Korea which might be presented by Korean owners of such real property would be the responsibility of the Government of the Republic of Korea. The Foreign Minister took note of this position but expressed his government's intention to raise this problem in the negotiations. The Ambassador took note of the Foreign Minister's position.

~17~

0206

5月 28日 버거大使에게 韓國側 態度에 關하여 言及한 內容

1962年 5月 28日

崔外務部長官은 日前에 버거大使와 面談한데 對하여 言及한 後 버거大使에게 다음과 같이 通告하였음

1. 韓國에 있어서의 强力한 輿論, 國民感情및 刑事裁判權이 行政協定에서 차지하는 重要性에 비추어 本人은 韓國政府가 가) 一般法院의 機能및 法節次의 正常化와 나) 正常的인 憲法

0207

~18~

的政府가 同意할때 까지는 刑事裁判權問題를 提議하지 않겠다는 如斯한 確約도 秘密로나 公開的으로나 할수있는 立場에 없음

2. 本人은 刑事裁判权과 같은 問題에 合意할수있도록 여러가지方法을 論議하기 爲하여 交涉이 再開되어야 한다고 思料되며 一方側에서 問題의 論議를 앞서 中断하면 如斯한 交涉에 있어서도 그 有効性을 期하기는 困難할 것이라고 思料함

3. 交涉의 "再開"란 用語그대로

~19~

0208

1961年 4月 25日 現在로 中斷된 交涉을 再開하자는 것이며 이交涉再開는 嶄新한 土台에서 再開되어야 하며 그리고 1961年 4月 25日當時의 存在했던 條件과같은 條件下에서 再開 되어야함.

刑事裁判权問題論議의 延期에 関하여는, 本人은 交涉을 再開한 後 交涉當事者間의 合意下에 于先 容易한 問題를 取扱하고 刑事管轄权 問題를 事実上 後에 論議할수 있을것임. 또한 本人은 行政協定에 包含되어 있는 諸問

~20~

0209

題에 對하여 그 問題들이 交涉을 通하여 署名段階에 到達하게 되면 各問題에 對한 個別的인 協定을 締結할수 있는 것으로 思料함.

5. 美國側은 위에 言及한 條件을 提議하는 理由로서 韓國에 대한 美國의 貢獻에 関한 美國國民의 印象및 美國議會와의 関係를 들고 있으나 本人은 韓國政府도 刑事裁判权 問題에 대하여 韓國國民으로부터 美國政府가 美國國民으로부터 받고 있는것과 決코 못지않은 压力을 받고 있

~21~

0210

으로 理解하고 雙方은 各者 國

內問題를 가지고 있는바 이와같

은 問題를 解決하도록 最善을 다

할것을 서로 認識하면 問題는 消

失될 것이라고 思料함.

6. 駐韓 美國軍에게 提供된 基地

및 施設에 関한 請求權에 対한

美國의 入場에 関하여는 本人은

이러한 美國側의 立場은 交涉 途

中에 提議된 問題이고 交涉再開

事前에 通告할 性質의 것이아니

며 이러한 事前通告는 오직 앞

으로 올교섭에서 이問題에 関한

充分하고 自由로운 討議를 하는데 支障을 줄뿐일 것으로 思料함

7. 本人은 結論的으로 交涉再開에 對한 共同声明書가 両國政府에게 充分한 保障을 줄것이며 交涉再開를 위한 合意基礎가 될것이라고 思料함

-23-

0212

May 28, 1962

After referring to the previous conversation had with ambassador Berger, Foreign Minister Choi informed him of the following:

1. In view of the strong public opinion, sentiments of the Korean people and the importance of the criminal jurisdiction in the SOFA, Foreign Minister is not in a position to give any assurance, secret or open, that the Korean Government will not raise the question of the criminal jurisdiction "until: a. The normal functions of civil courts and legal procedures have been restored; and b. Normal constitutional government has been restored."

2. Foreign Minister feels that the negotiations should be resumed for the very purpose of discussing various ways and means of reaching an agreement on such question as the criminal jurisdiction. He, therefore, finds it difficult to comprehend the utility of any negotiations when one side forecloses the discussion of the subject in advance.

3. The present "resumption" of the negotiations is, as the word indicates, to "resume the negotiations suspended as of April 25, 1961." It should be resumed

0213

on the basis of "clean slate", and under the same conditions as existed on that date.

4. As for the deferment of the discussion on the criminal jurisdiction, Minister suggested that after the negotiations are resumed, the negotiators, by agreeing to take up less comlex subjects first, may be able to defer, <u>in fact</u>, the discussion on the criminal jurisdiction until later date. Minister also mentioned the advisability of concluding individual agreements for various subjects of SOFA, as they become mature for signature through negotiations.

5. The American side always cites relationship with the Gongress and the public image of American contribution to Korea as the reasons for having to propose the conditions referred to above. However, the Minister reminded Ambassador that the Korean Government is under the same or no less pressure from its people and public opinion on this question of the criminal jurisdiction. He said that it would suffice it both sides recognize reciprocally that either side has domestic problems and that they will do their utmost to solve such problems.

0214

6. As regards the American position of the claims involving bases and facilities provided to the armed forces of the United States in Korea, Minister again feels that any such American position should be made known during the negotiations and should not constitute a subject of advance notification, which serves only to vitiate a full and free discussion on the subject during the forthcoming negotiations.

7. In conclusion, Minister informed Ambassador that the draft joint statement on the resumption of the negotiations provides sufficient guaranty for both Governments and should be the basis of agreement to resume the negotiations.

~21~

0215

제목 : 한미간의 미국 주둔군 지위 협정 체결을 위한 1962년도 교섭경위
(미주과 소관)

1. 1962년 2월 13일 외무부장관은 버 거 미국대사를 외무부로 초치하고 파주 나무군 살해사건과 관련하여 양국간의 협정이 조속히 체결되어야 한다고 주장하고 이를 위한 교섭의 재결을 요청하였음. 여기에 대하여 동대사는 이러한 요청을 거절할 하등의 이유가 없다고 언명하고 한국정부의 뜻을 미국정부에 전달하겠다고 말하였음.
2. 1962년 5월 21일 정무국장은 하비브 주한미대사관 정치담당 참사관을 초치하여 미측의 조건부 협정 교섭재개의 부당성을 지적하고 그의 철회와 무조건 회담재개의 필요성을 강조하고 한국국민 감정이 5월6일 및 5월17일 미군인 의한 한군인 살해사건으로 말미암아 악화되어가고 있다는 사실을 미측에 경고하고 행정협정 체결을 위한 교섭재개를 요청하였음.
3. 6월 1일 정무국장은 또 다시 하비브 참사관을 외무부에 초치하여 5월29일 발생한 파주린치사건에 관하여 미국측에 항의하는 동시 여사한 사건의 예방과 사후처리에 있어서 한국국민이 납득할수 있고 한미양국간의 우호를 보조하기 위하여서도 행정협정의 체결이 급선무 라는 점을 강조하였으며 무조건 교섭을 재개할것을 촉구하였음.
4. 6월 4일 외무부장관은 오전 10시 부터 11시까지 버 거 미국대사를 초치하고 파주 린치사건에 대한 우리측의 항의각서를 수교하는 동시 행정협정 체결교섭의 재개를 강력히 촉구하였음. 이자리에서 버 거 대사는 우리정부의 입장을 본국정부에 보고하였으며 현재 그회답을 기다리고 있는중이라고 말하였음.
5. 6월5일 파주 린치사건을 계기로 국민감정이 비등하게 되자 외무부 장관은 다시 주미대사에게 견문으로 훈령을 내려 행정협정체결에 관한 대미 교섭을 적극화 할것을 지시하였음.
6. 6월 6일 외무부장관은 고려대학생의 데모기도를 계기로 다시 주한미국대사 버 거 씨를 외무부로 초치하고 하오 4시반부터 약 2시간 행정협정의 체결을 위한 교섭의 즉각적재개를 요청 하여든바 동 대사는 이에 대하여 본국 정부에 보고하는 동시 행정협정 체결문제가 현재 적극적으로 고려되고 있다고 언명하였음.

1 - 1

0216

0217

발신전보

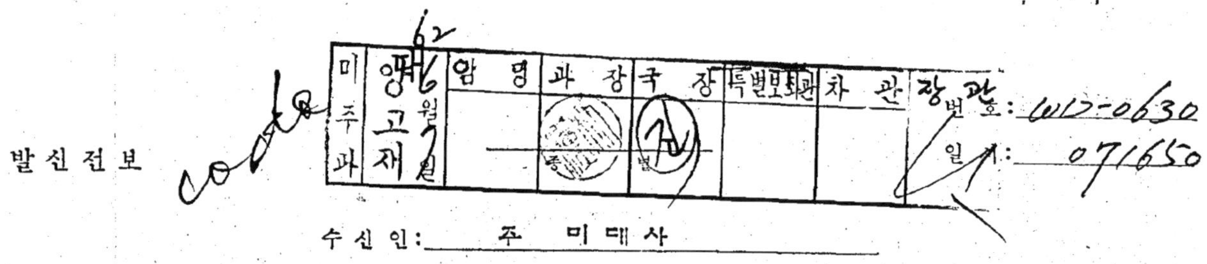

번호: WUS-0630

일시: 071650

수신인: 주 미대사

1. 이번 파주사건을 계기로 국민의 감정이 비등되어 오든중 6월 6일 행정협정체결을 촉구하는 고려대학생의 미국대사관 앞 데모기도에 까지 사태가 발전 되었음.

2. 정부는 이러한 데모를 저지시키고 데모행위를 금하는 내각수반 성명을 발표하는 한편 데모의 동기는 이해할수 있으나 그 방법이 불법적으므로 데모학생 100여명을 연행문초중에 있음.

3. 이렇게 하여 정부는 미국대사관을 보호하고, 데모행위로 인한 한미양국간의 우호손상을 방지하기 위하여 최선의 노력을 다하고 있음.

4. 외무부장관은 6월 6일 하오 다시 버-거 미대사를 초치하여 행정협정 체결교섭의 재개를 재차 강력히 촉구하는 동시 미측은 그동안 내세운 두 가지의 교섭재개조건을 철회하는 동시에 미측의 기우를 없애기 위하여 행정협정체결 교섭이 완전히 완료되어도 내년에 있을 민정복귀후에 실지로 발효하여도 좋다는 약속하에 교섭을 즉시 재개할것을 촉구하였음.

5. 귀하는 이러한 한국의 입장을 미측에 납득하도록 접극교섭하는 동시 행정협정의 체결을 위한 교섭이 즉시 재개되도록 미 국무성은 물론 특히 국방성에 대하여 강력하고도 효과적인 외교교섭을 전개시키기 바라며 그동안 (추차 지시한) 교섭경위에 대하여도 즉시 보고하시압.

6. 참고로 이곳 미국대사는 이와같은 사태에 직면하여 국무성에 긴급보고를 하였다하며 현재 본국훈령을 대기중이라 함. (외미)

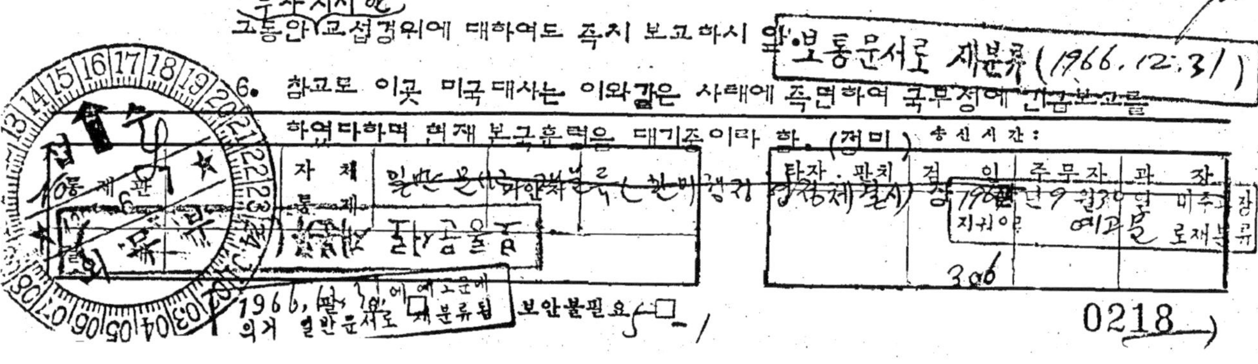

보통문서로 재분류 (1966. 12. 31)

1966, 12, 31 에 예고문에 의거 일반문서로 재분류됨

보안불필요

0218

대한민국 외무부

발신전보

암호

종별

번호: WUS-0661

일시: 081730

수신인: 주미대사

행정협정 체결 교섭 재개문제에 관하여 현재 국방성 측에서 동교섭 재개에 강경한 태도를 취하고있는 것으로 알려지고 있는 바 귀하는 국방성 관계당국과 접촉하여 우리측 입장을 납득시키는 동시에 국방성당국이 번의하여 하루속히 동교섭이 조속히 재개되도록 극력 노력하시고, 그 결과를 보고하시압. (정.미)

장관

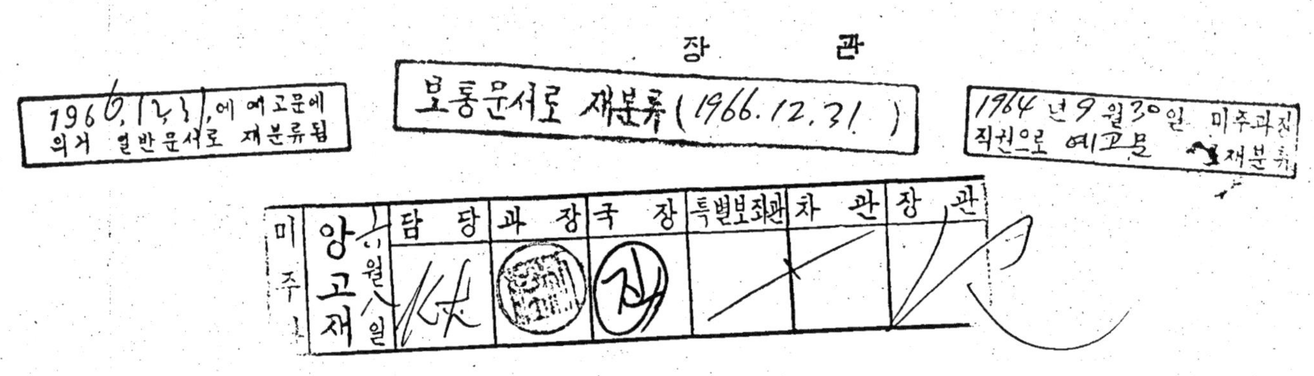

1966.12.31.에 예고문에 의거 일반문서로 재분류됨

보통문서로 재분류(1966.12.31)

1964년 9월 30일 미주과장 직권으로 예고문 재분류

미주	앙고재	담당	과장	국장	특별보좌관	차관	장관

통제관		자체 통제		기안처	
결재	6-1				

송신시간:

타자.판치	검인	주무자	과장

필요 □ 보안불필요 □

0220

18

1962年 6月 9日 午后 5時半 버-거 駐韓 美國大使는 外務部長官을 訪問하고, 約50分에 걸쳐 行政協定 締結을 위한 交涉再開 問題에 關하여 意見交換이 있었는데 要旨 다음과 같다.

參席者 : 外務部 政務局長
Magistretti 美國參事官

會談要旨 :

1. 버-거大使는 交涉再開를 要請한 外務部長官의 3月12日字 書翰에 對한 美國政府의 回答이라 하여 Aide Memoire를 外務部長官에게 手交하였는데 그 要旨의 解釈은

A. 交涉再開要請에 対하여 應諾한다.

B. 그러나 正常的인 憲法政府와 裁判的 機能 및 法節次의 完全한 正常化 前에는 刑事裁判權問題를 討議할 수 없다

C. 韓國政府의 B項에 対한 ~~正式回答~~ 書面確約은 없어도 좋다고

는 세가지로 美國側으로서는

34-1

미일 179-22 (8)

0222

주. 書面으로 確約할 必要를 느꼈으나 그 必要가 없게되었다고 指摘하고,
또한 B項의 條件이 이루어지기 前에는 美國政府로서는 刑事管轄權問題를 討議할수 없으며 이는 變更되기 어려운 事實이라는 見解를 表明하였음.
또는 그는 이와같은 美國政府의 立場에 関한 訓令은 ○前에 外務部長官의 刑事管轄權을 包含한 모든 問題의 討議를 쉬운 問題부터 始作하고 그 發效에 関하여는 一年後에 豫定되어 있는 民政移讓後로 延期 될 것인데 異議가 없다는 提示가 國務省에 報告되어 檢討된 後에 來到된것임을 밝혔다.

2. 外務部長官은 行政協定에서 다루어져야 할 問題는 實로 여러가지 있으나 一般的으로 行政協定은 곧 刑事管轄權問題라고 할 ~~가 대부분이~~ 이러한 意味에서 全國民이 行政協定의 早速한 締結을 熱望하고 있으니 만치 그와같은 前提條件을 國民들에게 到底히 納得시킬수 없다는 뜻을 再强調하고, 따라서 이와같은 條件을 政府는 到底히 應諾할수없다는 立場을 明白히 表示하였음.

0223

→

미문 119-22

0224

또한 外務部長官은 裁判所의 機能과 法節次의 正常化라는 條件에 言及하여 韓國側은, 必要하다면, 駐屯軍(美軍)의 特別取扱을 爲한 便宜와 나아가서는 特別法의 制定까지도 考慮할 用意가 있다는 뜻을 말하고

첫째, 우리側은 여러가지 問題中 容易한 問題부터 討議를 始作하여 討議의 進展에 따라 어려운 問題들은 後로 討議하자는 것이고

둘째, 우리側은 討議가 妥結된다 하드라도 民政移讓後까지 發效를 延期 식이는데 異議가 없다는 것임으로 裁判所의 機能과 法節次의 正常化問題는 于先討議를 再開한 뒤에도 能히 檢討할수있으며 그에 對한 具体的인 改善策을 講究할수 있는 것임으로 우리側의 提議는 가장 現實的이고 建設的인 案인데도 不拘하고 美國側이 그와같은 條件을 固執하는 理由가 있을수없다고 闡明하였고 우리 立場의 테두리 안에서 早速히 交涉을 再開해야 한다고 强調하고 美國側의 두려워하는 뜻과 如斯한 條件을 固執하는 理由가 무엇인지 具体的으로 說明해 달라고 要請하였읍.

0225

34-3

→

미문 79-22

0226

3. 버―거大使는 위에서 말한 外務部長官의 発言内容을 그대로 國務省에 報告하겠다고 対答하였음. 그러나 그는 上記와 같은 美國政府의 立場을 変更식힌다는것은 매우 어렵다고 말하였음.

継続해서 그는 美國政府가 韓國의 革命政府를 支持하고 있는 点에는 変함이 없으나 美國은 美國側으로서의 어려운 点을 가지고 있다고 말하였음.

4. 今日午後, 이問題에 関하여 버―거大使가 最高會議 朴議長을 訪問하였다는 事実과 関聯하여 外務部長官은 그後 朴議長과 柳外務國防委員長과 이問題에 関하여 論議한 結果 美國의 그와 같은 條件을 受諾할수 없다는 決定을 보았다는 点과 刑事裁判權問題를 議題에 包含식힌後에 그問題의 実質的인 討議延期에 関하여서는 交涉의 進行에 따라 議論할수 있는것이라는 点을 다시 다짐하였음.

5. 버―거大使는 이에 対하여 美國側으로서는 그렇게할 準備가 되어있지 못하다고 말함.

6. 外務部長官은 韓國政府로서는 坡州事件과 같은 不祥事의 防止 및 韓國國民의 輿論緩和와 데모의 防止等 韓美間의 友誼增進을 위한 強力하고 効果的

34-4

0227 ⟶

미문 79-22

0228

인 対策으로서 最大限의 協調를 講究中임을 버-거 大使에 알리는 同時에 다시한번 美國側의 誠意있는 再考를 促求하였음.

7. 오늘 會談에 關하여 Aide-Memoire를 手交했다는 事実은 當分間 兩側이 公表하지 않기로 하고 新聞에 對하여는 아직도 解決을 보지 못한 問題에 關하여서 討議했다는 事実과 앞으로도 繼續하여 解決을 위한 討議를 持續할 것이라고 만을 發表하기로 함.

보통문서로 재분류 (1966. 12. 31.)

1964년 9월 30일 미주과장 직권으로 예고문 로 재분류

미주과	양고재 년 월 일	담당	과장	국장	특별보좌관	차관	장관

口頭로 報告함

1966.12.31에 예고문에 의거 일반문서로 재분류됨

0229

34-5

비문 79-22

0230

0535

1962년 6월 9일 오후 5시반 버 – 거 주한미국대사는 외무부장관을 방문하고, 약 50 분간에 걸쳐 행정협정 체결을위한 교섭재개 문제에 관하여 의견교환이 있었는데 요지는 다음과 같다.

참석자 외무부 정무국장

Pacistretti 미국참사관

회담요지

1. 버 – 거대사는 교섭재개를 요청한 외무부장관의 3월 12일자 서한에대한 미국정부의 회답이라하여 Aide Memoire 를 외무부장관에게 수교하였는데 그요지의 해석은

A. 교섭재개요청에 대하여 응락한다.

B. 그러나 정상적인 헌법정부와 재판조기능 및 법절차의 완전한 정상화 전에는 형사관할권 문제를 토의할수 없다.

C. 한국정부의 B 항에대한 서면확약은 없어도 좋다.

는 3 가지 점으로 미루어 미국측으로서는 원래 서면으로 확약할 필요를 느꼈으나 그요지가 없기되었다고 지적하고 또한 B항의 조건이 이루어지기 전에는 미국정부로서는 형사관할권 문제를 토의할수 없으며 이는 변경되기 어려운 사실이라는 견해를 표명하였음. 또는 그는 이와같은 미국정부의 입장에관한 설명을 인친에 외무부장관의 형사관할권을 포함한 모든 문제의 토의를 쉬운 문제부터 시작하고 그발표에 관하여는 1년후에 예정되어있는 민정이양후로 연기시키는데 이의가 없다는 지시가 국무성에 보고되어 검토된 후에 해도 된것임을 밝혔다.

2. 외무부장관은 행정협정에서 다루어지야할 문제는 십상 여러가지 있으나 일반적으로 행정협정은 곧 형사관할권 문제라고 보기때문에 이러한 의미에서 전국민이 행정협정의 조속한 체결을 열망하고있으니 만치 그와같은 전제조건은 국민들에게 도저히 납득시킬수 없다는 점을 재강조하고 따라서 이와같은 조건을 정부는 도저히 응락할수 없다는 입장을 명백히 표시하였음.

0231

341

0331

0232

또한 외무부장관은 재판소의 기능과 법절차의 정상화라는 조건에 언급하여 한국측은 필요하다면 주둔군(미군)의 특별취급을 위한 협의와 나아가서는 특별법의 제정까지도 고려할 용의가 있다는 점을 말하고,

첫째, 우리측은 여러가지 문제중 용이한 문제부터 토의를 시작하여 토의의 진전에따라 어려운 문제들을 그후로 토의하자는 것이고

둘째, 우리측은 토의가 타결된다 하더라도 민정이양후까지 발효를 연기시키는데 의의가 있다는 것임으로 재판소의 기능과 법절차의 정상화 문제는 우선 토의를 재개한뒤에도 능히 검토할수 있으며 그에대한 구체적인 개선책을 강구할수 있을것임으로 우리측의 제의는 가장 현실적이고 건설적인 안인데도 불구하고 미국측이 그와같은 조건을 고집하는 이유가 있을수없다고 단명하였고 우리입장의 테두리 안에서 조속히 교섭을 재개해야 한다고 강조하고 미국측의 두려워하는 점과 여사한 조건을 고집하는 이유가 무엇인지 구체적으로 설명해 달라고 요청하였음.

3. 버-거대사는 위에서 말한 외무부장관의 발언내용을 그대로 국무성에 보고하겠다고 대답하였음. 그러나 그는 상기와같은 미국정부의 입장을 변경시킨다는 것은 매우 어렵다고 말하였음. 계속해서 그는 미국정부가 한국의 혁명정부를 지지하고 있는 점에는 변함이 없으나 미국은 미국측으로서의 어려운 점을 가지고있다고 말하였음.

4. 금일오후, 이문제에관하여 버-거대사가 최고회의 박의장을 방문하였다는 사실과 관련하여 외무부장관은 그후 박의장과 유외무국방위원장과 이문제에 관하여 논의한 결과 미국의 그와같은 조건을 수락할수 없다는 결정을 보았다는 점과 형사관할권 문제를 의제에 포함시킨후에 그문제의 실질적인 토의연기에 관하여서는 교섭의 진행에따라 논의할수 있을것이라는 점을 다시 다짐하였음.

5. 버-거 대사는 이에대하여 미국측으로서는 그렇게한 준비가 되어있지 못하다고 말함.

0233

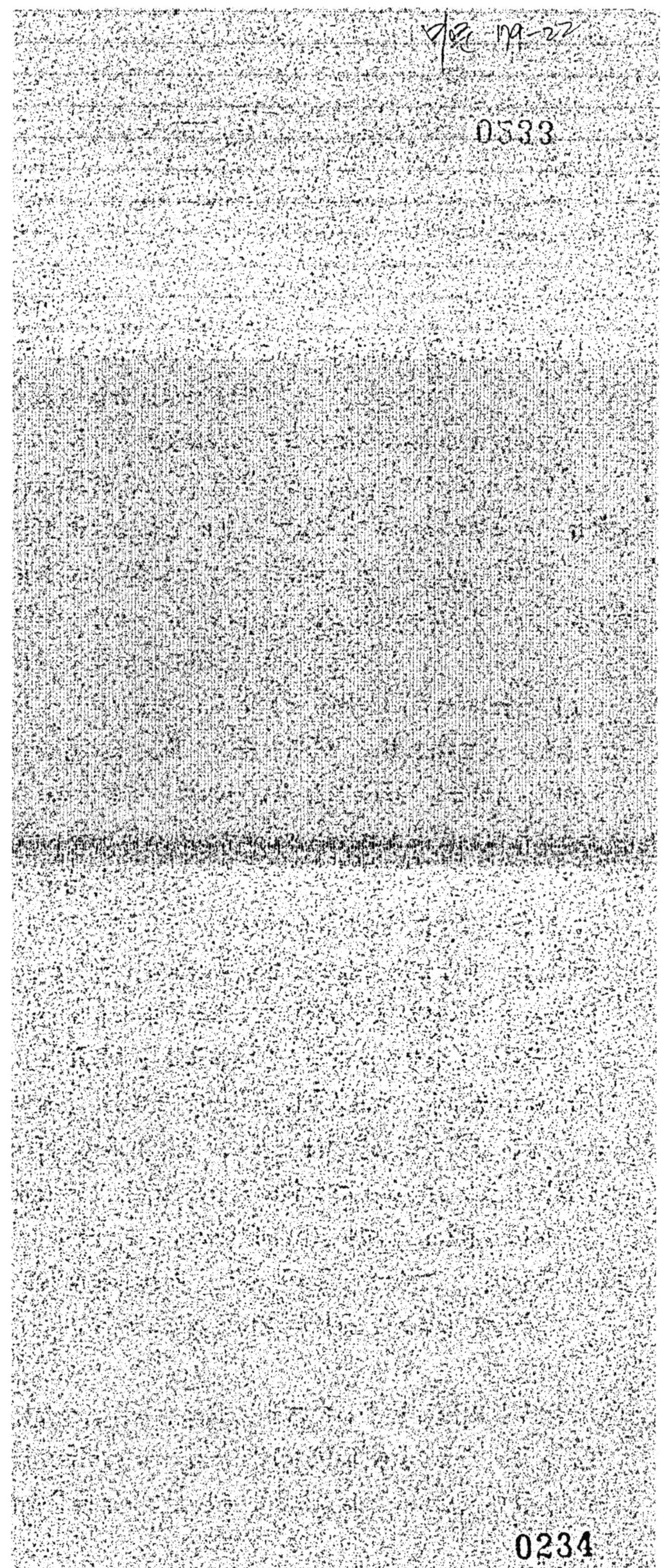

6. 외무부장관은 한국정부로서는 파주사건과 같은 불상사의 방지 및 한국국민의 여론완화와 데모의 방지등 한미간의 우의증진을 위한 강력하고 효과적인 대책으로서 최대한의 협조를 강구중임을 버―거 대사에 알리는 동시에 다시한번 미국측의 성의있는 재고를 촉구하였음.

7. 오늘 회담에관하여 Aide-Memoire 수교했다는 사실은 당분간 양측이 공표하지 않기로하고 신문에 대하여는 아직도 해결을 보지못한 문제에 관하여서 토의했다는 사실과 앞으로도 계속하여 해결을위한 토의를 계속할것이라고 발표하기로 함

0235

0332
0236

619.

CONFIDENTIAL

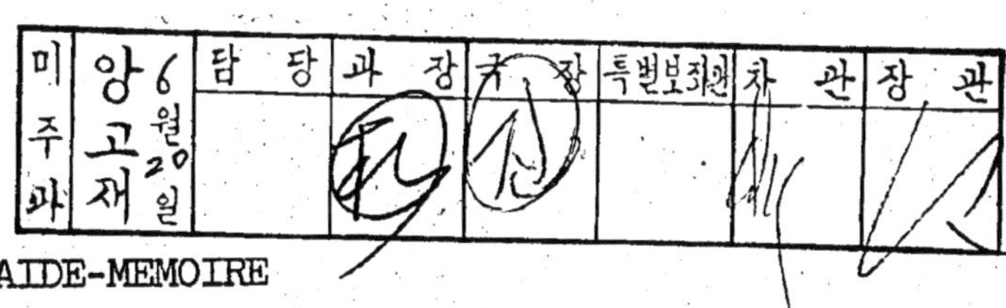

AIDE-MEMOIRE

The American Ambassador informed the Foreign Minister that with respect to the Government of Korea's note requesting the United States Government to reopen negotiations for an agreement covering the status of the United States Armed Forces in Korea, the United States Government feels that it is in our mutual interest to do so. The United States is prepared to start working level negotiations as soon as mutually convenient.

However, in agreeing to resume discussions, the Ambassador stated he was under formal instructions to inform the Government of Korea that it is the position of his government that the complex question of the exercise of criminal jurisdiction over personnel of the United States Armed Forces in the Republic of Korea cannot be raised for discussion until normal

32-1

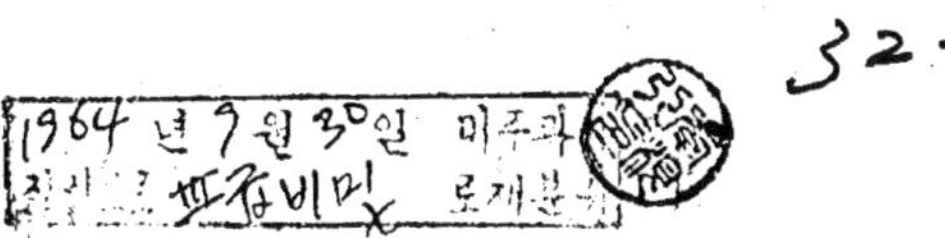

0287

62-4-5 (2)

0238

constitutional government and normal functions of the civil courts and legal procedures have been fully restored in the Republic of Korea.

The Ambassador stated that in light of the Foreign Minister's previous objections to having the above condition embodied in a formal note, the United States is prepared to dispense with a formal reply to the Government of Korea's note of March 12, 1962.

62-4-27

Embassy of the United States of America,

Seoul, June 9, 1962.

32-2

62-4-5 (2)

0240

한미 행정협정 체결에 관한 교섭대책

한미 행정협정 체결을 위한 교섭 재개에 관련한 6월 9일자 미국측의 각서에 대한 분석 평가와 동 각서에 대한 한국정부의 회한 각서 및 교섭대책을 아래와 같이 제출합니다.

— 아 래 —

1. 미국측 각서 분석

(1) 이각서에서는 종래 미국측이 주장해온 주한미군이 사용중인 시설 및 기타 부동산에 대한 청구권 청산문제를 한국정부가 책임 져야한다는 조건에는 언급이 없음. 그러나 일단 행정협정체결 교섭회담이 재개되면는 미국측은 이문제를 반듯이 제기할것으로 관측됨.

(2) 형사 재판 관할권문제에 관하여 정상적인 정부가 수립되고 일반 재판소의 기능과 법 절차가 정상확립될때까지 이문제를 토의하지 아니한다는 미국측 조건에 대하여서는 종래에는 우리측의 서면확약을 요구하여 왔었는데 이러한 서면확약이 불필요하게 되었음. 그러나 동각서는 3월 12일자 우리측 각서에 대한 회답인 것으로 이것을 일방적으로 받은채 만일 이것에 대한 우리입장을 천명하는 회답을 주지 않고 교섭을 재개한다면 결과적으로 미국측의 조건을 수락하는 것으로 됨.

2. 평가

첫째, 형사재판 관할권문제에 관하여 미국측 각서에 사용한 용어, 예를 들면 본국정부의 "정식훈령" 또는 자기 "정부의 입장" 운운한것, 또는 ~~미국정부의 정식태도가~~ 회담시의 버— 거 주한미대사의 언급 내용 및 태도 그리고 동대사가 외무부장관과 회담하고 대사관으로 돌아간 후 신문기자에게 미국측은 ~~한국에 헌법상 정상정부가 회복되고 일반 재판소의 기능과 법 절차가 정상확되기 까지는~~ 형사재판 관할권문제를 토의하지 아니한다는 미국측의 입장을 ~~밝혀줌으로서~~ 처음으로 미국측 누설하여줌으로서 (UPI, 6월 9일 서울발)

36-1

0241

62-4-6 (2)

0242

입장을 공개한 사실등으로 미루어 볼때 상기한 조건은 미국의 일관된 확고한 태도로서 현재로서는 변경시키기 곤란한것으로 관측됨.

둘째, 그러나 전 (2)항의 미국측 조건에 대하여는 이에 응락하지 않음은 물론, 한거름 나아가 우리측은 대립된 우리입장을 재차 천명하여 둠으로서 합의를 이루지 않은채 여타문제에 관한 교섭에 들어 갈수 있도록 미국측과 절충할 여지가 있음.

셋째, 교섭재개에 있어서 아직도 합의를 이루지 못한 형사재판 문제만을 제외하면 기타문제에 관하여는 아무런 조건없이 토의를 개시 할수 있음.

3. 교섭대책

(1) 이상과 같은 분석과 평가에 의거하여 우리측은 미국의 조건을 수락할수 없으며 형사재판 관할권을 포함한 일체 문제를 주둔군 지위협정 체결을 위한 교섭의 의제로 하며 단지 교섭진행에 있어서는 비교적 용이한 문제부터 토의를 시작하는 방식을 택할수 있다는 방향을 취한다.

(2) 3항 (1)에 의한 한국측 태도를 별첨 각서와 같이 6월 9일자 미국측 각서에 대한 회답으로서 수교한다.

(3) 한국측 회한 각서를 수교한후 미국측에 무조건 회담을 소집하기로 제의한다. 끝

62 - 6 - 23

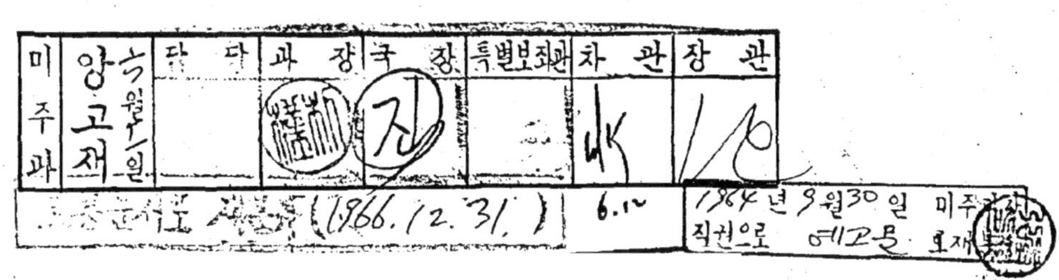

미주과	기안 고재	담당	과장	국장	특별보좌관	차관	장관
	6월 일			진			

보통문서로 재분류 (1966.12.31.) 6.12 | 1964년 9월30일 미주과 직권으로 예고문 오재

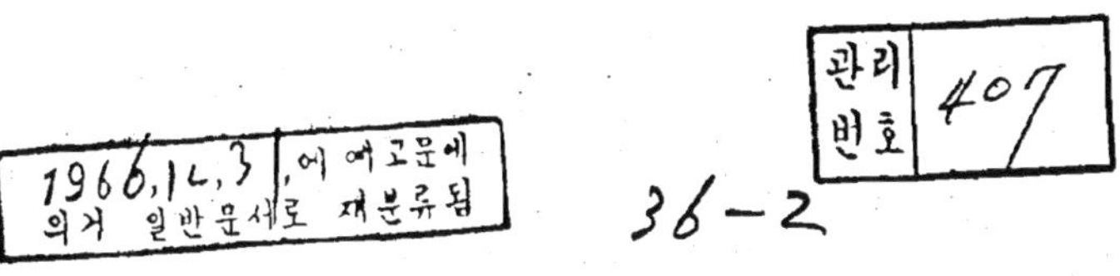

1966.12.31.에 예고문에 의거 일반문서로 재분류됨

관리번호 407

36-2

0243

62-4-6(2)

대표 79-14

0244

韓美共同新聞聲明

美軍人身分協定再開에 關하야

駐韓美大使는 美國政府가 駐韓美軍人身分協定에 關한 協商을 再開할 用意가 있음을 外務長官에게 通報하였다. 外務長官는 韓國政府를 代表하야 이 提議를 歡迎하였다.

兩國政府는 此協商을 來七月中에 實務者間에 再開할것을 合意하였다. 어떠한 軍人身分協定도 複雜한 內容을 包含함은 事實이며, 따라서 如斯한 協商이 相當한 時日을 要할 것이다. 左右間, 韓國의 不遠間 있을 憲法改定을 予想하야 正常的인 憲法과 法的節次가 樹立될 때까지는 軍人身分協定의 締結이 不可能한것임을 認識하는 바이다.

1966,12,31에 예고문에 의거 일반문서로 재분류됨

일반문서로 재분류(1966.12.31)

0245

한미 공동 신문 성명 (美側案)

미국인 신분 협정 재개에 관하여

주한 미대사는 미국 정부가 주한 미군인 신분 협정에 관한 협상을 재개할 동의가 있음을 외무부장관에게 통보하였다. 외무장관은 한국정부를 대표 하여 이 제의를 환영하였다.

양국 정부는 비협상을 내 7월중에 실무자 간에 재개할것을 합의하였다. 어떠한 군인 신분 협정도 복잡한 내용을 포함함은 사실이며, 따라서 여하한 협상이 상당한 시일을 요할 것이다. 좌우간 한국의 불원간 있을 헌법 개정을 예상하여 정상적인 헌법과 법 절차가 수립될때가지는 군인 신분 협정의 체결이 불가능 한것임을 인식하는 바이다.

62.6.11

0247

외무 7-14

0248

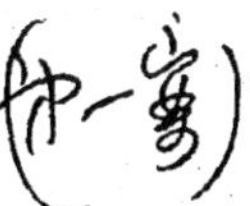

JOINT ROK-US PRESS STATEMENT

Resumption of Negotiations of Status of Forces Agreement

The American Ambassador has informed the Minister of Foreign Affairs that the United States Government is prepared to reopen negotiations for an agreement covering the status of the United States Armed Forces in the Republic of Korea. The Foreign Minister welcomed this development on behalf of his Government.

Both sides agreed that negotiations would resume at the working level sometime in July. It is recognized that any status of forces agreement involves complex matters and it is expected that negotiations will require a considerable period of time.

0249

JOINT ROK-US PRESS STATEMENT (제二호)

Resumption of Negotiations of Status of Forces Agreement

The American Ambassador has informed the Minister of Foreign Affairs that the United States Government is prepared to reopen negotiations for an agreement covering the status of the United States Armed Forces in the Republic of Korea. The Foreign Minister welcomed this development on behalf of his government.

Both sides agreed that the negotiations would resume at the working level sometime in July. It is recognized that any status of forces agreement involves complex matters and it is expected that negotiations will require a considerable period of time. In any event, it is recognized that, in view of the forthcoming constitutional changes in Korea, it will not be possible to conclude a status of forces agreement until after the establishment of civilian government in 1963.

0250

第三案

JOINT ROK-US PRESS STATEMENT

Resumption of Negotiations of Status of Forces Agreement

The American Ambassador has informed the Minister of Foreign Affairs that the United States Government is prepared to reopen negotiations for an agreement covering the status of the United States Armed Forces in the Republic of Korea. The Foreign Minister welcomed this development on behalf of his government.

Both sides agreed that negotiations would resume at the working level sometime in July. It is recognized that any status of forces agreement involves complex matters and it is expected that negotiations will require a considerable period of time. In any event, it is recognized that, in view of the forthcoming constitutional changes in Korea, it will not be possible to conclude a status of forces agreement until after normal constitutional and legal procedures have been established.

62-4-28

0251

62-4-9 (1)

0252

대한민국 외무부

암호

종별

번호: WUS-0662
일시: 110905

발신전보

수신인: 주미대사

1. 6월 9일 오후 5시 반 버거 미국 대사는 외무부 장관을 방문하고 아래와 같은 Aide Memoire 를 전달하였음.

"The American Ambassador informed the Foreign Minister that with respect to the Government of Korea's note requesting the United States Government to reopen negotiations for an agreement covering the status of the United States Armed Forces in Korea, the United States Government feels that it is in our mutual interest to do so. The United States is prepared to start working level negotiations as soon as mutually convenient. However, in agreeing to resume discussions, the Ambassador stated he was under formal instructions to inform the Government of Korea that it is the position of his government that the complex question of the exercise of criminal jurisdiction over personnel of the United States Armed Forces in the Republic of Korea cannot be raised for discussion until normal constitutional government and normal functions of the civil courts and legal procedures have been fully restored in the Republic of Korea. The Ambassador stated that in light of the Foreign Minister's

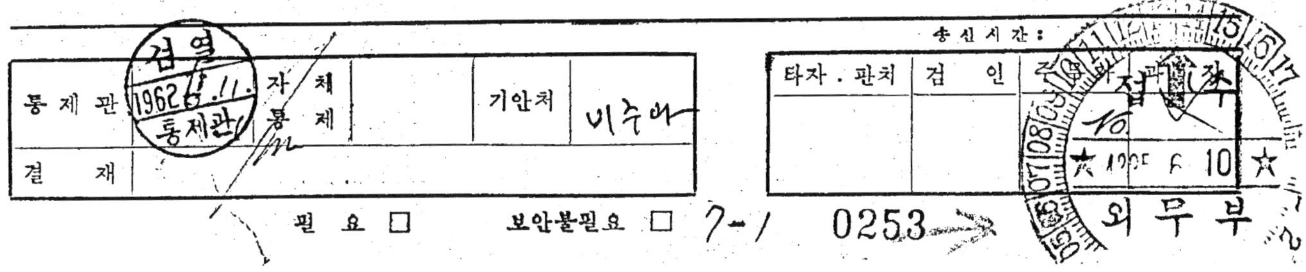

통제관	검열 1962.6.11. 통제관	자체 통제		기안처	미주아
결재					

송신시간:

타자 · 판치	검인	주

필요 ☐ 보안불필요 ☐ 7-1 0253

0254

previous objections to having the above condition embodied in a formal note, the United States is prepared to dispense with a formal reply to the Government of Korea's note of March 12, 1962."

2. 이각서에서 볼수있드시 미국측은 교섭재개에 대한 종전의 조건을 되푸리 하고있음.

3. 그러나 우리정부측의 입장도 이미 귀하에게 전문으로 통보한바와 같이, 이러한 미국측의 부당한 조건을 수락할수가 없음.

4. 특히 "페라곤"이 강경한 ~~태도를 취하고~~ 있는 것으로 알려지고 있는 바, 귀관의 "페로곤" 측과의 좋은 관계를 이용하여 와싱톤당국이 이러한 조건을 고집하는 이유가 어데 있는지, 또 미국측이 협정체결에 관련하여 한국정부에게 구체적으로 무엇을 요구하고있는가를 상세히 파악하여 지체없이 보고하시압.

5. 한국정부는 만일 필요하다면 미국측의 구체적인 요구사항을 참작하여 특별법을 제정하여서라도 만족시켜주도록 노력하여줄것이라는 점을 미국 국무 국방 양 ~~관계~~ 당국에 WD-0630 전문에 명시된바와같은 방향으로 미국측이 납득시키며, ~~또한~~ 동협정 재개에 응하도록 적극적인 외교교섭을 전개하고 그결과와 그간의 활동 결과를 즉시 보고하시압. (정. 미)

6. 귀하가 6월 7일 해리만 차관보를 만났다는 보고는 받었으나, 그때 행정협정체결에 관한 교섭재개 촉구를 하였다는 ~~보고~~ 언급 ~~받지 못하였음~~ 이 없었음. 만일 그때 이문제에 관한 의견교환이 있었으면 해리만 차관보의 견해가 무엇이였는지 보고 하시기 바랍.

장 관

7. 행정협정체결에관한 귀하의 종합적인 보고를 다음 파우치편으로 제출하시되 교섭경위, 전망, 및 귀하의 의견을 상세히 보고하시압.

6.11. →

미이문 78-22(2)

0256

착신전보

대한민국 외무부

번호: DW-0667

일시: 111930

111 비

종별

수신인: 외무부 장관 귀하

군대 지위협정

1. WD -0642 제 6 항에 관하여 6 월 7 일 본직은 해리만 차관보를 방문하였는데 DW -0644 호로 보고한 내용에 관하여서만 면담하였음. 그 사유에 관하여는 추후 서면 보고위계임.

2. 금일 김참사관은 장서기관을 대동 예가 동북아 국장을 방문 한국과장 임시서리 휼렌 (맥도날드는 1 주일 예정으로 휴가중임) 참석리에 다음과같은 회담을 가졌음을 보고합니다.

가. 김참사관은 TM -0607 호 전문에 의하여 통화개혁의 목적을 설명하였으며 야가 씨는 현재 동결되고있는 은행예금의 동결해제 시기 및 방법에 미국으로서는 큰 관심을 가졌다고 밝혔음.

나. 학생데모사건을 일부 미국 신문들이 ANTI-AMERICAN DEMONSTRATION 이라는 제목하에 대대적으로 보도한바있으며 이와같은 보도가 한국학생 데모는 반미사상에서 기인한듯한 일방적인상을 줄수있는 점에 유감의 뜻을 표한바 야거 씨는 FREEDOM OF UNCONTROLED PRESS 의 견점에 언급하면서 국무성도 학생데모가 반미사상에 기인하지않는다는 점에 동감이라고 하였음.

다. WD -0630 및 WD -0642 에서 지시한 내용에 입각하여 우리정부의 대안을 설명하였던바 그는 동대안 내용을 숙지하고있음을 밝히고 형사소송권 문제는 미국이 교섭에 응하지 않겠다는것이 아니고 TIMING 문제에관한 의견차이 밖에는 없다는

수신시간:

정무, 정보

검인 8-1

1964, 9, 30, 에 예고문에 의거 일반문서로 재분류됨

외신과

보안불필요 □

0257

0258

0S00

점을 강조하고 MOST CONTROVERSIAL AND MOST COMPLICATED ISSUE 인 이문제는 완전한 민사재판 제도의 복귀와 민정의 복귀전에는 취급할수 없다는 것이 미국의 입장이라고만 되푸리하였음.

라. 협정체결이 완료하더라도 그 시행은 민정복귀후 까지 보류한다는 제안에 대하여서는 THAT WAY BE ONE OF THE WAYS COPING WITH PRESENT SITUATION 이라만 하고 이문제에 대한 COMMITTMENT 를 회피하였음.

마. 특별법에 의한 조치제안에 관하여서는 한국정부가 그와같은 건설적인 생각을 하고 있는것을 기뻐한다고 하였음.

3. 미국측에의한 우리 대안의 수락을 위하여서는 앞으로 계속하여 설복 노력위계임.

4. 상기 2 개 대안 조건에 대한 합의는 공개적으로서도 위기 이루어 질수있는지 그 여부를 지급 지시바람.

5. 본건에 관한 국무성과의 접촉지연의 사유는 서면 보고위계임.

주미대사

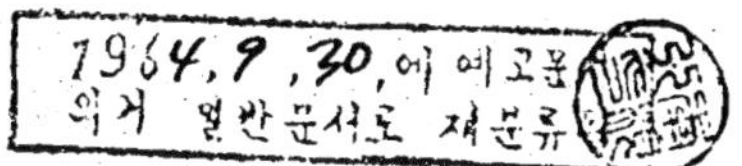
1964.9.30.에 예고문에 의거 일반문서로 재분류

8-2

0259

외신과

COMMITMENT

BE ONE OF THE WAYS COPING WITH PRESENT SITUATION

MOST CONTROVERSIAL AND MOST COMPLICATED ISSUE

0260

0261

대한민국 외무부

459

착신전보

번 호: DW-0678
일 시: 122000

종 별

수신인: 외무부 장관 귀하

군대지위협정

본직은 금 12일 멜빗쩌 대장을 방문하고 훈령에 따라 약 1시간 10분에 걸쳐 한미 군대지위협정 교섭에 관하여 다음과같이 토의하였음을 보고함.

- 기 -

1. 본직은 한국정부의 주장 내용과 이유를 강력히 설명하고 조속한 교섭의 필요성을 강조하였는바 이에 대하여 멜빗쩌 대장은 다음과같이 말함.

자기는 한국측이 알고있는 이상으로 이문제를 심각하게 생각하고있는데 도대체 누구가 이문제를 표면화하기를 바라고있는가 하는것에 관심을 가지며 더욱 관심을 가지는 이유로서는 신문보도나 기타 여러곳에서 국방성 특히 멜빗쩌 대장이 이를 반대하고 있다는 말이있기 때문인데 이것은 또한 사실임. 자기는 이승만박사 때로부터 민주당 정부에 대하여 이를 반대하였을 뿐만아니라 지금에 있어서도 입장은 꼭같음. 즉 주한 미군은 국제연합군의 일원으로서 한국에 주둔하며 국제연합군의 한국주둔은 한국의 안전보장에 가장 유익한것인데 만약 한국정부가 유엔군을 파견하고있는 다른 국가들과도 이 협정 체결을 바랄때는 이에 반대하지 않겠지만 동국가들과 협정체결은 할려고 할때는 그들은 오히려 군대를 한국으로부터 철수하고저 할것이요 그렇게되면 유엔군은 와해될것임. 군대지위협정을 체결하겠다고 함으로서 유엔군이 와해되는것 보다는 강력한 유엔군이 한국에 주둔하는것이 한국으로서는 더유익할것으로 사료됨.

(멜빗쩌 대장이 말하는 군대지위협정은 형사재판관할권을 의미함)

정무, 정보

검인

수신시간:

외신과

5

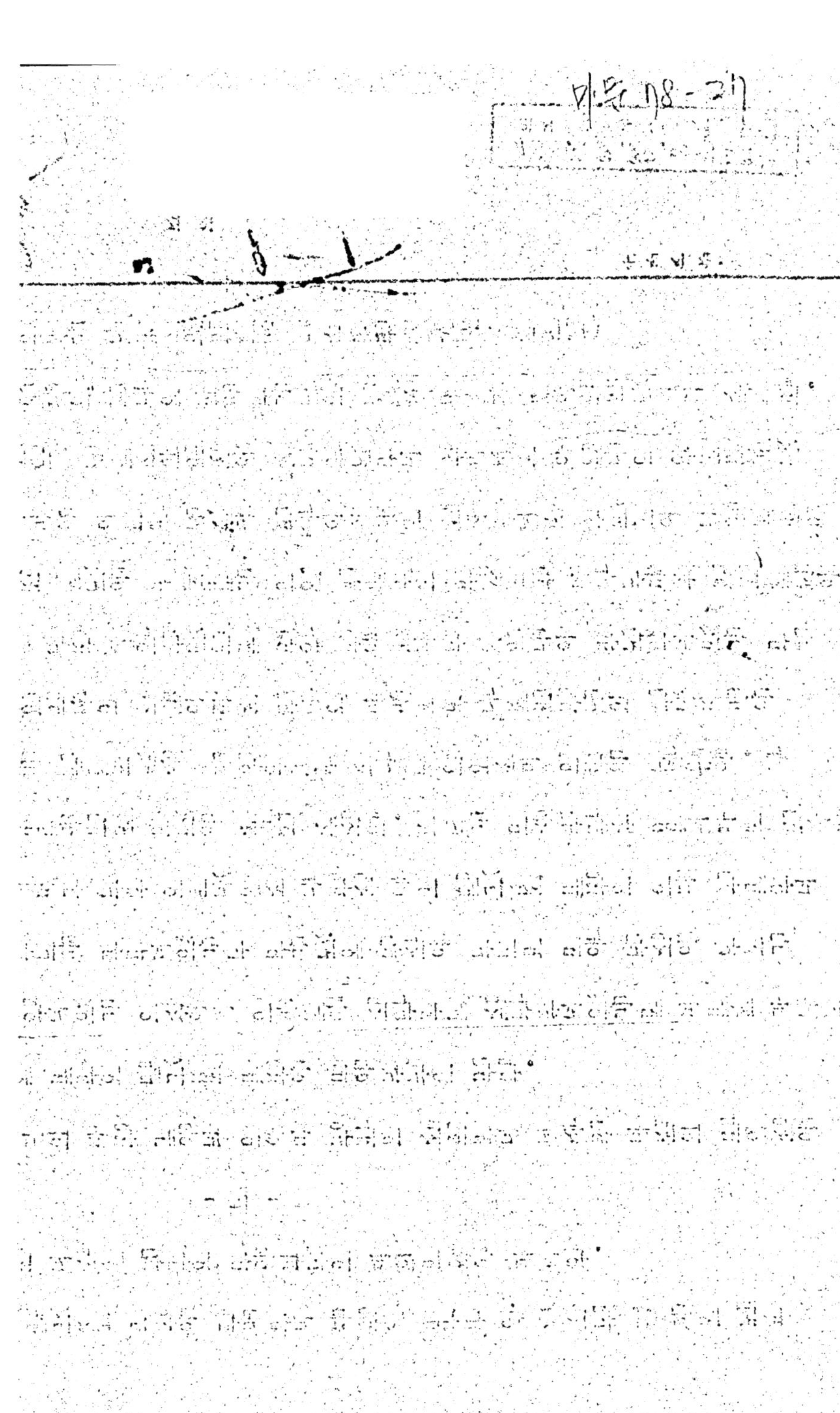

0262

계 속

2. 또한 멜빗쩌 장군은 한국의 휴전상태, 미국국회와 국민여론에 언급하고 지금은 한국에 대한 원조액 책정에 있어서 매우 중요한 시기이며 한국혁명정부와 그 조치에 반대하는 미국인들이 아직도 있는데 그들이 자기 자제들을 한국정부의 재판권에 이양하는것을 이해하지 못할것이고 원조를 중단하든지 미국군대를 철수하라는 말이 나오게 되는 경우가 더 두려운것이라고 말함.

3. 이에 대하여 본직은 버거대사 제안에 대한 우리측 타협안을 다시 설명하고 한국정부로서도 국민을 납득시키기 곤난하며 해결하기 쉬운문제부터 처리할것이며 재판관할권 문제를 지금 당장에 하자는것은 아니며 우선 교섭부터 시작하자고 재차 설득하자, 멜빗쩌 장군은 전술한 자기 입장에는 조금도 변동없으며 재판관할권 문제를 제외하고는 다른문제 토의에 반대하지 않으며 나머지 기술적문제는 공보담당관들이 할것이라고 말함.

4. 전기 면담에 관한 상세는 추후 서면으로 보고위계임.

주미대사

예고 : 일반문서로 재분류 (62. 12. 31)

미주과	양고재	담 당	과 장	국 장	특별보좌관	차 관	장 관
							✓

9-2

외 신 과

0263

0264

공람.

0265

62

대한민국 외무부

번호: DW-0682

일시: 131915

착신전보

수신인: 외무부 장관 귀하

군대지위협정

본직은 금 13일 국무성으로 해리만 극동담당 차관보를 방문하고 군대지위협정 교섭 및 특히 형사재판관할건문제에 관하여 다음과같이 토의하였음을 보고함.

1. 본직은 먼저 학생데모가 그이상 확대되지않은 것은 주로 미국측의 성의와 노력이 적극적으로 표시되었기때문이라고말한 다음 버거대사가 제시한 재판관할권에 관한 미국입장에 대한 우리정부의 타협안에 언급하여 상호 합의할수있는 문제를 발견하기 위하여 상호 편의한대로 조속히 교섭을 시작하여 협정체결을 촉진시킬것을 강조하였으며 미국정부가 이문제에 대하여 성의를 표시하고 적극적인 조치를 취하지 않을 경우 지난번보다 더큰 데모가 이러날지 누가 알며 그렇게되는 경우에는 협정체결이 더 어려울뿐만 아니라 한미우호관계에도 지장이 클것이므로 이를 사전에 방지하기 위하여 좋은 방향으로 이끌어가도록 하여야할것이라고말함. 본직은 또한 최근 미국신문보도가 현지 실정과 학생데모의 성격을 반영시키지 못하였음을 지적하고 금일 조간 와싱톤 포스트 사설에서 한국정부가 데모를 조장하였다는 징조가있는듯이 말한것은 유감이며 이는 전혀 사실이 아니라고 말하였음.

2. 해리만 차관보는 이에대하여 다음과말이 말하였음.

첫째, 군대지위협정은 비단 한국에만 국한된 문제가 아니라 미군이 현재 주둔하고있는 여러국가에서 유사한 문제에 직면하고있기 때문에 미국정부로서는 신중을 기하고있으며 또한 시간이 걸리는 일이지만 조속한 해결을 위하여 최선을 다하겠음.

정무, 정보

수신시간:

검인

1964.9.30.에 예고문에 의거 일반문서로 재분류

외신과

0260

버거대사와 매로이 장군이 박의장과 이문제에관하여 토의하고있는것으로 알고있음.
둘째, 학생메모가 반미적이 아니라는것은 잘알고있으나 이와같은 메모가 반미적이 아니라는것을 미국 국회나 일반국민이 납득하게 되어야할것임.
셋째, 와싱톤 포스트 지의 사설에 관하여는 어디서 그러한 정보가 나왔는지 의심스러운데 그러한 이야기가 계속되거나 확대되지않도록 조치를 취해야될것으로 생각됨.

3. 본건에관하여는 추후 서면 보고위계임.

4. 13 일자 와싱톤 포스트 사설은 별도 전문으로 송부함.

주미대사

예고 : 일반문서로 재분류 (62. 12. 31)

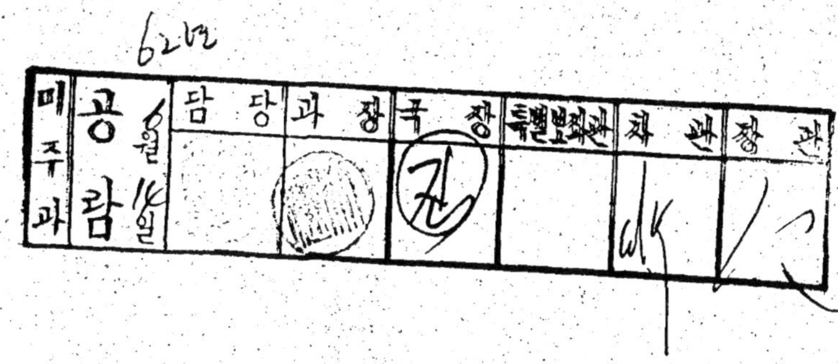

미주과	공람 6월 18일	담당	과장	국장	특별보좌관	차관	장관

0267

0268

공람

착신전보

대한민국 외무부

III 비

종별

번 호: DW-0683

일 시: 132000

수신인: 외무부 장관 귀하

군대지위협정

금 13일 본직은 국방성 INTERNATIONAL SECURITY AGENCY 차장 WILLIAM P. BUNDY 씨와의 면담석상에서 한국국민여론과 정부의 형사재판관할권에 관한 부대조건 및 이에대한 한국정부의 타협안을 설명한다음 들리는 말로는 국무성은 이문제에 대하여 이해적이고 협조적인데 국방성이 반대한다고하며 나 자신도 그렇게 알고있다고 말하고 특히 렘닛쩌 장군이 반대하고있는것도 알지만 한국정부로서는 반듯이 이협정을 체결하여야 하겠으니 협조해주기 바라다고 말하였음. 이에대하여 번디 차장은 국방성이 특히 반대하고있다는 보도는 유감이며 믿을만한 보도라고는 생각되지 아니하며 한국정부의 입장은 충분히 이해하고있다고 말하였음. 추후 서면으로도 보고위계임.

주미대사

예고: 일반문서로 재분류 (62. 12. 31)

미주과	공람 6월 18일	담당	과장	국장	특별보좌관	차관	장관

수신시간:

검인

1964. 9. 30.에 예고문에 의거 일반문서로 재분류됨

외신과

0260

0270

대한민국 외무부

번 호: 1012-0661
일 시: 160812

종 별

수신인: 주미대사

대: DW-0667

미주과	양 6월 13일 고재	담 당	과 장	국 장	특별보좌관	차 관	장 관
						후결	

대호 (라) 항 "협정체결교섭이 완전히 완료되어도 내년에 있을 민정복귀후에 실지로 발효하여도 좋다", (마) 항 "법원의 기능 및 법 절차의 정상화 라는 조건에 관하여는 미국측의 구체적인 요구 사항을 참작하여 필요하다면 특례법을 제정하여서라도 개선시켜 주도록 노력할 용의가있다"는 2개 대안에 대해서;

1. 미국측이 반드시 공개적 합의를 필요로 하고 있는지,
2. 그러한 공개적 합 의를 합의로서 현재 미국측이 고집하고 있는 조건을 철회하고 우리측의 노선에 따라 회담 재개에 응할 용의가 있는지,
3. 만일 그렇다면 공개적 합의에 대한 미측의 필요성을 공개 이외의 다른 방법으로서도 만족시켜 줄수 있는 길이 있는지를 타진, 확인하고 보고하시기 바람.

미국 국방성 요인들과의 그동안의 접촉 결과와 전망에 관하여도 지급 보고하고 기타 협정의 조속한 체결을 실현시키기 위한 외교교섭에 관하여 귀하의 건의가 있으면 알려 주시압.

1966, 12, 31 에 예고문에 의거 일반문서로 재분류됨

추기: 동교섭진행 상항에 관한 내용은 특히 언론인들에게 누설되지 않도록 각별히 주의할것. 또한 가능한한 더 고위당국자와 교섭을 전개하여 주시기 바람 (정미)

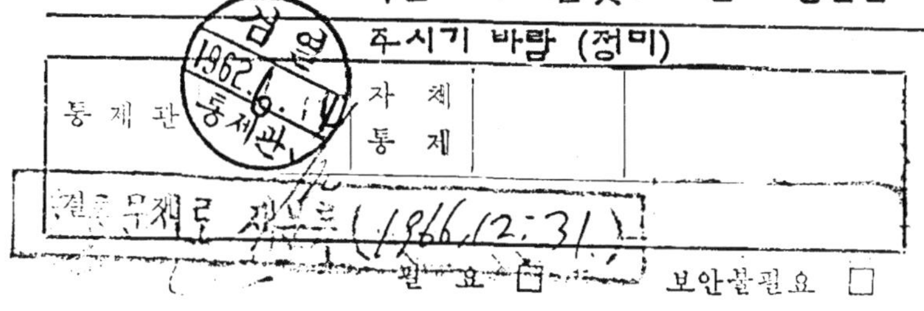

통 제 관	검 열 1962.6.14 통제관	자 체 통 제	

철로 무제로 재분류 (1966.12.31)

발 효 □ 보안불필요 □

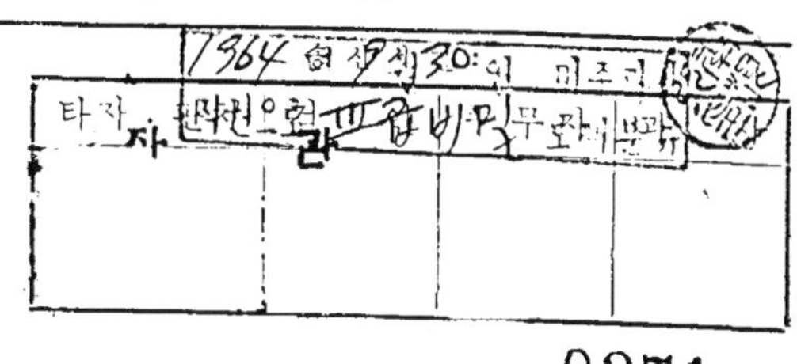

1964 년 9 월 30 일 미주과
타자 : 관계기관요원 III 급 비밀 무효화 ...

0271

대한민국 외무부

번 호: WU-0662
일 시: 160810

발신전보 Code

수신인: 주 미 대 사

대: DW - 0674 호

1. 대호 전문 받아 보았음. 동시에 와싱톤 12일발 동화통신으로 귀하와 텔니저 대장과의 회담내용의 중요한 부분이 ~~일부, 특히 행정협정의 민정복귀후에 발효하여도 좋다는 우리측의 대안 내용이~~ 보도되었음은 교섭기밀이 누설된 것으로 유감스러운 일임.

2. 여사한 기밀누설의 경위를 조사확인하고 즉시 그출처를 밝히는 동시 책임의 소재를 규명하여 보고하시압.

3. 협정교섭에 관한 사항은 II급 비밀로 분류하고 있으며, 본부의 승인없이는 그 내용을 발표할수 없는것으로, 앞으로는 기밀 누설의 방지를 위하여 노력을 경주하시압. 끝

장 관

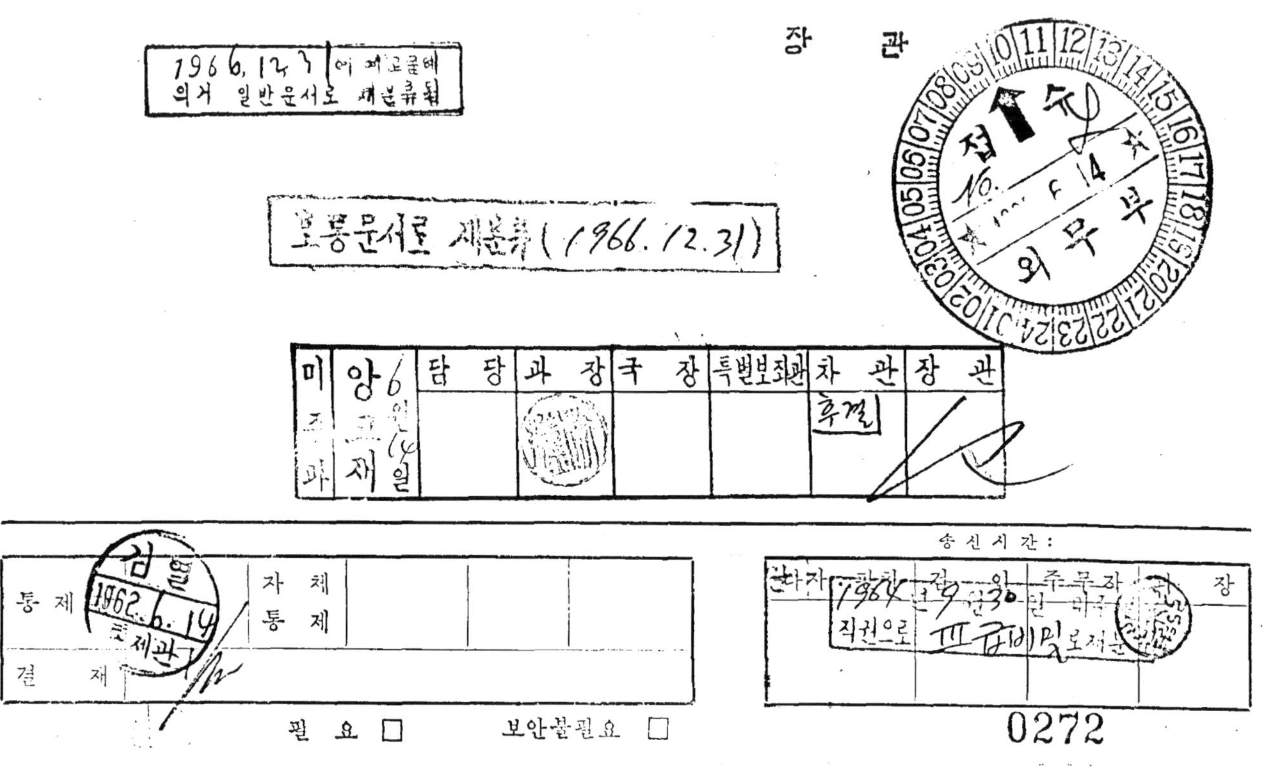

1966.12.31 에 예고문에 의거 일반문서로 재분류됨

보통문서로 재분류(1966.12.31)

미주과	양 6월 14일 고재	담 당	과 장	국 장	특별보좌관	차 관	장 관
						후결	

송신시간:

통 제	자체 통제			
결 재				

필 요 □ 보안불필요 □

0272

대한민국 외무부

번호: WD-0664
일시: 181230

발신전보 Code

11급
종별

수신인: 주미대사

미주과	양 고재	6월 14일	담당	과장	국장	외무부	차관	장관
					후결		후결	후결

대: DW-0674

1. 대호전문 보고 내용에 의하면 멜니저 장군이 우리측의 행정협정 체결 요구에 대하여 강경한 어조로 불만을 표시한것 같은데 이는 주권 국가 간의 교섭 도중에 있어서 예의를 벗어난 지나친 태도로서 유감스러운 일임.

2. 멜니저 장군은 다른 유엔군 국가와의 동 협정 체결이 어려운 것이라고 말한듯 한데 현재 실질적으로 한국에 군대를 주둔시키고 있는 국가는 미국을 제외하면 태국과 트이기 뿐이며 만일 미국이 그들에 대한 입장이 곤란해질까 두려워한다면 우리 정부가 대신 이들 국가와 교섭할수 있을 것임.

3. 동 장군은 또한 자기가 강력한 반대자라는 신문보도에 불만을 가지고 있는듯한데, 동 기사는 한국에서 누설된것이 아니고 와싱톤에서 누설된것임.

4. 특히 동장군은 11도대체 그누구가 이문제를 표면화 하기를 바라고 있는가11 하는데 관심을 갖이고 있다고 말하였다고 하는데 우리정부는 동협정체결을 위한 교섭에 대한 당연한 책임이 있으며, 금년에 들어서 국내 각 신문에 보도된 일부 몰지각한 미군장병의 폭행 사건으로 국내 여론이 비등해지자 정부는 행정협정의 조속한체결이 한미양국을 위하여 유익하며, 우호증진에 기여할것을 확신하고 동협정 체결을 위한 노력을 강화하게 된것임.

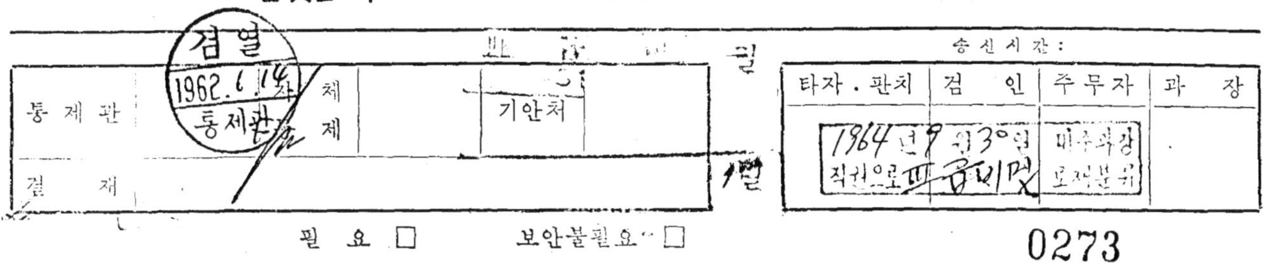

통제관	검열 1962.6.14 통제관	체제	기안처
결재			

송신시간:

타자.판치	검인	주무자	과장
1964년 9월 30일 직권으로 파기		미주과장	

필요 ☐ 보안불필요 ☐

0273

대한민국 외무부

번 호:

일 시:

발신전보

종 별

수신인:

5. 문제는 친미니 반미니 하는데 있는 것이 아니고 자주 외교정신의 발휘와 그 수행에 있는 것임. (정미)

장 관

보통문서로 재분류(1966.12.31.)

1966.12.31에 예고문에 의거 일반문서로 재분류됨

검열 1962.6.14. 통제관

통 제 관		자 체 통 제			
결 재					

송신시간:

타자 . 판치	검 . 인	주무자	과 장

12-2

필 요 □ 보안불필요 □

0274

최외무부장관과 "버거"미국대사간의 회담보고

1. 시일 : 6월 14일 오후 4시 30부터 6시까지

2. 장소 : 외무부장관실

3. 동석자 : 정무국장

4. 회담요지 :

가) 외신으로 보도된 6월 13일자 "워싱톤.이브닝스타" 및 "워싱톤.포스트"지의 한미행정협정체결문제에 관한 사설에 관하여:
최외무부장관은 한국측은 행정협정체결문제에 관한 교섭에 있어서 극히 신중을 기하고 신문보도면에 있어서도 최선의 양식으로 기사취급에 특별한 신중을 기하도록 하고 있는데 미국측의 이상 신문들의 논조는 대단히 과격할뿐만아니라 그게 해로운것이라는 점을 지적하고 경고한데 대하여, "버거"대사는 해롭다는데 동감하고 본국정부에 그 뜻을 보고하겠다고 하였으며, 덧부쳐 이것은 정부의 견해도 아니고 자기로서는 아는바 없으며 또한 미국 신문중에도 건설적으로 기사를 취급한 신문들이 있다고 말하였음.

나) 파주사건과 관련하여 한미행정협정체결 촉구를 목표로 한 최근의 학생데모와 관련하여:
최장관은 미국의 어떤 신문들이 이것이 마치 한국정부의 사주에 의한것인등 또는 공산분자의 선동에 의한 반미운동인등 터무니없이 보도하고 있는 면은 매우 해로울 뿐만아니라 유감된 일이라고 말한데 대하여 "버거"대사는 자기로서는 그와같은 의미의 보고를 미국정부에 낸 사실이 없다는 점을 밝히며 다만 순수한 학생들의 움직임에 편승하여 불순분자 내지 불만을 가지는 구정치인이 준동할 가능성이 있을수 있다는 의견만을 가지고 있을뿐이라고 말하였음.

다) 행정협정체결을 위한 교섭재개문제에 관하여:
최장관은 교섭재개를 위한 기본양해사항으로서 이미 6월 9일에 "버거"대사에게 제의한바 있는 세가지 점에 관하여 재차 그 합리성과

0275

미국등 709-19(3)

0276

건설적인 제의임을 설명하고, 6월 9일자 "버거"대사의 AIDE MEMOIRE 에 대한 회답으로서 별첨과 같은 최장관의 AIDE MEMOIRE 를 수교하고 설명하여 주었으며, 특히 형사재판권문제에 관하여 교섭의 의제로서 포함시키고 교섭의 진행에 있어서는 쉬운 문제부터 토의를 할것이고 복잡한 문제에 관하여는 그때가서 미국측이 아직 토의의 준비가 되지 아니하였을때에는 토의의 연기를 제의하면 한국측으로서는 억지로 강요할 도리도 없는것이 아니겠느냐, 따라서 이와 같은 건설적인 선위에서 미국측이 다시 그 입장을 고려하여 신속히 교섭이 재개될것을 바란다고 발언한데 대하여, "버거"대사는 그와 같은 선은 미국측의 입장과 거리가 있는것이라고 말하고 정상적인 헌법정부 및 재판소의 기능과 법절차의 정상화까지는 형사재판권문제에 관하여는 논의를 한다 하더라도 실질적 토의는 할수 없는것이고 다만 그 내용에 "닿치" 되지 않는 한에서 예비적인 의견교환을 하는 정도 이상은 할수가 없는 입이고 따라서 교섭도중 한국측이 그 문제를 제기하는 경우에는 미국측은 교섭을 중단하고 그 이유를 국민에게 해명하여 줄수 밖에 없는것이라고 말하고, 그러나 "버거"대사는 6월 9일에 제시한 최장관의 대안에 대하여 본국정부에 청훈한 후 아직 회답을 받지 못하였으며 현재 그 회답을 기다리고 있는중이라고 말하였으며, 또한 오늘의 회담에 대하여도 최장관의 말한바를 본국정부에 다시 보고하겠다고 하였음.

최장관은 민정이양이 대체로 약 1년내외후에 이루어 질것을 우리가 알고 있으며 또한 민정이양을 위한 헌법의 정상화가 그전에 이루어 질것인데 미국측이 무엇을 두려워 하는지 구체적으로 알고저 한다고 한데 대하여, "버거"대사는 헌법정부가 이루어질때에그 헌법의 제정과정, 그 헌법의 내용 그리고 그 헌법의 운용에 관하여는 지금은 그때가 되지 않으면 알수가 없는것이라고 이야기함.

끝

0277

예문 179-19

0278

최장관은 이와 같은 회화를 교환하는 가운데 한국측이 한미양측의 공동이익을 위하여 교섭재개를 조속히 실현하고저 하는것이며, 한국측으로서는 모든 가능한 한 협조를 하겠다고 하는데도 불구하고 미국측의 반응이 적극적이 못되는 태도에 대하여 한국측도 장관의 사견이라고 전제한 다음 의사적인 과오를 범하여 가면서 교섭을 재개할수는 없는 것이라는 점을 분명히 말하고 우리가 미국측의 어려운 점을 이해하는것과 같은 정도로 미국은 우리의 어려운 점을 이해하지 못하면 협정체결은 요원한것이라고 잘라서 말하였으며, 이에 대하여 "버거"대사는 본국정부로부터 회답의 훈령을 받는데로 다시 접촉하겠다고 대답함.

오늘의 회화에 관한 발표로서는 양측이 계속해서 교섭재개에 관련하는 문제에 관하여 협의하였으며 외무부장관의 제안에 관한 미국정부로부터의 훈령을 받는데로 미국대사는 다시 외무부장관에 접촉하겠다는 내용의 발표를 하기로 하였음.

보통문서로 재분류(1966.12.31.)

미주과	양 6월 고 20일 재	담 당	과 장	국 장	특별보좌관	차 관	장 관

1966.12.31.에 예고문에 의거 일반문서로 재분류됨

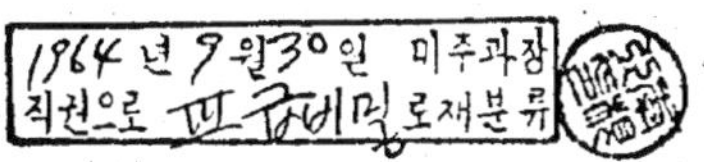

0279

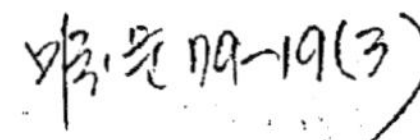

0280

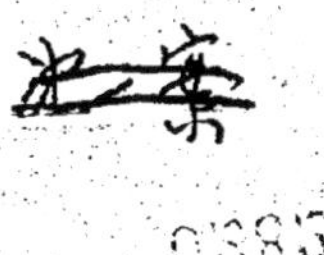

0385

CONFIDENTIAL

AIDE-MEMOIRE

With respect to the American Ambassador's Aide-Memoire of June 9, 1962, the Foreign Minister stated as follows;

The Foreign Minister welcomed that the Government of the United States feels it is in mutual interest to reopen negotiations for an agreement concerning the status of the United States Armed Forces in Korea. He also welcomed the Ambassador's statement that the United States is prepared to start working level negotiations as soon as convenient.

In this connection, however, the Foreign Minister stated that it is the position of his Government that all relevant subjects, including the complex question mentioned in the above Aide-Memoire of the American Ambassador, shall be covered at the forthcoming negotiations for a status of forces agreement.

Seoul, June 14, 1962

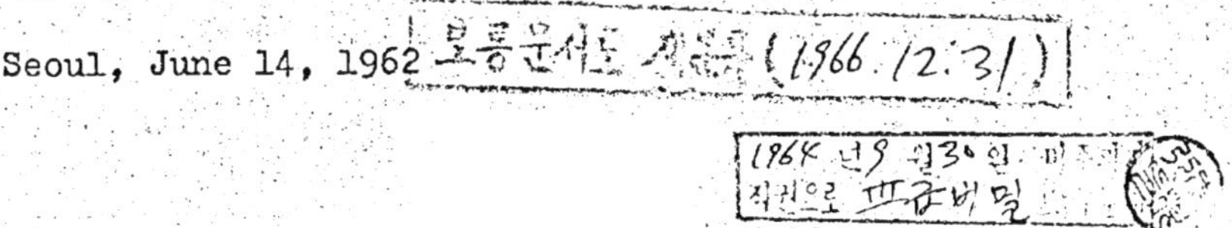

CONFIDENTIAL

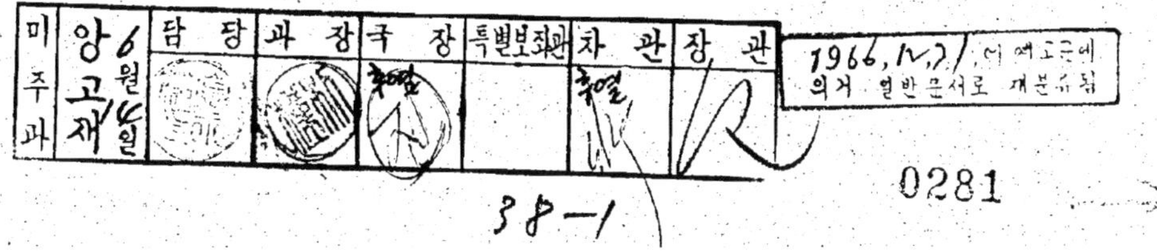

0281

38-1

Discussion Line at the Minister s meeting with Ambassador Berger, June 14, 1962.

409

1. Express appreciation for the Ambassador's efforts to reopen negotiations as soon as possible:

The Minister will express his appreciation for the Ambassador's hard work and positive efforts to overcome the current difficulty in order to pave way to the resumption of negotiations.

2. Express hope for a change in the present position of the American Government on the matter of criminal jurisdiction:

The Foreign Minister will hope that the American Government will soon find it possible to reconsider its present position on the question of criminal jurisdiction.

3. Explain the public sentiment and the position of the Korean Government:

The Minister will then go on to explain to the American Ambassador the fact that the Korean public sentiment is far from being subsided, and if something is not done in due time to satisfy, even if partially, the rising expectation and demand of the Korean people for a status of forces agreement, it is feared that both Korea and the U.S. will suffer.

Therefore, the Minister welcomes that the Government of the U.S. feels it is in mutual interest to reopen negotiations for an agreement concerning the status of U.S. Armed Forces in Korea. He also welcomes the Ambassador's statement that the U.S. is prepared to start working level negotiations as soon as convenient.

37-1

16

0283

CONFIDENTIAL

In this connection, however, the Foreign Minister states that it is the position of his Government that all relevant subjects, including that of criminal jurisdiction, shall be covered at the forthcoming negotiations for a status of forces agreement.

4. Request for the resumption of negotiations and for a joint statement to that effect at an earliest possible date:

The Minister, nevertheless, will emphasize the necessity for an early resumption of negotiations as soon as mutually convenient, preferably sometime next week. He also will ask the American Ambassador to agree to issue, if possible, within this week, a joint statement to that effect.

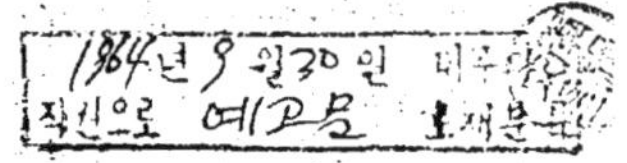

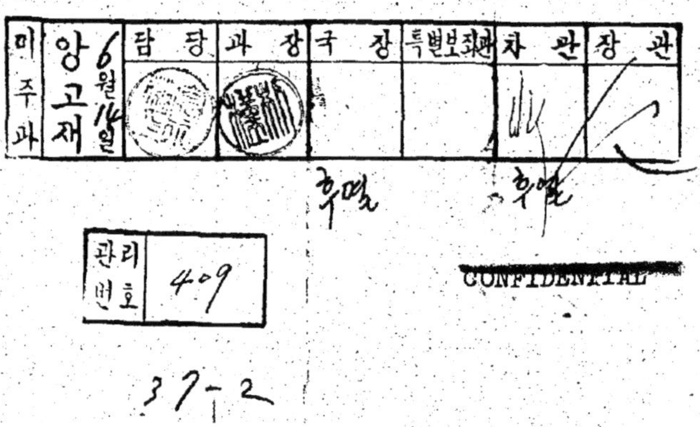

CONFIDENTIAL

37-2

0284

0285

대한민국 외무부

발신전보

Code

종별

번호: WD-0670

일시: 150900

수신인: 주미대사

1. 13일자 대호 DW-0682 전문은 잘 받아 보았음.

2. 본관은 6.14일 버거대사를 초치하여 다음과 같은 AID-MEMOIRE 를 수교하고 행정협정에 관하여 회담 하였음.

AID-MEMOIRE(June 14, 1962)

WITH RESPECT TO THE AMERICAN AMBASSADOR'S AID-MEMOIRE OF JUNE 9, 1962, THE FOREIGN MINISTER STATED AS FOLLOWS;

THE FOREIGN MINISTER WELCOMED THAT THE GOVERNMENT OF THE UNITED STATES FEELS IT IS IN MUTUAL INTEREST TO REOPEN NEGOTIATIONS FOR AN AGREEMENT CONCERNING THE STATUS OF THE UNITED STATES ARMED FORCES IN KOREA. HE ALSO WELCOMED THE AMBASSADOR'S STATEMENT THAT THE UNITED STATES IS PREPARED TO START WORKING LEVEL NEGOTIATIONS AS SOON AS CONVENIENT.

IN THIS CONNECTION, HOWEVER, THE FOREIGN MINISTER STATED THAT IT IS THE POSITION OF HIS GOVERNMENT THAT ALL RELEVANT SUBJECTS, INCLUDING THAT OF CRIMINAL JURISDICTION, SHALL BE COVERED AT THE FORTHCOMING NEGOTIATIONS FOR A STATUS OF FORCES AGREEMENT.

2. 상기 Aide-Memoire는 지난 6.9일자 미국측 Aide-Memoire에 대한 회답이며, 교섭재개에 있어서의 우리측의 입장은 일이 지시한 바와 같음.

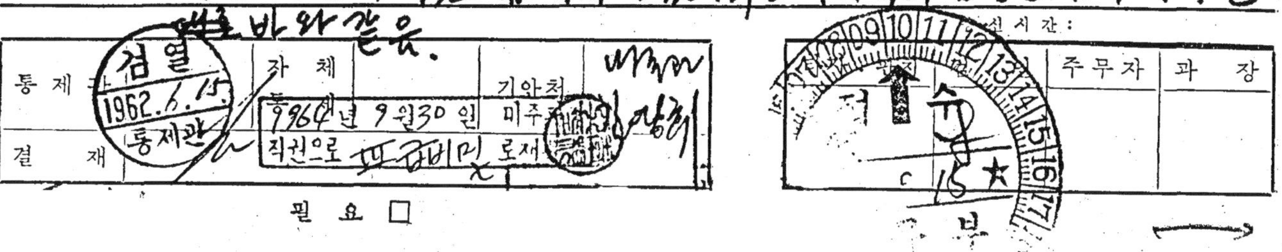

통제관	검열 1962.6.15. 통제관	자체	기안처
결재		1964년 9월30일 직권으로 파기	미주 로제

필요 □

주무자	과장

0286

대한민국 외무부

번 호:
일 시:

발신전보

종 별

수 신 인:

3. 본관은 상기 AID-MEMOIRE 를 수교하면서 빨리 협정체결 교섭을 재개하여 쉬운문제부터 토의하여 나가되 형사 재판관할권 문제의 토의는 뒤로 미루도록 하고 우선 교섭을 시작 하는것이 좋겠다고 말하고 특히 어려운 문제인 형사재판 관할권의 토의 까지는 시간적 여유가 있을것이니 쌍방에서 충분히 사전 준비를 할수 있을것이며 만일 그때까지 미국측이 준비가 되지못하여 토의를 연기토록 제의하여 온다면 한국측도 미국측의 편의를 고려치 않을수 없을것이 아닌가고 말 하였음.

4. 여기에 대하여 버거 대사는 자기가 수교받은 AID-MEMOIRE의 노선은 미국의 입장하고 거리가 있는것이기 때문에 와싱톤에 보고 하여야 하겠다고 말 하였으며 연호 WD-0642 에서 알린바 있는 지난 6.8일 회담에서 본관이 제의한것에 대하여도 아직 와싱톤의 회답을 못 받았다고 대답하면서 현재 그 회답을 기다리는중 이라고 말 하였음.

5. 이상으로 알수있드시 현재까지는 아직도 버거 대사의 태도에는 하등 실질적 변동이 없으며 구체적 진전을 보지못하고 있으니 귀관은 이미 지시된 노선에 따라 미 국무성과 국방성 당국에 더욱 강력한 외교교섭을 추진하여 협정체결을 위한 교섭재개가 실현되도록 노력하고 계속하여 결과를 보고 하시압.

6. 참고로 국내에서는 지난번 학생데모에 편승하여 일부 불온분자들이 준동할 우려가 있으며 여전히 국내여론은 [illegible] 있다는 사실을 알려드리오니 외교교섭에

건설적인 의미에서 행정협정의 조속한 체결을 갈망하고

통 제 관		자 체 통 제		기안처	
결 재					

타자 . 판서	검 인	주무자	과 장

필 요 ☐ 보안불필요 ☐

0287

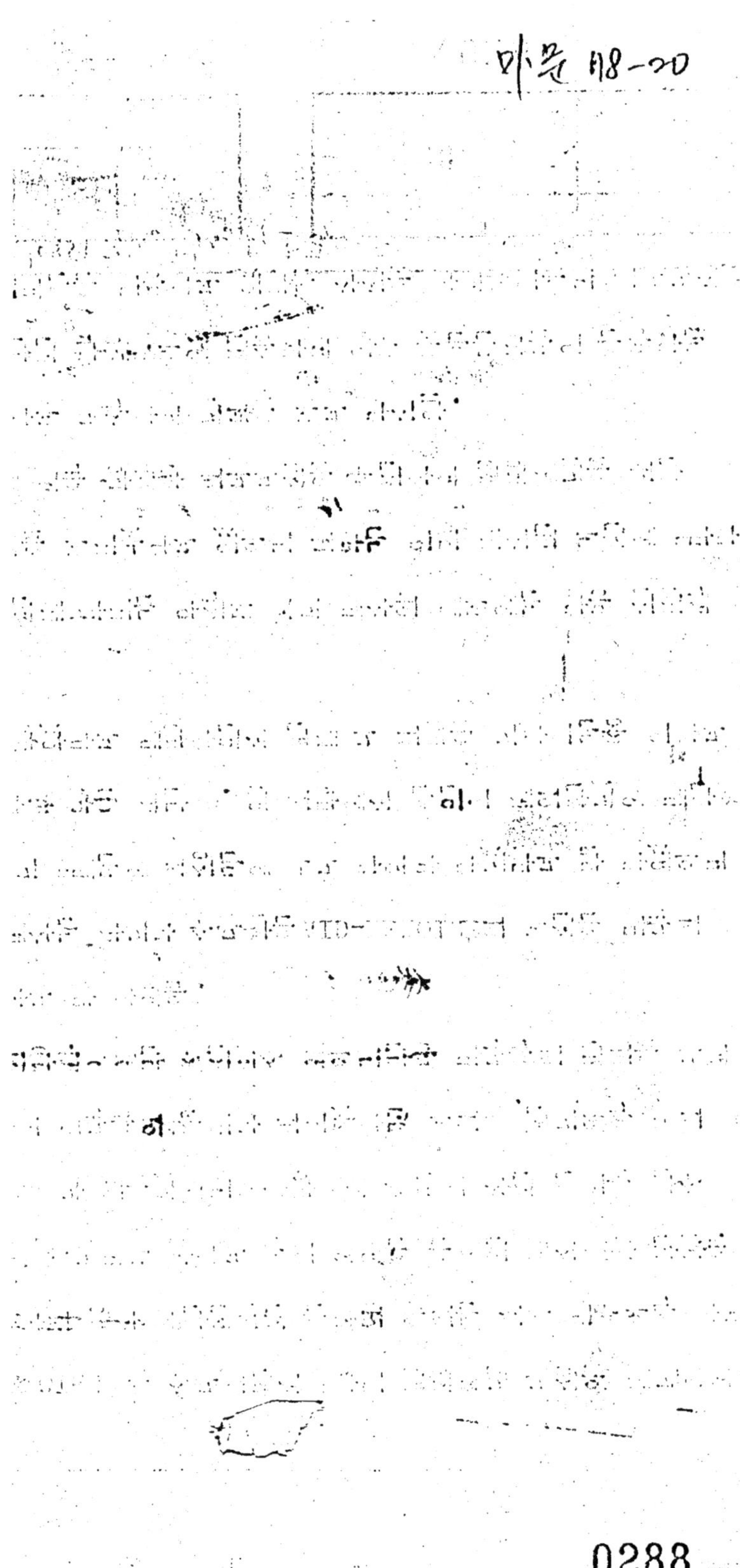

대한민국 외무부

번 호:
일 시:

발신전보

종 별

수 신 인:

있어서 뿐만아니라 특히 대외공보활동에 유감이 없도록 하여주시고 6.13 일자의 와싱톤 포스트 지와 이브닝 스타 등의 기사가 자극적이어서 국내 각신문에 대대적으로 보도되고 있고, 또한 그러한기사에 대하여 국내 각신문 논조는 높은 윤리성을 표시하고 있다는 사실을 참고 하시기 바람.

7. 현재까지의 교섭경위로보아, 이문제의 관건은 와싱톤에있으며, 따라서 귀관의 활동에 대하여 정부와 국민은 지대한 기대를 갖이고 있음. 교섭의 라인에관하여는 앞에 지시한바와같거니와 귀관의 과거의 군에 있어서의 경험과 대인 친분관계를 충분히 살려, 막후교섭을 포함한 모든 방법으로 적극 추진하여주시기 바람. 끝. 장관.

주에: 한미양국의 이익과 자유세계의 이익에부합되는 교섭이면서도 지대한곤란에봉착하고있는 이러한 난제를 귀형에게 특히 재삼부탁하는본인의 심정을 잘 이해하여주시기 바람. (장관 사신)

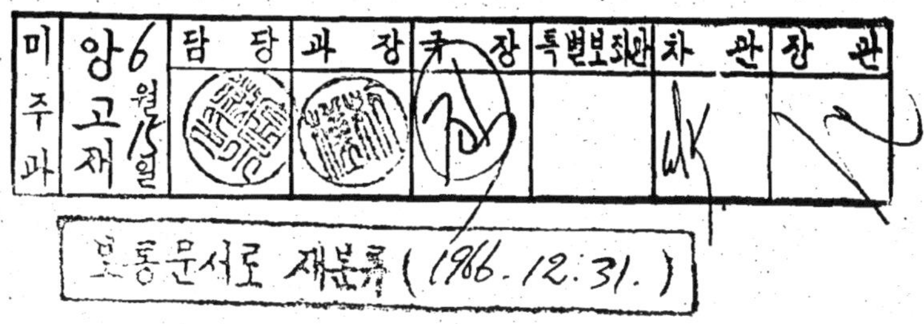

미주과	안고재 6월 15일	담당	과장	국장	특별보좌관	차관	장관

보통문서로 재분류 (1966.12.31.)

1966.12.31.에 예고문에 의거 일반문서로 재분류됨

송신시간:

통제관		자체 통제			
결 재					

타자 · 판치	검 인	주무자	과 장

필 요 ☐ 보안불필요 ☐

0289

0290

행정협정에 관한 장관과 버-거미대사와의
회담 내용

일 시: 1962년 6월 15일 오후 4:30 부터 5:10까지

장 소: 외무부 장관실

참석자: 한국측 외무부 장관
정무 국장
미주과장

미국측 버-거 대사
매지스트레티 부 대사
하비브 참사관

회담 요지:

1. 체결교섭의 재개에 앞서 미측이 제시한 조건과 우리측의 대안에 관하여:

먼저 버-거 대사는 1) 행정 협정은 정상적 헌법정부와 일반 법원의 기능 및 법 절차가 정상화된 후에 체결한다, 2) 토의에 있어서는 쉬운 문제부터 시작하며 어려운 문제는 뒤로 미루어 토의 하여도 좋다는 한국측 안에 찬성하며 3) 어려운 문제에 대한 토의에 있어서는 미국측의 토의준비가 덜 되었을 때에는 준비가 될때까지 한국측은 기다릴수 있어야 할것이다 라고 말하고 이러한 세가지점이 한국측의 대안이라면 그것을 받아드릴 용의가 있으며 따라서 또한 회담재개에 관한 최소한의 공동 성명서 발표를 바란다고 말하고 별첨과 같은 각서와 공동 성명서 안을 외무부장관에게 제시하였음.

외무부 장관은 즉석에서 자기가 말한것은 버-거대사가 지금 말한것과 다르다는 사실을 지적하고 자기는 1)민정복귀전에 교섭이 완료하고 모든 문제에 대한 합의가이루어 지드라도 동협정의 발효는 내년의 민정복귀후에 하여도 좋다고 말한적은 있으나 정상적인 헌법 정부와 일반 법원의 기능및 법 절차의 정상화를 운운한적도 없고 또 발효시기를 말한적은 있으나 체결시기를 말한적은 없다고 언명하였음.

여기에 대하여 버-거대사는 외무부장관은 그렇게 말하지 않했다 하여도 버-거대사 자신은 외무부장관과 같은 말은 하지는 않었다고 주장함.

여기에 대해서 외무부장관은 그것은 버-거대사자신이 말한

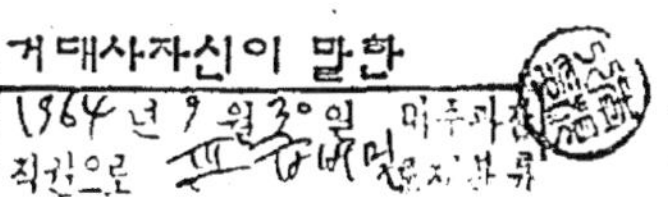

62-4-11

0292

것이지 외무부장관은 언제다 분명히 민정복귀라고 하였고 발효

(Put into effect) 하고 말하지 않었느냐고 반문하는 동시에 행정협정이 민정복귀후에 발효해도 좋다고 말한것을 설명하여 민정이 복귀된때에는 미측이 고집하는 정상적 헌법정부와 일반 법원의 기능 및 법 절차의 정상화도 이루어진때가 아니냐고 말하면서 미측 각서에서 협정의 체결 시일을 미리 상정하여서는 안된다고 말한데 대하여 반대 의견을 표명하였음. 특히 외무부 장관은 일반 법원의 기능과 법 절차의 정상화를 요구하는 미측이 구체적으로 무엇을 바라고 있는가를 알아서 한국정부는 특별법을 폐한 특별 조치를 강구하는것 까지 고려하여 주겠다고한 한국측의 성의를 상기시키면서 미측이 동 협정을 민정복귀후에 발효할수 있도록 못하는 이유가 없을 것이라고 말하였음.

여기에 대하여 버—거대사는 미안하지만 그러한 일자를 미리 상정할수가 없다고 말하였음.

2. 미측이 제시한 각서와 공동 성명서 안에 대하여:

외무부장관은 미측의 각서와 공동 성명서 안에 관하여 내용을 검토한다음 거기에 대한 우리측의 회답을 하여 주겠다고 말하였음.

미주과	암고재 6월 20일	담당	과장	국장	특별보좌관	차관	장관
			(서명)	(서명)		(서명)	(서명)

0263

0294

CONFIDENTIAL

미주과	양 6월 고 재 29일	담당	과장	국장	특별보좌관	차관	장관

AIDE-MEMOIRE

The American Ambassador informed the Foreign Minister that with respect to the Government of Korea's note of March 12 requesting the United States Government to reopen negotiations for an agreement covering the status of the United States Armed Forces in Korea and subsequent discussions on this subject, the United States Government is prepared to start working level negotiations as soon as mutually convenient.

The Ambassador pointed out the difficulties of meaningful and conclusive negotiations before normal constitutional and judicial procedures are established and stated that in agreeing to resume discussions it was the understanding of his Government that the Government of Korea agrees that conclusion of a Status of Forces Agreement is not possible until after

0295

62-4-10 (2)

0296

normal constitutional government and normal functions of the civil courts and legal procedures have been established in the Republic of Korea. In this regard, the Ambassador stated that, as in the case of Status of Forces Agreements with all countries, the United States Government cannot enter into agreement on criminal jurisdiction unless United States personnel are assured of trials comparable to U.S. standards. The Ambassador reminded the Foreign Minister that this point was also made extremely clear when the U.S. agreed to open negotiations in April 1961.

Finally, the Ambassador stated that since the conclusion of an agreement will depend upon the establishment of constitutional processes and legal procedures which will meet necessary standards of judicial performance, no date for the automatic conclusion of an agreement should be assumed by the Government of the Republic of Korea.

Embassy of the United States of America,
Seoul, June 15, 1962.

0297

62-4-10 (2)

0298

미국 대사의 각서

주한 미군인 신분 협정에 관한 협상을 재개하도록 미국 정부에게 요청한 3월 12일부 한국 정부 각서와 이 문제에 관한 차후 토의에 관하여 주한 미대사는 외무부장관에게 미국정부는 상호간 편리한 조속한 시일내에 실무자 회담을 개시할 용의가 있다는 것을 통보하였다.

미국 대사는 정상적인 헌법 및 사법 절차가 확립되기 전에는 의의 있고 결정적인 회담에 허다한 난관이 있을것을 지적하고, 협상 재개를 동의함에 있어서 미국 정부는 정상적 헌법 정부가 수립되어 일반법원과 법적 절차의 정상적인 기능이 확립되기 전에는 미군인 신분 협정 체결이 불가능하다는 사실에 한국 정부가 동의한다는 것으로 이해하고 있다고 말하였다. 이점에 관하여 미국대사는 미국정부가 다른 국가들과 맺은 군인 신분협정의 경우와 같이 미국인에게 미국에 있어서와 동등한 재판이 보장되지 않는한 형사재판권에 관한 협정을 체결할수 없다는 것을 지적하였다. 미국대사는 미국정부가 1961년 4월 회담 재개에 동의했을 당시 이 점을 극력 명백히 하였다는 사실을 외무장관에게 상기 시켰다.

마지막으로 미국 대사는 협정 체결이 모든 사법 집행에 필요한 수준을 가춘 헌법상 과정과 법적 절차 여하에 따라 좌우되는 관계로 한국정부는 협정의 자동 성립의 일자를 추정하지 않음이 타당하다고 언명하였다.

1962년 6월 15일

주한 미국 대사관

0299

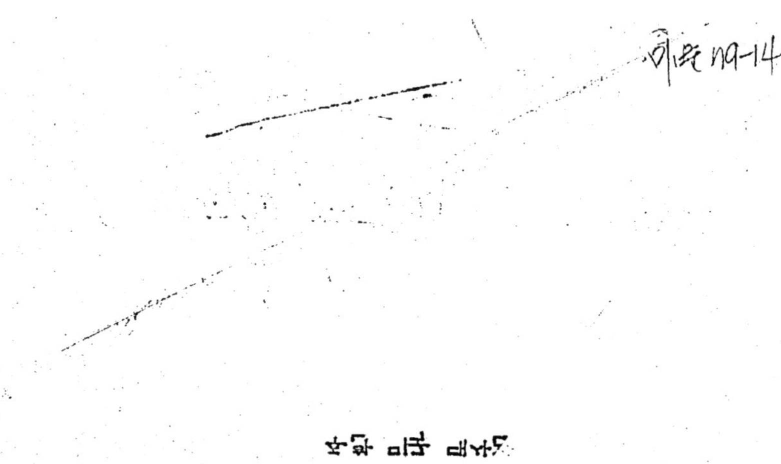

0300

비공대사에

覺書

駐韓美軍人身分協定에 關한 協商을 再開하도록 美國政府에게 要請한 三月十二日附 韓國政府 覺書와 이問題에關한 次後討議에關하여 駐韓美大使는 外務長官에게 美國政府는 相互間 便利한 早速한 時日内에 實務者會談을 開始할 用意가 있다는 것을 通報하였다

美國大使는 正常的인 憲法 및 司法節次가 確立되기前에는 意義있고 決定的인 會談에 許多한 難點이 있을 것을 指摘하고, 協商再開를 同意함에 있어서 美國政府는 ~~正常的~~ 정상적 憲法政府가 樹立되어 ~~民事裁判所와~~ 일반 법원과 法的節次의 正常的인 機能이

14

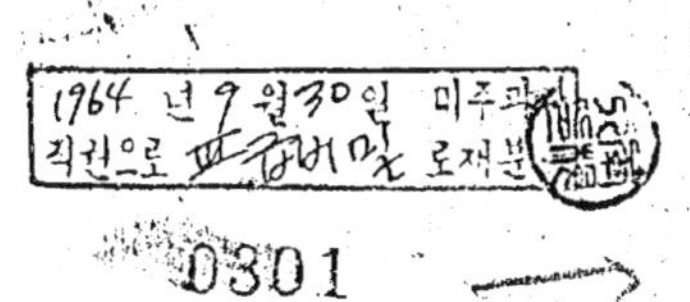

0301

0302

0303

CONFIDENTIAL

確立되기前에는 美軍人身分協定締結이 不可能하다는 事實에 韓國政府가 同意한다는 것으로 了解하고 있다고 말하였다. 이點에 關하여 美國大使는 美國政府가 다른國家들과 맺은 軍人身分協定의 境遇와 같이 美國人에게 美國에 있어서와 同等한 裁判이 保障되지 않은限 刑事裁判權에關한 協定을 締結할수 없다는 것을 指摘하였다. 美國大使는 美國政府가 1961年四月 會談再開에 同意했을 當時 이點을 極力明白히 하였다는 事實을 外務長務에게 想起시켰다.

마지막으로 美國大使는 協定締結이 모든司法執行에 必要한 水準을 가춘 憲法上過程과 法的節次如何에 따라 左右되는 關係로 韓國政府는 協定의 自動成立의 日字를 推定하지 않음이 妥當하다고 言明하였다.

一九六二年六月十五日

駐韓美國大使館

0305 2

6월 15일자 미국측 각서의 분석

분 석

1. 6월 9일자 각서에서는 정상적 헌법 정부의 수립과 일반 법원의 기능 및 법절차의 정상화까지는 형사 재판 관할권 문제에 관하여서는 토의를 할수 없다고 하였는데, 이번 6월 15일자 각서에서는 정상적 헌법 정부 및 사법 절차가 수립되기 전에는 "의의 있고 결정적인" (Meaningful and conclusive) 토의는 곤란하나 형사 재판 관할권의 토의를 포함한 모든 문제의 토의를 반대하고 있지는 않음. 다만 미국 수준과 비등한 재판을 미국 군인에 대하여 보장 받지 않는한 형사 재판 관할권에 대한 합의는 불가능 하다고 함.

2. 우리측이 민정 복귀후에 행정 협정이 발효하여도 좋다고 한 대안에 대하여 미국측은 정상적 헌법 정부와 일반 법원의 기능 및 법 절차가 정상화 될때까지 동 협정의 체결은 불가능하다고 함으로서 우리측 안이 발효시기를 말한데 대하여 미국측 각서는 체결 시기를 말하고있음. 또 우리측이 민정복귀를 말한데 대하여 미측은 정상적 헌법정부와 일반 법원의 기능 및 법 절차의 정상화를 말하고 있음.

3. 또한 이번 각서는 동 협정의 체결이 사법행위오! 필요한 수준을 만족시킬수 있는 헌법 과정과 법적 절차의 확립에 의존하고 있음을 지적하고 따라서 한국 정부가 동 협정의 자동적인 체결 일자를 상정하여서는 안된다고 말하고 있음.

62-4-25

평 가

1. 금번 각서는 협정체결 교섭 재개에 앞서 미측이 그동안 고집하여온 조건 즉 정상적 헌법 정부가 수립되고 일반 법원의 기능과 법 절차가 정상화 될때까지 행정 협정의 주요 문제인 형사 관할권 문제를 토의못하겠다는 조건을 적어도 표면상으로는 언급을 하지 않고 있음으로 포괄적인 토의를

기안	6월 20일	담당	과장	국장	특별보좌관	차관	장관

1964년 9월 30일 미주과 직권으로 파기비밀 로 재분류

62-4-8 (3)

0306

가능케 하는것으로 볼수 있으나 그대신 같은 요구가 충족될때까지 협정의 체결을 하지 못하겠다는 것으로 교섭 재개만은 할수 있는 기초가 마련된것으로 볼수 있음.

2. 그러나 이번 각서는 우리측에서 민정복귀후에 발효해도 좋다는 조건을 완전히 수락한것으로는 볼수 없으며, "정상적 헌법정부와 일반 법원의 기능 및 법 절차의 수립" 시 까지는 체결이 불가능 하다고 함으로서 우리측이 발효시기를 주장한데 대하여 미측은 체결의 시기를 내세우므로서 동 협정의 발효 시기까지 더 많은 시간을 요구하고 있다고 할수 있음.

3. 형사 재판 관할권 문제에 대하여는 그동안의 토의 거부 태도를 변경하고 대신 "의의 있고 결정적 및 토의가 어려울 것이라는것, 또 미국 수준에 비등한 미국 군인에 대한 재판을 보장 받지 않는한 형사재판 관할권에 합의할수 없다고 언명하므로서 결과적으로는 토의는 할지 모르나 이 문제에 대한 협정은 동일한 요구 조건 (정상적 헌법 정부와 일반 법원의 정상적 기능 및 법 절차의 수립) 이 만족될때까지는 불가능 하다는 종래의 미국측의 기본적 입장을 고수하고 있는 것으로 볼수 있음.

4. 마지막으로 동 각서는 한국 정부가 동 협정의 자동적인 체결 일자를 상정하여서는 안된다고 하므로서 미측은 내년에 있을 민정복귀 일자를 반드시 그들이 말하는 "필요한 수준을 만족시킬수 있는 헌법과정과 법적 절차의 확립" 과 동일시하고는 있지 않음을 할수 있으며, 따라서 한국 정부로서는 "정상적 헌법 정부와 일반법원의 기능 및 법절차가 정상화될때" 협정 체결이 가능하다는 것을 민정복귀가 될때 협정 체결이 가능하다는 식으로 일방적으로만 해석하기가 어려운 점이 있음.

62-4-26

대 책

1. 이상과 같은 각서의 분석과 평가에 의거하여 다음과 같은 대책이 가능하다.

0307

62-4-8 (3)

대표 79-17

0308

제 1 안 : (1) 미측에 대하여 첫째 그들이 말하는 "정상적 헌법정부와 일반 법원의 정상적 기능 및 법 절차의 수행" 운운한 구절을 내년에 있을 민정복귀 하는 구절로서 대치토록 제의한다.

(2) 미측이 제시한 공동 성명서 초안에 있어서도 마지막 구절의 삭제를 제의하고 그것이 수락되지 않을때에는 민정복귀로서 대치할 것을 제의한다.

제 2 안 : 만일에 미국이 제 1 안을 수락하지 않는다면 미측의 6월 15일자 각서에 대하여 "정상적 헌법정부와 일반 법원의 정상적 기능 및 법절차의 수행" 을 민정 복귀로 해석한다는 각서를 미측에 전달하고 회담 재개를 제의한다.

제 3 안 : 만일에 제 1 안과 제 2 안이 모두 불가능 할때에는 우리 노선의 관철을 위하여 계속 외교 교섭을 추진하고 그 노선이 관철될때까지 교섭 회담의 재개를 보류 또는 연기한다.

0300

62-4-8 (3)

0310

대한민국 외무부

번 호: DW-06104
일 시: 151930

착신전보

종 별

수 신 인: 외무부장관 귀하

미주과	공람	담당	과장	국장	특별보좌관	차관	장관

군대 지위협정건

본직은 금 15일 안 육군 무관을 대동코 BARKSDALE HAMLETT 육군 참모차장 (총장 뎃카 대장은 출장중) 을 방문하여 표제건에대한 우리측의 입장을 충분히 설명하였던바 동장군은 우리측 입장을 이해하는 바이며 최선을 다하겠다고 언명하였음을 보고함.

주 미 대 사

예고 : ~~일반문서로 재분류 (협정 체결시)~~

일반문서로 재분류 (1966. 12. 31.)

정무국장

사본 : 정보국장
비서실

검 인

수신시간:

0311

외 신 과

대 한 민 국 외 무 부

번 호: DW-06106

착 신 전 보

비 밀 (종 별)

일 시: 152000

WASHINGTON

수 신 인: 외무부장관 귀하

미주과	공람	담 당	과 장	국 장	특별보좌관	차 관	장 관

군대 지위협정건

금 15일 신빙할만한 언론계 소식통에 의하면 그간 국무성과 국방성 간에 의견

차이가 심하였으나 미국정부는 국무성 의견대로 재개에 응하기로 하였다고하며

이문제에 관하여는 케네디 대통령도 이해하고있다고함.

주 미 대 사

~~예고 : 일반문서로 재분류 (1962. 12. 31)~~

1964. 9. 30. 에 예고문에 의거 일반문서로 재분류

정무국장
사본 : 비서실
정보국장

검 인

수신시간: JUNE 16 11:15

회 신 과

0312

대한민국 외무부

번 호: DW-06107

11 비

일 시: 152000

착신전보

WASHINGTON

수 신 인: 외무부장관 귀하

미 고	담 당	과 장	국 장	특별보좌관	차 관	장 관
주 과						

군대지위협정건

금 15 일 국무성 측과의 접촉결과 버-거- 대사가 15 일 서울에서 외무부장관에게 AIDEMEMOIRE 를 제시한 사실을 알게되었음. 국무성측은 쌍방이 완전히 합의하지는 않었지만 실질적인 불합의도 없었다고 평한다음, 그러한 의미에서 하나의 진전으로 본다고 말함. 본건 상황을 조속 알려주시압. (정미)

주 미 대 사

~~예고: 협정체결후 일반문서로 재분류~~

일반문서로 재분류 (1966.12.31.)

1966.12.31. 에 예고문에 의거 일반문서로 재분류됨

1964.19 월 30일 미주국 직권으로 III급비밀로 재분류

정무국장

사본: 비서실
정보국장

접 인

수신시간:

0313

외신과

Mr. Chai

대한민국 외무부

발신전보

종별

번호: WUD-0674
일시: 160930

수신인: 주미대사

6. 15일 버-거 주한 미대사는 본관을 방문하여 우리측 각서에 대하여 다음과 같은 미국측 각서~~의 공동 성명 초안~~을 수교하였음. 이에 관한 우리측 교섭 대책은 별도 지시할것임.

AIDE-MEMOIRE

THE AMERICAN AMBASSADOR INFORMED THE FOREIGN MINISTER THAT WITH RESPECT TO THE GOVERNMENT OF KOREA'S NOTE OF MARCH 12 REQUESTING THE UNITED STATES GOVERNMENT TO REOPEN NEGOTIATIONS FOR AN AGREEMENT COVERING THE STATUS OF THE UNITED STATES ARMED FORCES IN KOREA AND SUBSEQUENT DISCUSSIONS ON THIS SUBJECT, THE UNITED STATES GOVERNMENT IS PREPARED TO START WORKING LEVEL NEGOTIATIONS AS SOON AS MUTUALLY CONVENIENT.

THE AMBASSADOR POINTED OUT THE DIFFICULTIES OF MEANINGFUL AND CONCLUSIVE NEGOTIATIONS BEFORE NORMAL CONSTITUTIONAL AND JUDICIAL PROCEDURES ARE ESTABLISHED AND STATED THAT IN AGREEING TO RESUME DISCUSSIONS IT WAS THE UNDERSTANDING OF HIS GOVERNMENT THAT THE GOVERNMENT OF KOREA AGREES THAT CONCLUSION OF STATUS OF FORCES AGREEMENT IS NOT POSSIBLE UNTIL AFTER NORMAL CONSTITUTIONAL GOVERNMENT AND NORMAL FUNCTIONS OF THE CIVIL COURTS AND LEGAL PROCEDURES HAVE

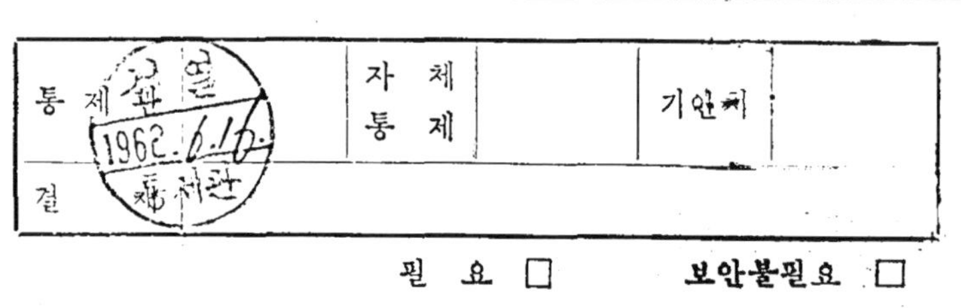

필요 □ 보안불필요 □

송신시간:

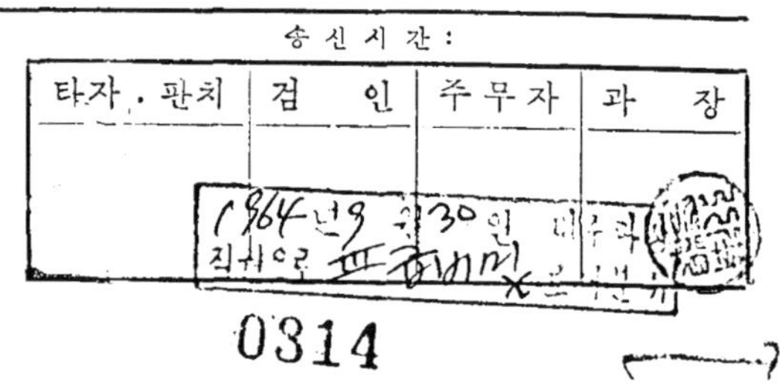

0314

비문 75-19

0315

0316

대한민국 외무부

번 호:

일 시:

발신전보

수 신 인:

BEEN ESTABLISHED IN THE REPUBLIC OF KOREA. IN THIS REGARD, THE AMBASSADOR STATED THAT, AS IN THE C ASE OF STATUS OF FORCES AGREEMENTS WITH ALL COUNTRIES, THE UNITED STATES GOVERNMENT CANNOT ENTER INTO AGREEMENT ON CRIMINAL JURISDICTION UNLESS UNITED STATES PERSONNEL ARE ASSURED OF TRIALS COMPARABLE TO U.S. STANDARDS. THE AMBASSADOR REMINDED THE FOREIGN MINISTER THAT THIS POINT WAS ALSO MADE EXTREMELY CLEAR WHEN THE U.S. AGREED TO OPEN NOGO-TIATIONS IN APRIL 1961.

FINALLY, THE AMBASSAEOR STATED THAT SINCE THE CONCLUSION OF AN AGREEMENT WILL DEPEND UPON THE ESTABLISHMENT OF CON-STITUTIONAL PROCESSES AND LEGAL PROCEDURES WHICH WILL MEET NECESSARY STANDARDS OF JUDICIAL PERFORMANCE, NO DATE FOR THE AUTOMATIC CONCLUSION OF AN AGREEMENT SHOULD BE ASSUMED BY THE GOVERNMENT OF THE REPUBLIC OF KOREA.

EMBASSY OF THE UNITED STATES OF AMERICA,

SEOUL, JUNE 15, 1962.

~~JOINT ROK-US PRESS STATEMENT~~

~~RESUMPTION OF NEGOTIATIONS OF STATUS OF FORCES AGREEMENT.~~

~~THE AMERICAN AMBASSADOR HAS INFORMED THE MINISTER OF FOREIGN AFFAIRS THAT THE UNITED STATES GOVERNMENT IS PREPARED~~

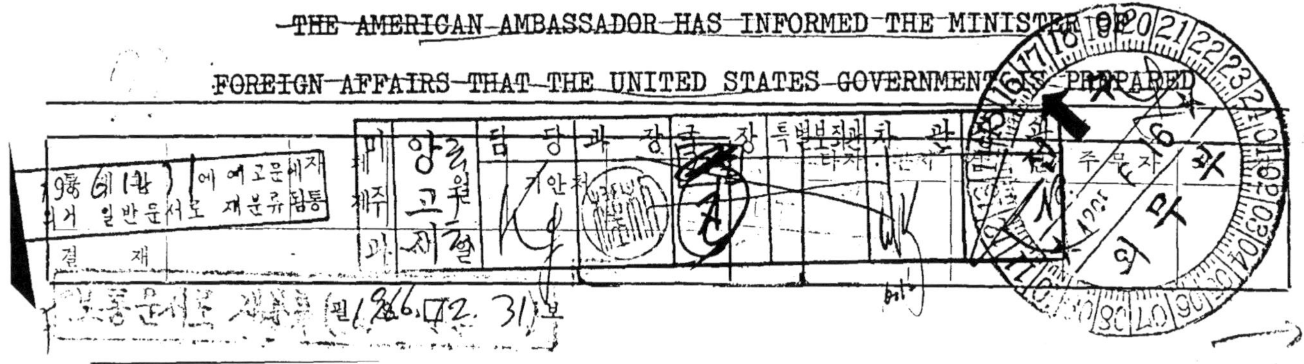

0317

관리번호 452

대한민국 외무부

착신전보

번 호: DW-06118
일 시: 181930

수신인: 외무부장관 귀하

군대 지위협정

1. 금 18일 김참사관은 오 3등서기관을 대동 국무성 동아국부국장 베이콘씨를 방문하고 동씨로부터 6월 15일자 버거대사 AIDE-MEMOIRE 사본을 수교받었는바 베이콘씨는 미국입장을 설명하는 과정에서 군대지위협정을 체결 (CONCLUDE) 한 다음 일정 시기까지 그 효력을 보류하자는것이 아니라 일정시까지는 "체결"을 하지 않겠다는것이 미국입장임을 강조하면서 그밖에 문제로서 우리는 미국군인의 보호를 위한 여사한 수준의 요건 (REQUIREMENTS OF SUCH STANDARDS) 도 검토하여야만 할것이라고 말하였음.

2. 이에대하여 김참사관은 훈령에 입각하여 우리입장을 재 천명함.

3. 당대사관의 견해로서는 6월 15일자 버거대사 AIDE - MEMOIRE 은 6월 9일자의 그것에 비하여 실질적으로 용어사용에 차이가 있음에 유의하여야 할것으로 사료됨.

4. 금일 김참사관의 방문은 작 17일 (일요일) 베이콘 부국장의 요청에 응한것인바 동 부국장 및 동석한 한국과 직원은 지금까지 본건에 관하여 대사관 실무자 측과 접촉한적이 없었으며 서울에서 행한 미국측 REPRESENTATION 내용을 국무성측이 와싱톤에서 공식적으로 그리고 자발적으로 재천명한것은 이번이 처음이며 베이콘 부국장은 미국입장을 설명하는데 그쳤음을 참고로 보고함.

담당	과장	국장	특별보좌관	차관	장관

정무, 정보,

검인

1964년 9월 30일 미주 과장으로 재분류 보기

외신과

0318

5. 상세는 추후 서면보고 위계임.

주미대사

체결
~~예고 : 회고후 일반문서로 재분류,~~

(　　　　) 자료 공개 기밀

1966.12.31 에 예고문에
의거 일반문서로 재분류됨

0310

미주과	양고재 6월 20일	담당과	장	특별보좌관	차관	장관

제 목 : 차관과 메지스트레티 부대사와의 비공식 회담

1. 장 소 : 반도 호텔

2. 시 일 : 1962년 6월 19일 오후 4시30분부터 5시30분

3. 배석자 : 미주과장, 하비브 참사관

4. 목 적 : 명에 의하여 6월 15일자 미국측 각서 및 공동성명서안에 대한 우리측의 회답각서안 및 공동성명서 대안을 미국 대사관측과 사전에 비공식적으로 검토하므로서 앞으로 장관과 대사와의 공식적 회담에 있어서 우리측이 수교할 각서에 대한 미측의 양해와 수락을 용이토록 하기위한 비공식적 사전 접촉이었음.

5. 미측의 반응 :

가. 메지스트레티 부대사와 하비브 참사관은 우리측의 각서안을 보고

첫째, 민정복귀후에 행정협정을 체결하여도 좋다는 우리측의 구두확약이 있는한 그것이 각서에 언급되지 않아도 무방하며

둘째, 미국수준에 비등한 재판수준을 요구한데 대한 우리측의 대안 즉 미국이 행정협정을 맺고 있는 다른나라들의 사법수준을 협정을 체결하는데 받아들일수있는 수준으로 간주할수 있다고 말한 우리측의 각서안 내용에 대하여도 별로 이의가 없다고 말하였음.

나. 우리측이 작성한 공동성명서 대안에 대하여

첫째, 그 대안에서 미측이 제시한 공동성명서 원안의 마즈막 구절 즉 "좌우간 한국의 불원간 있을 헌법적 변경에 감하여 정상적인 헌법절차 및 법절차가 수립된후 까지는 주둔군 지위 협정의 체결이 불가능한것임을 인식하는바이다" 라고 한 구절을 삭제한것을 보고 메지스트레티 부대사와 하비브 참사관은 비공식적인 개인적 견해라고 전제한 다음 동 구절의

0320

삭제는 미국측으로서 동의하기가 곤란할것 같다고 말하고 특히 미국 국회와 국민들에게 대하여 납득이 가는 해명을 하여야 할것인데 동구절이 없으면 국회나 언론기관에서 추궁당할적에 대답하기가 매우 곤란한 처지에 설것 같으니 자기들로서는 이문제를 돌아가서 대사와 협의하여 보겠다고 말하였음.

이에 대하여 차관은 국민에 대한 우리정부측의 입장도 충분히 이해하여 주어야한다는 점을 설명하고 만일에 동 구절을 그대로 포함시켜 발표한다면 국민여론 특히 젊은 학생들은 납득하기가 곤란할것이므로 이러한 사정하에 처하여 있는 우리 정부측의 입장을 이해하여야 한다고 말하였음.

둘째, 메지스트테리 부대사와 하비브 참사관이 그자리에서 확실한 태도를 표명하지 못하는 입장에 서있음을 관찰한 차관은 만일 동구절의 삭제에 동의할수가 없다면 다른 무슨 적절하고 쌍방이 받아들일수 있는 타협적인 문구를 연구하여 대치하는 방법도 생각해보는것이 좋지 않으냐고 말하였음.

이에 대하여 메지스트테리 부대사와 하비브 참사관은 대사와 의논하여 다시 연락하겠다고 말하였음.

0322

교섭 과	위	아	담 당	과 장	국 장	특별보좌관	차 관	장 관
주 과	고 재	6월 20일						

1.

가. 6월 20일 오전 10시 "매지스트레티" 부대사는 외무부 차관을 방문하고 6월19일 차관이 제시한 우리측의 공동 성명서 안 (미국측 안에서부터 문제의 부분인 마지막 구절을 삭제한것) 에 대하여 버ー거 대사 및 하비브 참사관과 아침에 잠간 검토하였으나 충분한 시간적 여유가 없어 자세한 검토를 하지 못하였다고 전제하고

나. 우선 대사의 의견은 미측의 안대로 공동 성명을 발표하던지 그렇지 않으면 미측은 따로 워싱톤과 서울에서 신문기자 회견을 열어서 같은 취지의 설명을 하던지 하여야 할것같아고 말하였다 함.

다. 차관은 만일에 그렇다면 한미 양측에서 받아드릴수 있는 어떤 타협적 구절을 연구해볼만한 것이 아니냐고 말하고 우리측에서도 연구하여 볼터이니 미측에서도 안을 연구하여 주기를 말하고 타협안이 생기면 후에 전화로 연락하겠다고 하였음.

2.

가. 그후 차관은 "매지스트레티" 를 전화로 불러 다음과 같은 구절로서 미측안의 구절을 대치할것을 제의함.

"It is presumed, therefore, that the conclusion of the agreement would probably be effected after the restoration of civil government in 1963."

나. 여기에 대하여 "매지스트레티" 는 자기 생각으로는 괜찮을것 같으나 대사와 의논하여 ~~보고~~ 결과를 알리겠다고 말하였다.

다. 오후 5시에 "매지스트레티"는 다시 차관과 전화로 접촉하고 대사와 의논한 결과 우리측의 타협안을 받아 드릴수 없으며 그 대신 마지막 구절을 다음과 같이 하자고 제의함 (미국측 안에서 In any event, ... in view of the forthcoming constitutional changes in Korea 만 빼고): (It is recognized that it will not be possible to conclude a status of forces agreement until after normal constitutional and legal procedures have been established.)

覺書(案)

駐韓美國軍隊의 地位에 關한 協定을 爲한 交涉 再開를 美國政府에 要請한 一九六二年 三月十二日字 外務部長官의 覺書와 그後의 討議等에 關聯하여 外務部長官은 大韓民國은 相互便利한 早速한 時日內에 会談을 再開할 用意가 있다고 美國大使에 通報하였다.

이와 關聯하여 外務部長官은 어느 駐屯軍地位協定도 複雜한 問題를 包含하고 있으며 따라서 交涉이 相當한 期間을 要할것이라는 美國大使의 見解에 同感하였다. 그러한 事情에 鑑하여 外務部長官은 덜 複雜한 問題를 먼저 討議하고 더 複雜한 問題는 会談이 進展됨에 따라 後에 討議하는 것이 可能할것이라고 말하였다.

司法水準에 對하여 外務部長官은 美國과 駐屯軍地位協定을 締結하고 있는 다른 나라들의 司法水準은 韓國과 美國間에 同種의 協定을 締結하는데 받아드릴수 있는 水準으로 看做할수 있다고 말하였다.

外務部長官은 兩政府가 適當한 期間內에 關聯된 問題를 包含하는 協定을 이룩하는데 最善을 다할것을 바란다는 그의 真正한 希望을 披瀝하였다.

一九六二年 六月 十八日, 서울

0323

韓美共同新聞聲明

美軍人身分協定 再開

駐韓美國大使는 美國政府가 駐韓美軍人身分協定에 關한 交涉을 再開할 用意가 있음을 外務部長官에게 通報하였다. 外務部長官은 韓國政府를 代表하여 이 提議를 歡迎하였다.

兩國政府는 交涉을 九月中에 實務者間에 再開할것을 合意하였다. 이러한 軍人身分協定은 複雜한 問題를 包含하고 있어 ~~있음으로~~ 따라서 交涉은 相當한 時日을 要할 것을 認定하는바이다. ~~그러므로 協定의 締結은 아마도 一九六三年에 있을 民間政府復歸後에 이루어질것이라고 推測하는바이다.~~

따라서 不遠間 있을 憲法改定에 鑑하여 韓日에 駐屯軍地位協定은 民間政府에 正常的 立法節次에 의한 樹立을 기다려 締結될 것이라는 것을 (認定) 양해하는 바이다.

0324

외무장관과 버거대사와의 비공식 회합

장 소 : 조선 호텔

시 일 : 1962년 6월 21일 오후 4시45분부터 6시 시까지

참석자 : 외무부 장관, 정무국장, 미주과장

버거대사, 메지스트레이 부대사, 하비브 참사관

회담요지 :

1. 미측에서 제시한 공동성명서 원안에서의 최종구절에 대한 우리측의 대안과의 차이점을 조정하기 위한 비공식 회합이었음.

2. 교섭경위는 별첨과 같음.

미주과	기안 고재	담 당	과 장	국 장	특별보좌관	차 관	장 관

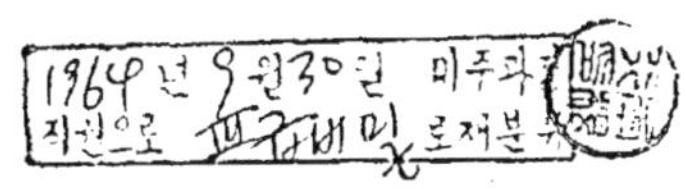

0325

미국연 1111-13(1)

0326

0327

1962年 (6/21)

共同聲明書案에 關한 韓美兩側의 立場과 交涉經緯

1. 美側의 原案에서의 問題點---最終句節

"左右間 韓國의 不遠間 있을 憲法改正을 推想하여 正常的인 憲法과 法的節次가 樹立될때까지는 軍人身分協定의 締結이 不可能한것임을 認識하는 바이다."

2. 우리側의 立場

가. 우리側은 美側의 原案에 있어서 特히 "正常的 憲法과 法的節次의 樹立" 云云한 句節을 그대로 받아 드린다면,

첫째, 民政復歸後에도 그때의 憲法과 法節次가 美側에서 말하는 正常的인 것이냐 아니냐 하는 問題를 美國側이 惹起 시킬수 있을것임.

둘째, 따라서 民政復歸後에 締結(發効)하여도 좋다고한 우리側의 立場과 반드시 同一한것이 아님.

세째, 우리側은 지금까지의 交涉經緯에 있어서 美側에 民政復歸後에 發効하여도 좋다고 하였으나 한번도 正常的인 憲法 및 法節次 樹立以後라는 言質을 준적은 없으므로 이것을 그대로 받아 드린다면 이 共同聲明으로 因하여 우리側은 美側에 새로운 言質을 주는것임.

4. 따라서 우리側은 다음과 같은 立場을 取하였음.

첫째, 美側案에서 問題가 되는 最終句節을 全部 削除할것을 美側에 提議하고 美側原案에서 同句節을 削除한 우리側의 第二次 修正案을 受諾하도록 交涉하였음. 美側은 이것을 受諾하기 困難한것이라고 하여 拒絶하였음.

둘째, 따라서 우리側은 그 第二次 修正案을 美側에 提示하고 그 修正案에서는, "正常的 憲法 및 法的節次" 云云한 句節代身 "그러므로 協定締結은 아마도 1963年의 民政復歸後에 實現될것으로 推定한다." 라는 句節로 代置한것을 提案함.

美側은 이 案도 自己들의 生覺하고있는것과 文句의 意味에 있어서 距離가 멀다고하여 拒絶하였음.

세째, 이外에도 우리側은 이와 大同小異한 몇가지 代案을 美側에 提示하였으나 亦是 美側은 受諾하기를 拒否하였음.

네째, 그러나 美側은 外務部長官이 美側의 原案에 對하여 그 마지막 句節의 表現이 肯定的으로

0330

끝나지 못하고 否定的으로 即 "----- 까지는 締結이 不可能함을 認識하는 바이다" 라고 한 美側案의 否定的 表現方式을 肯定的方式으로 바꾸어서 "--- 後에 締結이 可能한것을 認識하는 바이다" 와 같은 式으로 表現을 할것을 提議한바 美國側은 建設的이고 理解할수있는 提案이라고 하여 受諾 하였음.

3. 우리側의 立場과 美側의 立場의 差異點

(1) 우리側은 美側共同聲明書案의 마지막 句節을 削除 할것을 願하고 있는데 對하여

(2) 美側은 그렇게 하는것은 不可能 하다는 點을 明白히 하는 同時 萬一에 共同聲明書에서 削除를 할 境遇에는 美側은 따로 記者會見을 열어서 外務部長官과 美國大使는 共同聲明書에서는 빠졌으나 如斯한 點에 合議를 하고 있다는것을 內外에 闡明 하여야 할것이라고함.

(Aide-Memoire에서 言及은 안하였지만 또한)

(3) 우리側은 "正常的 憲法 및 法的節次의 樹立" 까지라는 美側案의 句節을 받아들일수 없다는 것을 明白히 하고 萬一에 반드시 共同聲明書에 締結時期에 関한 言及이 있어야 한다면 "民政復歸後"라는 句節로서 美側의 句節을

미은 79-13

0331

0332

0337

代置하는것만이 받아드릴수 있는 最大讓步線인데 對하여

(4) 美側은 明確한 言質을 주지 않고 다만 와싱톤 國務省의 請訓을 해보아야 對答할수있는 事項이라고 하였음.

(5) 우리側의 判斷으로서는 交涉如何에 따라 美側이 받아드릴 可能性이 아직도 있는것으로 보고 있음. 다만 "民政復歸後에만 可能하다"는 句節에서 "만"을 뺄수는 없다는것을 美國側은 明白히 하고있음.

(6) ~~따라서~~ 그러나 우리側은 새로히 아래와 같은 修正代案을 提示할수있을것임.

"不遠間 있을 韓國의 憲法改正에 鑑하여 軍隊地位協定의 締結은 民政의 復歸 된後에 ~~[illegible]~~ 実現될수 있다는것을 認定하는 바이다."

(7) 美側은 現在까지 그들의 原案에서 實質的인 讓步는 하지 않고있으며 그들의 原案을 修正하여 否定的表現을 肯定的으로 바꾸어 놓은 아래와같은 句節을 固執하고 있음

0333

미문 79-13

0334

"앞으로 있을 韓國의 憲法改定에 鑑하여 正常的 憲法 및 法的節次가 樹立된 後에 만 軍隊地位協定의 締結이 可能하다는 것을 또한 認識하는 바이다"

(8) 우리側은 勿論 이 案을 受諾할수 없다는 點을 明白히 하였음.

建 議

1. 締結時期에 關하여 民政復歸後에라도 좋다고 한 우리側의 言質은 이미 美側에 주어져 있으며 問題는 이 事實을 共同聲明書에서 公開하느냐 않하느냐 하는 點에 있는바

첫째, 公開를 않할 境遇는 美側에서 別途로 그 事實을 公開하겠다고하며

둘째, 萬一에 美側의 그러한 別途 單獨公開를 交涉하여 斷念시키게 되었다고 假定하더라도 이 事實은 不遠間 非公式的으로 漏泄될 可能性이 있으며 그때는 國民에게 革命政府가 美側과 무슨 "秘密協定"이나 맺고 있는듯한 黑幕的 印象을 줄 憂慮가 있음

0335

0336

0338

세째, 또한 行政協定 締結交涉은 의례히 相當한 時日을 要하며 따라서 現実的으로 締結은 來年에 있을 民政復歸後에 가서 実現될수 있는 実情임.

네째, 締結時期를 共同聲明書에서 言及한다는것은 우리側으로서도 美側에 對하여 一種의 言質을 주기를 要求하는것으로 看做하는것으로 民政復歸後에 締結한다는 合議는 美側으로 하여금 그 때 가서 締結해야 한다는 一種의 義務를 負擔시키는것으로 볼수 있음.

다섯째, 美國政府는 美國民이나 國會에 對하여 美國軍人을 非正常的인 法秩序下에서 裁判을 받지 않도록 할것이라는것을 確言하여줄 不可避한 立場에서 있음.

2. 따라서 우리側은 前述한 새로운 修正代案을 美側에 受諾도록 交涉 할것.

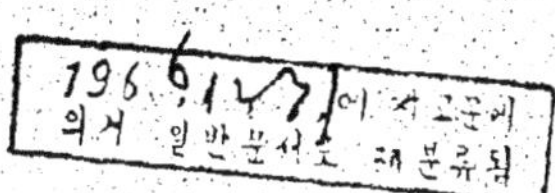

0337

0338

JOINT ROK-US PRESS STATEMENT

Resumption of Negotiations of Status of Forces Agreement.

The American Ambassador has informed the Minister of Foreign Affairs that the United States Government is prepared to reopen negotiations for an agreement covering the status of the United States Armed Forces in the Republic of Korea. The Foreign Minister welcomed this development on behalf of his government.

Both sides agreed that negotiations would resume at the working level sometime in July. It is recognized that any status of forces agreement involves complex matters and it is expected that negotiations will require a considerable period of time.

보통문서로 재분류(1966.12.31.)

1966.12.31.에 예고문에 의거 일반문서로 재분류됨

0330

JOINT ROK-US PRESS STATEMENT

Resumption of Negotiations of Status of Forces Agreement

The American Ambassador has informed the Minister of Foreign Affairs that the United States Government is prepared to reopen negotiations for an agreement covering the status of the United States Armed Forces in the Republic of Korea. The Foreign Minister welcomed this development on behalf of his government.

Both sides agreed that negotiations would resume at the working level sometime in July. It is recognized that any status of forces agreement involves complex matters and it is expected that negotiations will require a considerable period of time. In any event, it is recognized that, in view of the forthcoming constitutional changes in Korea, it will not be possible to conclude a status of forces agreement until after normal constitutional and legal procedures have been established.

0340

JOINT ROK-US PRESS STATEMENT (表拒否)

Resumption of Negotiations of Status of Forces Agreement.

The American Ambassador has informed the Minister of Foreign Affairs that the United States Government is prepared to reopen negotiations for an agreement covering the status of the United States Armed Forces in the Republic of Korea. The Foreign Minister welcomed this development on behalf of his government.

Both sides agreed that negotiations would resume at the working level sometime in July. It is recognized that any status of forces agreement involves complex matters and it is expected that negotiations will require a cosiderable period of time. It is, therefore, presumed that the conclusion of the agreement would probably be effected after the restoration of civil government in 1963.

0340-1

011

JOINT ROK-US PRESS STATEMENT (美側案)

Resumption of Negotiations of Status of Forces Agreement

The American Ambassador has informed the Minister of Foreign Affairs that the United States Government is prepared to reopen negotiations for an agreement covering the status of the United States Armed Forces in the Republic of Korea. The Foreign Minister welcomed this development on behalf of his government.

Both sides agreed that negotiations would resume at the working level sometime in July. It is recognized that any status of forces agreement involves complex matters and it is expected that negotiations will require a considerable period of time. In any event, it is recognized that, in view of the forthcoming constitutional changes in Korea, it will not be possible to conclude a status of forces agreement until after normal constitutional and legal procedures have been established.

0341

~~the conclusion of a status of forces agreement can take place only after civil government is restored.~~

JOINT ROK-US PRESS STATEMENT

Resumption of Negotiations of Status of Forces Agreement

....

....

....

....

....

....

....

....

....

....

.... It is recognized that in view of the forthcoming constitutional changes in Korea the conclusion of a status of forces agreement can take place only after civil government is restored.

0342

부 전 지

수 신 미주과장 1962. 6. 21.

제목 요약 전문사본 발취 송부

주일대사의 보고 JW-06278 중 별첨 내용과 같이 귀과에 관계되는 사항이 있으므로 이를 발취 송부하오니 참고 하시압.

유첨 : JW-06278호 사본

관계부처

조 처

전화번호 주 부

발 신 아주과장

승인양식 1-24 (1112-040-032-023) (130mm×190mm 32절지)

0343

착신전보

번호 : JW-06278
일시 : 201652

COPY

수신인 : 외무부 장관 귀하

건명 : 레온하트 공사와의 면담내용 보고 :

본인은 6월19일 1230시에 레온하트 미국공사를 제국호텔에 초청하여 오찬을 같이 하면서 1500시까지 면담하였는바 그 내용을 아래와 같이 보고함.

- 아래 -

1. 생략
2. 생략
3. 생략
4. 생략
5. 행정협정 문제 :

배대사 : 행정협정에 관한 내용은 본인이 잘 알지 못하지만, 최근 한국에서 일어난 학생들의 움직임을 보면 미국에 대한 불만이 상당히 있는 모양인데, 무슨 이유로 미국이 한국요구에 응해주지 않는가.

레공사 : 행정협정 전반에 관해서 다른 문제는 별로 어렵지 않지만, 지금 문제되고 있는것은 재판관할권이다. 미국입장으로서는 한국정부가 민정으로 이관된후, 사법권이 독립으로 행사 될수 있는 때를 기다리자는것이고 한국은 지금 결정하자고 하는것이다.

배대사 : 재판관할이라고 하면 법률가가 아닌 본인의 생각으로서는 범죄자를 처벌하겠다는 문제일것인데, 처벌되어야 하는 원칙에는 미국이나 한국간에 상이할바 없을것이 아닌가. 그렇다면 한미간에 타협안을 발견할 가능성이 있을줄 생각하는데 당신의 의견 여하한가.

레공사 : 행정협정으로 한미간의 우호관계가 악화되는 것은 쌍방에서 피해야 할일이라고 생각한다. 이문제도 본인이 와싱톤에 가면 해리만 차관과 보와 상의하겠다.

주일대사

~~예고 : 한일회담 종료시 일반문서로 재분류~~

1966.12.31.에 예고문에 의거 일반문서로 재분류됨

일반문서로 재분류(1966. 12. 31.)

1964년9월30일 미주과장 명의으로 예고문, 고개분류

0344

대한민국 외무부

번 호: DW-06142

착신전보

일 시: 211930

수 신 인: 외무부 장관 귀하

군대지위협정

본직은 금 21일, 월남, 태국 지방 순시후 작일 귀국한 멕카 육군참모총장을 방문하고, 군대지위협정에 관한 정부입장과 주장내용을 설명하고 특히 한국문제에 경험이있는 동장군의 깊은 이해와 협력과 노력을 촉구하였음을 보고함.

이에대하여 멕카대장은, 한국민의 심정을 이해하며, 최근 듣기에는 형사재판 관할권 문제를 제외한 나머지 문제에 대하여 토의를 시작할 단계에 놓인것으로 아는데, 형사재판권은 미국국회나 국민을 납득시킬수없기때문에 협정 체결이 어렵다는 요지의 견해를 표명하였음.

추후 서면 보고위계임.

주미대사

1966, 12, 31,에 예고문에 의거 일반문서로 재분류됨

~~예고 : 협정체결후 일반문서로 재분류~~

일반문서로 재분류(1966. 12. 31)

미주과	공람 6월 23일	담당	과장	국장	특별보좌관	차관	장관

정무국장, 정보국장

외신과

1964년 9월 30일 미주 직권으로 파기비밀 표지

수신시간:

Mr. Chai

0345

0346

Mr. Chai (SOFA 이혼철)

미주과	공람 6월 23일	담당	과장	국장	특별보좌관	차관	장관

TP246

U.S.-KOREA

BY SPENCER DAVIS

WASHINGTON, JUNE 22 (AP)-THE UNITED STATES AND SOUTH KOREA HAVE AGREED TO NEGOTIATE A STATUS OF FORCES AGREEMENT, INCLUDING THE QUESTION OF CRIMINAL JURISDICTION OVER 50,000 AMERICAN SOLDIERS IN KOREA, A U.S. GOVERNMENT SPOKESMAN SAID FRIDAY.

STATE DEPARTMENT PRESS OFFICER LINCOLN WHITE SAID THE TWO COUNTRIES HAVE NOW AGREED TO RESUME NEGOTIATIONS ON THE AGREEMENT.

WHITE REFUSED TO CONFIRM REPORTS THAT SUCH AN AGREEMENT WOULD NOT GO INTO EFFECT UNTIL THE RESUMPTION OF CIVIL, CONSTITUTIONAL GOVERNMENT IN KOREA, SCHEDULED FOR JUNE, 1963.

MG129PE

TP248

IT IS UNDERSTOOD FROM AUTHORITATIVE SOURCES THAT U.S. AMBASSADOR SAMUEL D. BERGER HAS PROPOSED THAT THE AGREEMENT, ONCE COMPLETED, SHOULD NOT BECOM EFFECTIVE UNTIL KOREA ONCE AGAIN HAS A CONSTITUTIONAL GOVERNMENT AND CIVIL CONTROL.

THE SOUTH KOREAN GOVERNMENT HAS BEEN RUN FOR THE PAST 13 MONTHS BY A MILITARY JUNTA, BUT CHAIRMAN GENERAL PARK CHUNG-HEE HAS ANNOUNCED READINESS TO TURN THE GOVERNMENT TO CIVILIAN CONTROL FOLLOWING AN ELECTION NEXT YEAR.

THERE HAVE BEEN TWO STUDENT DEMONSTRATIONS IN KOREA RECENTLY FOR A STATUS OF

0347

FORCES AGREEMENT SUCH AS THE UNITED STATES HAS REACHED WITH NATO ALLIES AND JAPAN.

UNDER THE NATO FORMULA, U.S. TROOPS WHO VIOLATE LOCAL LAWS WHILE OFF DUTY ARE SUBJECT TO THE JURISDICTION OF THE LOCAL COURTS OF THE HOST COUNTRY.

WHITE SAID HE WAS NOT AT LIBERTY TO DISCUSE THE DETAILS OF WHAT PROPOSALS WILL BE MADE BY EITHER SIDE IN THE COMING NEGOTIAONS.

U.S. DEFENSE AUTHORITIES, INCLUDING GENERAL LYMAN L. LEMNITZER, CHARIMAN OF THE JOINT CHIEFS OF STAFF, HAVE BEEN OPPOSED TO SUBJECTING AMERICAN SOLDIERS UNDER THEIR COMMAND TO THE KOREAN MILITARY COURTS.

THE UNITED STATES AND SOUTH KOREA HAD STARTED CONVERSATIONS ABOUT A STATUS OF FORCES AGREEMENT IN 1961 WITH THE CONSTITUTIONAL GOVERNMENT OF THEN-PRESIDENT CHANG MYUN, BUT THE NEGOTIATIONS WERE TERMINATED WHEN THE MILITARY GROUP HEADED BY PARK OVERTHREW THE CHANG GOVERNMENT.

MC150PED

0348

駐美大使의 韓美軍隊 ~~地位~~ 協定 交涉報告 要約

1. 交涉目標: 가. 軍隊地位協定締結交涉이 完了되어도 來年의 있을 民政復歸 前에는 實際로 發效 안해도 좋음.

나. 一般裁判節次에 관한 特例法을 制定할 用意가 있음

2. 交涉內容: 美國務省側은 非公式見解로서 韓國政府가 美國側에 對한 壓力을 除去해주기를 바라며, 予見할수 있는 將來에 解決될것으로 生覺한다고 말한데 反하여 國防省側은 刑事裁判管轄權問題를 韓國의 安全保障과 關聯시켜 協定의 締結을 强力히 反對하였음.

3. 美國의 立場: 가. 可能한限 無期限으로 裁判管轄權에 關한 現狀維持를 企圖하고 있음

나. 적어도 1963年의 民政移讓 以前에는 裁判管轄權 問題를 解決하지 않겠다는 確固한 立場에 있음.

다. 民政移讓 以前에는 本件問題의 解決을 爲한 實質的 討議도 可能한限 않겠다는 立場에 있음

4. 結論: 가. 美國은 國際的 威信의 問題로서 壓力을 느끼는 現時期에 있어서는 協商에 臨하려 하지 않음

나. 어떠한 事件의 發生을 契機로 이와 같은 問題를 解決하게 된다는 印象을 對外的으로 남기려고 하지 않음.

따라서 向后 一·二個月의 期間을 冷却期로 定하고 그 동안에 우리의 交涉態勢의 再整備를 하고 冷却期가 지난後 새로이 對美交涉을 推進함이 双方의 妥協을 容易케 할것으로 思料됨.

미주과	양고재	6월 26일	담당	과장	국장	특별보좌관	차관	장관

0349

미북 78-18

0350

美國立場의 分析과 韓國政府의 對策檢討

1. 美國側 提案中 "正常的 立憲政治의 回復" "正常的 一般裁判節次의 完全한 回復" 이라는 말은 主觀的으로 解釋될수 있음으로 보아 美國은 無期限으로 裁判管轄權의 現狀維持를 企圖하고 있는것으로 觀察됨

2. "立憲政治"의 回復 이라는 말은 1963年의 民政復歸 以前에는 本件問題의 解決을 않겠다는 立場을 가진것으로 觀察됨

3. 이러한 狀況下에서 韓國政府가 取할수 있는 裁判管轄權에 관한 協商條件은 :

(1). 現在의 條件을 繼續的으로 維持 한다.

(2). 協定의 效力發生은 正常的 立憲政治가 回復되고 正常的 一般裁判節次가 機能이 回復된후에 한다.

(3). 來年의 民政復歸以前에는 本件問題의 交涉은 行하지 아니하며 一般裁判節次에 對하여 美國側이 不足을 느끼는 境遇에는 特別法을 制定한다.

보통문서로 재분류(1966.12.31)

1966.12.31.에 예고문에 의거 일반문서로 재분류됨

0351

0352

KOREAN EMBASSY

주미대 62-905 1962. 6. 15.

수 신 : 외무부 장관

제 목 : 한미 군대 지위협정 교섭

이미 전문으로 수시 보고한바와 같이 그간 당 대사관에서는 훈령에 따라 한미 군대지위 협정 체결을 위하여 국무성 및 국방성요로와 강력한 외교 교섭을 전개하여 왔던바, 현재까지의 교섭경과를 별지와 같이 보고함.

별지 : 한미군대지위협정 교섭경과 보고, 1962. 6. 14., 2부 끝.

6/15

6/9

예고 : 협정 체결시 일반문서로 재분류.

보통문서로 재분류 (1966.12.31.)

주 미 대 사 정 일 권

1966.12.31에 예고문에 의거 일반문서로 재분류됨

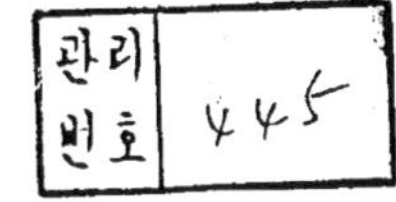

1964년 9월 30일 미 권으로 III급비밀로

0353

한·미군대지위협정 교섭경과 보고

1962. 6. 14.

1. 교섭경과

(가) 교섭목표 : 형사재판 관할권 문제에 관한 1962 년 6 월 9 일자 버거대사의 AIDE-MEMOIRE 에서 제시된 미국정부의 두가지 조건에 대한 타협안으로서, ① 군대지위협정체결교섭이 완료되어도 내년에 있을 민정복귀 전에는 실지로 발효하지 않어도 좋으며, ② 일반재판절차에 관한 특별법을 제정할 용의가 있다는 한국정부의 타협안 두가지를 미국정부가 수락하여 본건 협정교섭에 응하도록함에 있었음. 또한 방계적인 활동목표로서, 최근의 한국학생데모는 반미적이 아니며 본건협정체결을 다년간 희구하여온 한국국민의 의사를 반영하고있다는점을 미국측에 납득시키는데 노력함.

(나) 교섭의 대상 :

(1) 국무성 :

(2) 국방성 :

(다) 교섭 분위기 : 지난 3 월이래의 본격적인 교섭과정에서 최근 연달아 일어난 미국 군인의 한국인 린치사건, 이에 대한 한국정부의 항의 및 일반여론의 비등, 이와 때를 같이하여 발생된 대학생들의 미국정부를 상대로한 시위 등, 일련의 대미압력으로 말미암아, 미국정부 당국은 본건 협정 교섭과정에 있어서 상당한 압박감을 느껴온것으로 관찰됨. 따라서 당대사관의 교섭활동에 있어서는, 여사한 일련의 사태에 편성하여 한국정부가 미국측에 압력을 가한다는 인상을 받지 아니하고 교섭과정에 있어서의 감정적요소의 개입을 방지하기 위하여 대미접촉에 있어서 극히 예민한 노력을 하였으며 우리정부의 입장을 강경하게 주장하면서도 상대방의 감정적 자극을 유발시키지 않도록 용어사용등에서 면밀한 주의를 기우리게되었음. 여사한 분위기에 따라 당 대사관의 대미접촉은 시간적으로 부득이 약간의 지연을 초래하게되었음(참조:별첨1-1)

(라) 교섭내용 :

(1) 국무성 : 실무자 수준의 접촉에 있어서 대사관측은 우리정부의 타협안내용을 설명하고 미국측 입장의 재고려를 촉구하였는데도 미국측은

0354

0355

그 입장에서 일보도 동요하지 아니하고 오직 교섭시기문제에 관하여 의견차이가 있을뿐이라는말을 강조하였으며, 우리정부의 제안에 대하여는 논리적인 비판이나 뚜렷한 반대의사는 표시하지 아니하였음(참조 : DW—0667 및 별첨1-2). 또한 국무성 실무자측은 비공식견해로서 한국정부가 미국측에 대한 압력을 제거해주기를 바란다고하면서 예견할수있는 장래(FORESEEABLE FUTURE)에 해결될것으로 생각하나 이는 압력을 느끼는 현시기를 의미하는것은 아니라고 말하였음(참조 : 별첨1-4). 해리만 극동담당차관보와의 토의과정에서 정대사는 한국국민의 심정과 한미우호관계지속의 중요성을 특별히 강조하여 우리정부의 제안수락을 종용하였던바 해리만 차관보는 미국정부가 이문제 처리에 있어서 신중을 기하고 있으며, 시간이 걸릴것이라고 말하면서 버거대사와 매로이 장군으로하여금 박의장과 이문제를 토의하도록 하였음을 밝혔는바, 이는 미국정부가 그 입장을 오히려 한국정부에 대하여 설득시키려는 노력을 일층 강화하고 있음을 시사하는것으로 사료되며, 한편 그는 이번의 학생데모는 반미적이 아니라는것으로 알고있으나, 미국의 국회나 국민이 이해되도록 되어야 할것이라고 말하였음(참조 :DW—0687 및 별첨1-7).

(2) 국방성 : 대사와의 토의과정에서 미국연합 참모본부 의장 렘닛쳐 대장은 형사재판관할권 문제를 한국의 안전보장과 관련시켜 이를 반대하였는바, 동 장군의 반대이유는 국무성측의 입장에서는 나타나지 아니하는것인 동시에 그 논거가 반드시 타당한것으로는 보이지 아니함에 비추어 이는 여하한 경우에 있어서도 이를 반대한다는 자신의 신념을 표시한것으로 사료됨. 동 장군의 지위가 정상적인 외교경로에 있지 않고 또한 대사와의 개인적 친분에 연유하여 상호간에 있어서 극히 솔직한 의견교환이 있었는바, 이는 상황파악에 있어서 오히려 도움이 된것으로 사료됨(참조 : DW—0674 및 별첨1-3). 한편 국방성의 일부 실무자측에서는 국무성의 반대이유와 같은 노선을 따르고 있음(참조 : 별첨1-5)

2. 미국의 입장

현재까지의 교섭결과로서 관찰할수있는 미국의 입장은 다음과 같음.

(가) 미국은 가능한한 무기한으로 재판관할권에 관한 현상 유지를 기도하고 있다.

0357

(나) 미국은 적어도 1963 년의 민정이양 이전에는 재판관할권문제를 해결하지 않겠다는 확고한 입장을 가지고 있다.

(다) 미국은 민정이양 이전에는 본건 문제의 해결을 위한 실질적 토의는 가능한한 하지 않겠다는 입장에 있다.

3. 미국입장의 분석과 한국정부의 대책 검토

(가) 버거 대사 제안의 교섭개시 2 개조건에 표현된 "정상적 입헌정치의 회복" 이나 "정상적 일반 재판절차의 완전한 회복" 이라는말은 그 의미 내용이 매우 주관적이고 애매하며 "정상적", "완전한" 등과 같은말은 국제관계에 있어서는 거의 주관적으로 해석될수있는것으로 보아, 미국은 가능한한 무기한으로 재판관할권의 현상유지를 기도하고 있는것으로 관찰됨.

(나) 전기 버거대사의 조건중에는 "입헌정치" 의 회복이라는것이 포함되어 있으며 이는 현재의 한국정치 제도와 전혀 상이한 제도를 의미하는것으로 이해됨에 비추어, 미국은 적어도 1963 년의 민정복귀 이전에는 본건문제의 해결을 하지 않겠다는 확고한 입장을 가지는 것으로 관찰됨.

(다) 미국정부가 전기(가) 및 (나) 의 입장에서있는한, 본건 토의가 민정복귀이전에 행하여지드라도 그 해결을 그때까지 볼수없을경우에는 미국정부의 실질적 이익에는 영향이 없으며, 이와같이 그 해결을 보지않게 될것이라는 판단이 있을경우에는 민정복귀이전의 한국정부와의 토의를 반드시 반대할 이유는 없으므로, 미국은 문제의 실질적 해결을 위한 토의를 민정복귀이전에는 가능한한 하지 않겠다는 입장에 설수 있다고 관찰됨.

(라) 현재의 한국정부의 교섭조건은 전기 2. 미국의 입장, (가) 및 (나)를 만족시켜주는 입장에 있으므로 현재 및 장차의 협상에 있어서 직면되는 미국정부의 입장은 전기 2, 미국의 입장, (다) 에 해당됨. 이러한 상황을 전제로하여 장차 한국정부가 채택할수있는 재판관할권문제에 관한 협상조건을 생각하여 보면 다음과 같음.

(1) 현재의 조건을 계속적으로 유지한다. 우리정부의 결의를 보여주는점에서 유익하지만 미국과 합의할수있는 가능성이 가장적으며, 미국이 끝까지 이에 응하지 않을경우에는 한국정부는 적어도 내년의 민정복귀 이전에는 군대 지위협정 교섭을 행할 기회를 가질수 없는 입장에 놓이게 될것임.

3

0358

0359

(2) 협정의 효력발생은 정상적입헌정치가 회복되고 정상적 일반재판절차와 기능이 회복된후에 하도록 한다. 이조건은 그것이 내포하는 시간성에 있어서 "민정복귀" 보다는 완화되고 따라서 미국측에 대하여 시간적 속박감을 들어줄수있으며, 또한 입헌주의 원칙과 미국군인의 인권옹호에 관한 미국측의 기본적 입장에 만족을 줄수 있기때문에, 미국측과 합의할수있는 가능성은 증가됨. 단, 이조건하에서는 내년의 민정복귀 이전에라도 본건의 교섭은 시작할수있게되어 있으므로 현재의 미국측 태도에 영합할수있는 조건은 아님.

(3) 내년의 민정복귀이전에는 본건문제의 교섭을 행하지 아니하며, 일반재판절차에 대하여 미국측이 부족을 느끼는 경우에는 특별법을 제정한다. 이조건은 내년의 민정복귀 이전에는 이문제를 토의하지 않겠다는 미국측 태도에 양보하는 것으로서 원칙상으로는 미국의 현태도와 일치하는것이며, 미국의 현조건중에서 "정상적 입헌정치 회복"을 "민정복귀"로 대체함으로써 입헌주의원칙에 관한 미국입장이 잘 반영되지않고 또한 "정상적 재판절차의 충분한 회복"을 "특별법제정"으로 대체함으로써 시기결정에 관한 광범한 주관적 재량 가능성이 없어진다는점에서 미국측의 새로운 고려를 필요로 하겠지만, 합의의 가능성은 훨씬더 증가되는것임. 또한 여사한 조건을 제시하였을 경우에 미국측의 반응을 관찰함으로써 미국정부의 대한기본정책의 일면과 한미군대지위협정에 관한 기본태도를 파악하는데 도움이 될수 있을것임.

(마) 금번의 대미 교섭에 있어서 한국정부는 작년에 중단되었던 교섭을 "재개" 할것을 미국정부에 요청하고 또한 일반국민에 대하여도 그렇게 알려왔는데, 실질적으로 보면 작년 4월에 있었던 교섭은 그 내용에 있어서 현재 정부가 미국측과 교섭하고 있는 범주를 벗어나지 못하였던 것이며, 나아가서는 과거 자유당 정부 당시의 대미 교섭내용과 차이없는것임. 환언하면, 현재 진행중에있는 성격의 교섭을 행함에 있어서 민주당 정부는 미국측과의 공동합의에 의하여 정식으로 발표한것이고, 자유당 정부나 현정부는 여사한 정식공동발표없이 같은 성격의 교섭을 진행시켜온것임. 그런데 금번의 교섭에 있어서 우리정부가 교섭의 "재개"를 위하여 노력한다는것은 그 자체로서 여러가지 이점이 있을것으로 사료되나, 한편 미국정부는 우리정부의 요구에 응하지 아니하는 이유로서, 작년의 민주당 정부와 현재의 정부간의 성격차이 때문에 작년에는 교섭에 응하였으나, 이번에는 응할수없다는점을 강하게 시사함으로써

0361

우리의 교섭 "재개" 입장을 역으로 유리하게 이용하고 있고 특히 동정부의 공보 활동면에서 이것이 뚜렷이 나타나고 있는바, 이런점에 비추어 대미접촉 또는 공보활동면에있어서 각각 우리의 교섭" 재개" 주장을 재검토할 필요가 있을것으로 사료됨.

4. 결론 : 이상과 같은 교섭현황과 분위기로 보아, 미국은 첫째, 국제적 위신의 문제로서, 압력을 느끼는 현시기에 있어서의 협상에 임하려 하지 아니하고, 둘째, 어떠한 사건의 발생을 계기로 이와같은 문제를 해결하게된다는 인상을 대외적으로 남기려고 하지 않을것으로 사료되므로, 향후 1, 2 개월의 기간을 "냉각기"로 정하고 그동안에 있어서는 우리는 교섭 태세의 재정비를 행하여, 그 냉각기가 지난후부터 새로이 대미교섭을 본격적으로 추진함이 쌍방의 타협을 용이하게하고 또한 협정체결을 촉진시키는데 유익할것으로 사료됨.

보통문서로 재분류(1966.12.31)

1966.12.31에 예고문에 의거 일반문서로 재분류됨

5

0362

미본 78-18

0363

별첨 : 1—1

면 담 기 록

1962. 6. 7.(목요일)

정일권 대사는 금일 오전 11 시 30 분 국무성으로 해리만 극동담당 차관보를 방문하고 최근 한국에서 미국군인이 한국인을 구타한 불행한 사건에 작일의 고려대학교 학생들의 데모를 이르키게되었음을 유감으로 생각하며 과거 수년간 한국민은 미국군인에 의한 여사한 사건의 접종을 심히 우려하고 있으므로 미국정부는 이에 대하여 단호한 조치를 취하여 줄것을 요청하였음.

이에 대하여 해리만 차관보는 작일 국무성 대변인의 본건에 관한 성명을 지적하면서 한국측의 입장을 충분히 이해하고 있으며, 주한 관계 당국은 여사한 사건의 재발 방지를 위하여 제반 조치를 취할것으로 믿는다고 언명하였음..

의 견 : 한국정부가 일련의 사태를 이용하여 현안 군대지위협정교섭에 압력을 가한다는 인상을 줌으로서 동 협정 교섭에 감정적 요소가 개입되는 일이 없도록 하기 위하여, 금일의 면담에서는 미국군인의 린치사건에 대하여서만 강경한 항의를 행하고 협정교섭문제는 후일의 기회를 보기로 하였음. 해리만 차관보가 먼저 교섭문제에 언급하는 경우에는 이에 응할 준비를 하고 있었으나, 동 차관보는 이에 관한 언급을 시종하지 아니하였음.

보통문서로 재분류(1966.12.31.)

1966.12.31.에 예고문에 의거 일반문서로 재분류됨

6

0364

미효 78-18

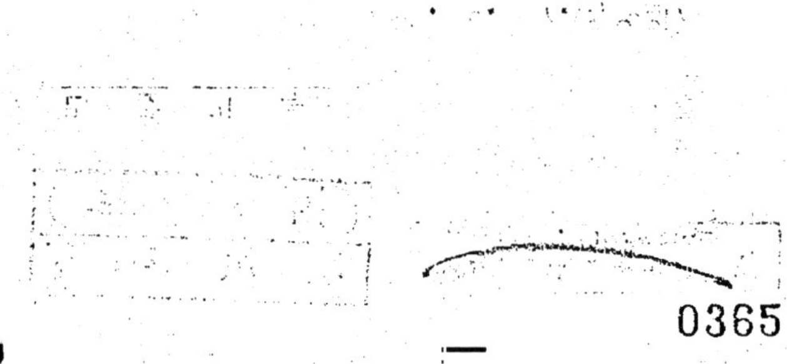

0365

별첨 : 1—2

면 담 기 록

1962. 6. 11.(월요일)

금일 하오 김동환 참사관은 장상문 1등 서기관을 대동, 국무성, 동아국장 예거씨를 방문하고 4시부터 4시 50분까지 한미군대 지위협정 교섭 및 한국학생 데모에 관하여 다음과 같이 토의함. 맥도날드 한국과장 부재중(1주일휴가) 한국과장 대리를 담당하는 정보조사국 한국담당관 HULDEN 씨가 동석함.

기

1. 김참사관은 먼저 금번 본국에서 실시된 화폐개혁의 목적을 설명하고 음성자금을 경제개발계획추진을 위한 투자자금으로 활용하고 인프레의 미연방지에 있다는점을 강조하였던바, 예거 씨는 화폐개혁의 목적은 이해할수 있으나 현재 동결되고있는 은행예금의 동결 해제의 시기 및 방법에 있어서 실수가 있다면 도로혀 경제계의 활동에 악영향을 주지않을가 하는점을 두려워하고 있다고 하였음.

2. 학생데모 사건에 관하여 그와같은 사건이 발생한것에 유감의 뜻을 표하고 학생 데모시에 사용된 스로간을 예시하고 학생들이 궐기한 동기가 미국인 군인에 의한 한국시민에 대한 모욕적 행동의 방지에 있다는점을 강조하고 일부 미국신문들이 반미데모로서 대서특보하고 있는 사실은 일반 미국국민들에 대하여 이번 학생들의 데모가 반미사상에서 우러난듯한 인상을 줄 우려가 있다는점에 주의를 환기시키고 미국국민이 한국국민의 심정을 이해하여야 할것이며 양국간의 우호정신에 비추어 국무성으로서도 이와같은 보도경향에 대하여서는 시정노력이 있기를 바란다고한바, 그는 미국의 언론기관이 통제되지 못한 결점에 언급하고 유감을표명. 그러나 이번 학생 데모사건이 반미사상에서 우러난것이 아니라는점에는 동감이며 국무성으로서는 학생들의 데모의 동기를 잘 이해하고 있다고 말함. 이에 관련하여 이번사건을 계기로하여 미국이 이와같은 사건의 미연방지를 위하여 대책을 강구하지

7

0366

0367

못할 경우에는 양국정부가 보다더 난관에 봉착할 가능성이 있다는 개인적 의견을 표명하여두었음.

3. 형사소송권 문제에 관한 우리측 대안을 설명하였던바, 그는 이미 정부고위층에서 주한 미국대사에게 시사한 우리측 제안내용을 숙지하고 있음을 밝히고, 이 문제를 미국이 토의하지 않겠다는것이 아니고 단지 이문제취급의 타이밍의 문제에 관한 견해의 차이밖에는 없다는것을 강조하고 미국으로서는 기술적으로 가장 복잡하고 가장 말썽이 많은 이 문제를 완전한 민간 재판제도 및 민정의 복귀후에 취급하여야 한다는것을 원칙으로 삼고 있다는점을 재삼되푸리하였음.

4. 협정체결이 완료하더라도 그 시행은 민정복귀후 까지 보류한다는 제안에 대하여서 that may be one of the ways for coping with present situations 이 라고만하고 이제안에 대한 committment 를 회피하였음.

5. 특별법에 의한 조치제안에 관하여서는 한국정부가 그와같은 건설적인 생각을 하고 있는것을 기뻐하나 미국이 취하는 전기한 원칙에 비추어 완전한 해결책이될수 없다는 입장을 취하였음.

6. "휴렌" 씨는 전시 4 항 문제가 되푸리되었을때 극히 가상적인 질문이라고 전제하고 만일 한국측에 대안에 미국이 동의하며 회담이 재개된다면 한국정부는 형사소송권 문제에 관하여서는 그 시행을 민정복귀후로 미룬다는 양해사항을 공표할것인지 여부를 문의하였음. 이에 대하여서는 사견이라고 전제하고 우리측 대안에대한 합의가 이루어진후 교섭재개와 더부러 고려될수도 있는 문제라고 회답하였음.

의 견 :

1. 약 50 분간의 대담을 통하여 전체적으로 국무성이 우리측 대안을 쉽게 받어드릴 태세 내지 의도가 엿보이지 않하였고,

2. 우리측 대안에 대하여 미국측이 반대 설복을 할려는 노력보다는 그들의 원칙만을 되푸리하고있는점은 우리측 대안에대한 그들의 반대이론에 설복력이 결여하는것을 자인하고 있는듯한 인상을 받었음.

3. 미측이 우리측 대안을 수락하더라도 데모직후 보다는 일정한 냉각기간을 거친후에수락할 가능성이 있다는점을 고려하여 당장에 좋은 반응이 없더라도 앞으로 수개월간 꾸준한 설복교섭이 계속되어야 한다고 봄.

0368

0360

별첨 : 1 —3

면 담 기 록

1962. 6. 12. (화요일)

정일권 대사는 1962. 6. 12. 오후 4 시부터 5 시 10 분까지 미국 연합 참모본부 의장 렘닛쩌 대장을 방문하고 한미군대지위 협정 체결문제에 관하여 다음과 같이 토의함(육군무관 안광호 준장이 정대사를 수행함).

기

정일권대사 : (한국정부의 주장내용과 이유를 설명하고, 버거대사가 제시한 형사 재판관할권 문제 토의에 관한 미국정부의 입장에 언급한 다음 이에 대한 한국정부의 대안내용을 설명, 강조하고 나서) 현재 한국의 일반국민이 알기에는 ~~정부가~~ 장면정부에서는 성공한 것으로 알고 있는데, 현재 미국정부가 협정교섭에 응하지못하는 이유가 어디있는가.

렘닛쩌대장 :(정대사의 양해를 구하여 자기의 법률고문을 불러들인 다음), 당신들이 알고있는 이상으로 나로서는 이문제를 심각하게 생각하며, 누구가 이문제를 표면화하기를 원하고 있다고 보는가, 더욱 관심을 가지게 되는 이유는, 신문보도나 어떤 곳에서 말하기를 국방성 특히 렘닛쩌 대장이 이문제를 반대하고 있다고 하기 때문인데 이는 또한 사실이다. 왜 반대하느냐하면, 1956 년도부터, 이승만 정부 때부터도 나는 이것이 안된다는 이유를 강력히 설명하여 왔으며, 5.16 혁명 5 일전인 5 월 10 일에 전직 장관 및 참모총장앞에서 이를 설명하였음. 즉 당시 장면정부는 두가지문제 즉 (1) 한미간에 새로운 방위조약을 체결하고 , (2) 한미군대지위협정을 체결할것을 제기하여왔는데 이에대하여 ~~나는~~ 다음과 같이 설명하고 반대하였음. 첫째, 현재 국제연합군이 한국에 와있는것 이상으로 한국방위를 보장하는 방책이 있다고 생각하는가 ? 둘째로, 앞의 말에서 이문제는 자동적으로 해결되는데, 주한미군은 유엔군의 일원으로 와있는것이며, 군대지위협정을 체결할려면 파병국인 영국, 태국, 비율빈, 토이기 등 국가들과 동시에 체결하여야 할것인데, 이들 국가가 기회있으면 한국으로부터 철군시키겠다고 하는판에 협정문제를 들고 나오면 이들은 또 다시 철군하겠다고 나올것이며, 철군하는 경우에는 국제연합군은 와해되는것임.

0370

9

0371

한국의 방위를 위해서는 계속 유엔군을 유지하여야 하겠는데, 그래도 군대지위협정을 체결하겠는가, 이와같은 설명을 듣고 장면정부는 전술한 두가지 요구조건을 철회하였던것임.

나의 입장은 지금에 있어서도 계속 같음.

첫째, 유엔군을 한국에서 유지하지 아니하면 도저히 한국을 방위하기 어려우며, 유엔군은 한국방위를 위해서는 가장 도움이 되는것이며, 세계 어느곳에서도 이러한 좋은 조직이 없음. 중동과 아프리카에 유엔군대가 있는데 군대지위협정문제는 나타나지 않고있으며, 그보다더 강력한 유엔군이 한국에 있는데 군대지위협정을 체결하겠다고 하면 유엔군은 분해하게될것임(맥닛저 대장이 말하는 "군대지위협정"은 이경우에 있어서 형사재판관할권문제를 의미함).

둘째, 한국은 군사휴전상태이지 완전한 평화상태는 아님, 즉, 이는 정치적 해결이 아니라 일시적인 군사조치인것임.

셋째 : 대한 군사원조에 대한 미국국회와 미국여론이 문제인바, 현금 동남아 방위가 중요한 문제로 되어 일부 여론은 동북아에 대한 미국의 군사원조의 일부를 동남아 지역으로 전환시키자는 의론도 있는데 자기는 이러한 입장에 반대하고 있으니, 한국으로서는 지금 시기가 매우 중요한것이며 따라서 자기로서는 본건문제에 대하여 심각하게 생각하는것임.

넷째, 많은 사람들이 군사정부를 비판하여 왔고, 자기들로서는 한국정부를 적극 변호하여 왔지만, 아직도 그런 사람들이 있으며, 혁명과정에서 한국정부가 취한 조치도 있는데 그들의 자체들을 한국정부의 재판권에 이양한다는것을 이해못할것임. 만약 그러한 이양이 있을경우에는 원조를 중단하든지 미군을 철수하라고 하던지 하는 여론이 일어날것이며, 자기로서는 그것이 두려움. 자기생각으로서는 버거대사가 제시한 미국정부의 입장이 타당하다고봄.

정일권 대사 : 왜 하필이면 미국정부가 토의를 하지 않겠다는 조건을 내세울것은 무엇인가, 한국국민이납득하기에 곤난할것임. 우리는 미국입장을 잘 알므로 해결하기 쉬운문제부터 토의하자는 것이며, 재판 관할권 문제도 미국측 형편에 따라 연기할수 있을것이니, 처음부터 전반적인 토의를 시작할것을 바라는바임.

0372

0373

렘닛쩌 대장 : 그것은 공보(P.R.) 담당관들이 할것이겠지만, 자기로서는 전술한 바와 같은 이유로 반대함.

안광호준장 : 한국정부의 곤난한 입장을 이해하여 주어야 할것임.

렘닛쩌대장 : 두사람의 미군장교는 가장 가증스러운 파괴행위를 하였으며 한국정부의 상상이상으로 처벌하게될것임. 자기는 지라드(GIRAD) 사건 발생당시 일본에 있었는데, 이것이 어려운 문제로 알고 있으며, 그 당시 지라드 의 출신지인 아틀란타 시티(ATLANTA CITY) 주민들의 지지를 받지 못하였음. 일본과 한국은 또 다르다고 생각함. 박의장은 완수할 과업이 많고 크다란 목표가 있으며 지금으로서는 전력을 다해서 그 목표를 달성하여야 할것임. 한미관계는 어디까지나 긴밀하다고 믿는데, 이 기본관계를 더욱 유지강화하여야 할것이 아닌가. 자기보기에는, 몇사람의 학생이 데모를 할것인데, 학생이 국가를 통치할 권한은 없으며, 학생이 데모를 하였다고해서 학생이 통치를 한다는 인상을 주어서는 아니될것임. 박의장을 앞으로도 적극 후원할것이지만, 이문제만큼은 반대하며, 멜로이 장군에게도 지시하고 있음.

정일권 대사 : 현정부가 있을때까지 보류하겠다면, 신정부가 들어섰을때는 하겠는가 ?

렘닛쩌 대장 : 이에 답변할 입장이 아니지만 자기견해로서는 구태여 할 필요가 없다고 생각함.

보통문서로 재분류(1966. 12. 31.)

1966, 12. 31. 에 예고문에 의거 일반문서로 재분류됨

0374

11

0375

별첨 : 1—4

면 담 기 록

1962. 6. 13. (수요일)

금일 오후 1 시부터 2 시 30 분까지 장상문 1 등 서기관과 오재희 3 등 서기관은 국무성 한국과장 맥드날드씨의 휴가중(1주일) 한국과장대리를 담당하고있는 정보조사국 한국담당 HULLEN 씨를 오찬에 초대하고, 한미 군대지위협정 교섭문제에 관하여 비공식으로 의견을 교환하였는바, 휴렌 씨는 본건에 관하여 오지 다음과 같은 비공식 견해를 표명하였음.

1. 예견할수있는 장래(FORESEEABLE FUTURE)에 문제를 해결할수 있을것으로 믿는 바이지만, 이는 압력을 느끼고 있는 현시기를 말하는것은 아니다.

2. 한국정부는 본건에 관하여 압력을 제거해 주었으면 좋겠다.

의 견 : 이상 휴렌씨의 비공식 견해로 보아, 미국정부는 교섭에 있어서 일종의 냉각기를 가지기를 바라며 현재와 같은 압박감이 제거된후에 한국정부와 문제 타결에 임할 의향을 가지고 있는것으로 관찰됨.

1966.12.31에 예고문에 의거 일반문서로 재분류됨

보통문서로 재분류(1966.12.31.)

미원 08-18

0377

별첨 : 1—5

면 담 기 록 (발췌)

1962. 6. 13(수요일).

금일 육군무관 안광호 준장이 국방성 한국과장 LYNN 대령을 방문하고 협의한 면담내용중, 한미 군대지위협정체결에 관한 부분의 발췌는 다음과 같음.

기

린 대령 : 오늘 아침 와싱톤 포스트지의 사설 내용은 대체로 미국정부의 노선을 반영하고 있는 것으로 생각됨(본건 사설 내용은 DW —0685 를 참조할것).

- - - - - - - - - - - - -

의 견 : 국방성만이 특별히 반대하는것 갈지는 아니함.

보통문서로 재분류(1966.12.31)

1966.12.31에 예고문에 의거 일반문서로 재분류됨

0378

13

미분 78-18

0379

별첨: 1— 6

면 담 기 록

1962. 6. 13 (수요일).

금일 오후 정일권대사는 국방성 INTERNATIONAL SECURITY AGENCY 차장 WILLIAM P. BUNDY 씨와의 면담에서 한미 간 군대지위협정 교섭에 관하여 아래와 같이 토의하였음.

기

정일권대사: 한국정부는 국민의 여론을 반영하여 이를 추진하기 위하여 수차 미국측과 협의하여 왔는 바, 최근 미국정부는 교섭 개시에 관하여 부대조건을 제안하였고 한국정부는 이에 대한 타협안을 제시하였는데, 들리는 말로는 국무성은 우리 입장에 이해적이고 협조적인데 반하여 국방성이 이를 반대하고 있다고 하며, 또한 대사자신도 그렇게 알고 있는데, 작일 ~~[illegible]~~ 렘닛쩌대장과의 토의에서도 그는 이를 강력히 반대하였지만, 한국정부의 입장으로서는 그러한 반대에도 불구하고 이문제를 해결하여야만 되겠다고 생각하는 바임. 한국정부가 군대지위협정문제를 해결하지 않을 수 없는 것은, 한국의 일반국민들은 작년에는 2차나 회담을 한것으로 알고 있으며, 따라서 혁명정부가 못하면 능력이 없어서 못하는 줄로 알 것이기 때문임. 학생데모가 있은 뒤 외무부장관이 미국과 이문제를 추진할 것을 국민에게 약속한 바 있으니, 국민여론을 대표해서 꼭 추진할 사명을 띄고 있음. 국방성에서도 이점을 이해하여, 상호 토의할 수 있는 부분부터 점차로 토의해서 협정을 체결하도록 교섭을 개시하는데 동의해 주기 바람 (대사는 한국정부의 타협안을 설명함).

번디 차장: 국방성이 특히 반대한다고 하는 보도는 유감이며, 믿을 만한 보도라고는 생각되지 아니함. 신문기자들이야 자기 원하는대로 무엇이든지 쓸 수 있는 것이니. 한국정부의 입장은 충분히 이해하고 있음.

보통문서로 재분류 (1966. 12. 31)

1966. 12. 31.에 예고문에 의거 일반문서로 재분류됨

0380

14

미북 78-18

0381

별첨: 1 — 7

면 담 기 록

1962. 6. 13 (수요일).

정일권대사는 금일 오후 3시 부터 3시 25분 까지 국무성으로 해리만 극동담당 국무차관보를 방문하고 현안 한미행정협정 체결 문제에 관하여 다음과 같이 토의함.

기

정일권 대사: 이미 귀하는 우리정부의 노력과 문제점을 충분히 알고 있을 줄로 알기 때문에 상세한 점은 말하지 않겠음.

우리는 학생 데모에 대하여 매우 큰 관심을 가졌는데 데모가 그 이상 확대되지 아니한 것은 주로 미국정부의 성의와 노력이 적극적으로 표시되었기 때문임.

버거대사가 제시한 미국 입장을 면밀히 고려하고 또한 문제를 처리하기 위하여 한국정부는 다음과 같은 점을 명백히 한 바 있음.

첫째, 교섭이 완료되드라도 내년의 민정 이양까지는 협정의 효력을 발생시키지 않도록 하고, 둘째, 상호간의 만족스러운 협정시행을 위하여 재판절차에 관한 특별법을 제정할 용의가 있음.

따라서 합의할 수 있는 문제를 발견하도록 상호간 편의한대로 조속히 교섭을 시작하여 협정 체결을 촉진시킬 것을 강조하는 바임.

우리 상호간의 이익을 위하여 한국정부의 제안에 따라 문제를 재고려 해주기 바람. 미국정부가 이문제에 대하여 성의를 표시하고 적극적인 조치를 취해 주지 않으면, 지난번 보다 더 큰 데모가 일어날런지 누가 알며, 그렇게 되면 문제해결이 더 어려울 뿐만 아니라 한미 우호관계에 큰 지장이 있을 것으로, 이를 사전에 방지하도록 좋은 방향으로 이끌어 가도록 하여야 할 것임.

또한 최근 미국 신문 기사는 현지 실정과 데모의 성격을 반영시키지 아니하였음을 강조하는 바임. 학생들의 슬로간에서도 이는 명백한 것이며, 한국국민에게는 반미감정은 없음.

이와 관련하여, 오늘 와싱톤 포스트 사설에서 한국정부가 데모를 조장하였다는 증표가 있는 듯이 말한 것은 유감이며, 이는 전혀 사실이 아님.

0382 ⟶

15

대운 78-18

0383

해리만 차관보: 군대지위협정은 비단 한국에만 국한된 문제가 아니고 미군이 현재 주둔하고 있는 여러국가에서 유사한 문제에 직면하고 있기 때문에 미국정부로서는 41 신중을 기하고 있으며, 또한 시간이 걸리는 일이지만, 조속한 해결을 위하여 최선을 다하겠음. 버거대사와 멜로이 장군으로 하여금 박의장과 이문제를 토의하도록 하였음.

학생 데모가 반미적이 아니라는 것은 잘 알고 있으나, 이와 같은 데모가 반미적이 아니라는 것을 미국 국회나 일반 국민이 납득하게 되어야 할 것임.

와싱톤 포스트지의 사설에 관하여는 나로서도 어디서 그런 정보가 나왔는지 의심스럽슴. 그러한 이야기가 계속되거나 확대되지 않도록 조치를 취해야 할 것임.

보통문서로 재분류(1966.12.31.)

1966.12.31.에 예고문에 의거 일반문서로 재분류됨

0384

16

0385

62면

대한민국 외무부

번호: DW-06153

일시: 221940

착신전보

수신인: 외무부장관 귀하

미주과	양 6월 22일 고재	담당	과장	국장	특별보좌관	차관	장관

9

군대지위 협정.

금 22 일 국무성대변인 화이트 씨는 정오 기자회견에서 한미군대지위 협정교섭에관한 기자들의 질문에대하여 ITEM ONE 과같이 답변하였는데 그 내용이 기자들을 혼돈 시키게되어 하오 4 시 55 분 국무성은 ITEM TWO 와같이 추가 발표를하였음을 보고함.

ITEM ONE: Q: THERE WAS A TICKER REPORT FROM SEOUL ATTRIBUTED TO KOREAN FOREIGN MINISTRY SOURCES SAYING THAT THE UNITED STATES AND KOREA WILL OPEN NEGOTIATIONS FOR AN AGREEMENT GIVING KOREA SOME CRIMINAL JURISDICTION OVER AMERICAN FORCES THERE AND POWER TO ENFORCE CUSTOMS REGULATIONS ON AMERICAN TROOP, AND ALSO A REPORT THAT THE UNITED STATES LAST WEEK PROPOSED THAT FORMAL SIGNING OF SUCH AN AGREEMENT TAKE PLACE AFTER AN ELECTED CONSTITUTIONAL GOVERNMENT IS RESTORED IN KOREA NEXT YEAR. DO YOU HAVE ANY COMMENT ON THIS AND, IF THE REPORT IS TRUE, WHEN WILL SUCH NEGOTIATION BE OPEN ?

A: I DON'T HAVE A PRECISE INFORMATION ON THIS. I KNOW THEY WILL BE TALKING ABOUT STATUS OF FORCES AGREEMENT. I AM NOT AT LIBERTY TO GO INTO DETAIL AS TO JUST WHAT THEY WILL TALKING ABOUT, WHAT TERMS, AND SO ON.

Q: DO YOU CONFIRM THIS REPORT TO BE TRUE ?

A: I HAVE HAD NOTHING FROM OUR EMRASSY ON THIS PARTICULAR REPORT.

수신시간: 1962 JUN 23 AM 9 30

외신과

1964년 9월 30일 미주과 직권으로 비밀로재분류

0386

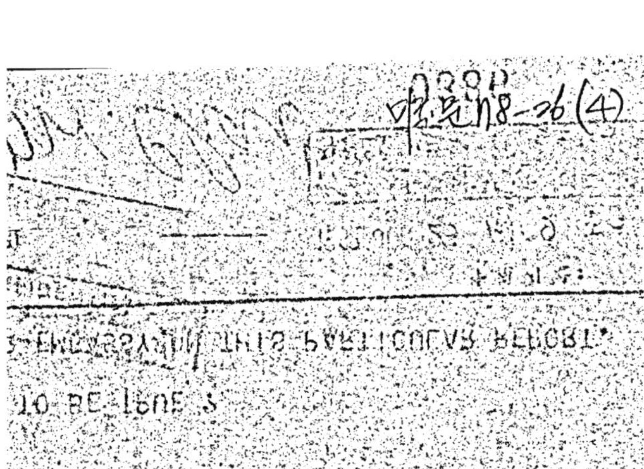

ITEM TWO

...KER REPORT FROM SEOUL ATTRIBUTED TO
...ES SAYING THAT THE UNITED STATES AND
FOR AN AGREEMENT GIVING KOREA SOME
...ERICAN FORCES THERE AND POWER TO
...N AMERICAN TROOP, AND ALSO A REPORT T...
...ROPOSED THAT FORMAL SIGNING OF SUCH
...AN ELECTED CONSTITUTIONAL GOVERNMENT
...R: DO YOU HAVE ANY COMMENT ON THIS AN...
...ILL SUCH NEGOTIATION BE OPEN ?
...ORMATION ON THIS. I KNOW THEY WILL BE
...S AGREEMENT. I AM NOT AT LIBERTY TO G...
...HEY WILL TALKING ABOUT, WHAT TERMS.

...TO BE TRUE ?

...EMBASSY IN THIS PARTICULAR REPORT.

0387

AS I SAID, I KNOW THEY WILL BE TALKING ABOUT A SOFA, BUT I AM NOT AT LIBERTY TO DISCUSS DETAILS OF THAT NEGOTIATION.

Q: HAVE THE TALK STARTED OR ABOUT TO START ?

A: I DON'T KNOW.

Q: IS THERE AN AGREEMENT TO DISCUSS THEM ?

A: PRESUMABLY YES.

Q: THERE IS AN AGREEMENT TO RESUME NEGOTIATIONS ON A SOFA ? IS THIS WHAT YOU ARE SAYING ?

A: I THINK THERE IS THE INITIAL NEGOTIATION. IT IS NOT A RESUMPTION OF NEGOTIATION. TALKS WERE BROKE OFF AT THE END OF CHANG MYUN GOVERNMENT. I AM SORRY, YOU ARE CORRECT. SO IT IS A RESUMPTION.

Q: IN OTHER WORDS, THE UNITED STATES AND KOREA NOW AGREED TO RESUME NEGOTIATIONS ON STATUS OF FORCES ?

A: THAT'S CORRECT.

Q: THE TICKER STORY SAID THEY WILL NEGOTIATE AND SIGNING OF TREATY WILL BE AFTER THE CIVILIAN GOVERNMENT IS RESTORED.

A: THIS IS WHAT I SAY, GENTLEMENT, I AM NOT AT LIBERTY TO DISCUSS DETAILS OF WHAT WILL BE PUT UP BY EITHER SIDE IN THESE NEGOTIATIONS.

ITEM TWO: I AM AFRAID WE WERE PREMATURE AT NOON TODAY IN INDICATING THAT ACTUAL TALKS ARE UNDER WAY IN SEOUL ON A STATUS OF FORCES AGREEMENT. THIS MAY WELL BE THE SITUATION TOMORROW, BUT I JUST WANT TO MAKE ABSOLUTELY CLEAR WHAT THE SITUATION IS AS OF THIS AFTERNOON. THE PRESENT DISCUSSIONS IN SEOUL ARE PRELIMINARY TALKS LOOKING TO ESTABLISHMENT OF A BASIS FOR THE RESUMPTION OF NEGOTIATIONS ON A

외 신 과

0388

FOR THE RESUMPTION OF NEGOTIATIONS ON A

IN SEOUL ARE PRELIMINARY TALKS LOOKING TO

WHAT THE SITUATION IS AS OF THIS AFTERNOON

BE THE SITUATION TOMORROW, BUT I JUST WANT

DER WAY IN SEOUL ON A STATUS OF FORCES

WERE PREMATURE AT NOON TODAY IN INDICATING

PUT UP BY EITHER SIDE IN THESE NEGOTIATIONS

ENTLEMENT, I AM NOT AT LIBERTY TO DISCUSS

AN GOVERNMENT IS RESTORED.

THEY WILL NEGOTIATE AND SIGNING OF TREATY

F FORCES ?

NITED STATES AND KOREA NOW AGREED TO RESUME

YOU ARE CORRECT. SO IT IS A RESUMPTION.

ERE BROKE OFF AT THE END OF CHANG MYON

INITIAL NEGOTIATION. IT IS NOT A RESUMPTION

KING ?

TO RESUME NEGOTIATIONS ON A SOFA ?

TO DISCUSS THEM ?

OR ABOUT TO START ?

ETAILS OF THAT NEGOTIATION.

WILL BE TALKING ABOUT A SOFA, BUT I AM NOT

0389

계 속 — 3 —

STATUS OF FORCES AGREEMENT. WE HAVE AS YET RECEIVED NO COMMUNICATION FROM OUR EMBASSY IN SEOUL THAT THERE HAS BEEN AGREEMENT TO RESUME THESE NEGOTIATIONS.

주 미 대 사

보통문서로 재분류 (1966. 12. 31.)

1966.12.31.에 예고문에 의거 일반문서로 재분류됨

외 신 과

0390

0391

대한민국 외무부

번 호: DW-06154

일 시: 222000

착신전보

수신인: 외무부 장관 귀하

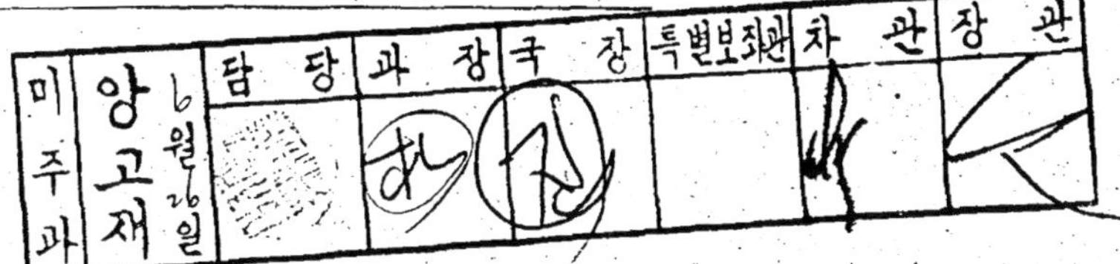

군대지위협정

연: DW-06153

1. 작 21일의 와싱톤발 유.피.아이 보도 및 금 22일자 서울발 로이타 보도에 입각하여 금일 정오국무성 기자회견에서 본건 교섭에 관하여 동화 통신사 이은우 기자가 먼저 질문하고 뒤이어 에이.피 스펜서 데이비스 기자가 질문하였는바, 화이트 대변인의 답변내용이 연호전문 제 1항 과같이 애매하여 에이.피 통신은 양국이 교섭개시에 합의하였다고 보도하게되였으며, 국무성 공보당국은 이를 해명하기 위하여 오후 연호전문 제 2와 같이 발표하고 현재 예비교섭이 진행중이라고 말하였음. 금일 국무성의 기자회견 내용은 우연적인것이며 특별한 의도가 내포된것같지는 않이함.

2. 국무성 한국과 당국은 금일의 기자회견 내용에 관하여 오후 6시현재 알지못하고 있다함.

3. DW-0674 이후의 상황에 관하여 알려주시기바람.

1966, 12.31에 예고문에 의거 일반문서로 재분류됨

주미대사

보통문서로 재분류(1966.12.31.)

~~예고: 일반문서로 재분류 (협정체결후)~~

수신시간:

정무, 정보

외신과

1964년 9월 30일 미주과 직권으로 파급비밀로 분류

0392

대한민국 외무부

11급 비밀

번 호: WD-06121
일 시: 261550

발신전보

수신인: 주미대사

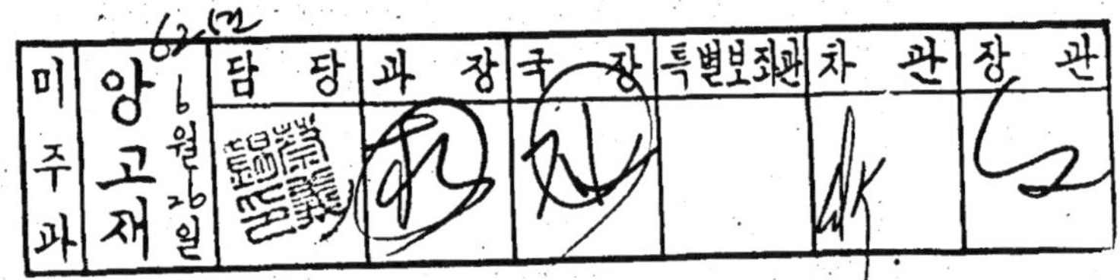

한미 행정협정 체결교섭

(연: WD-0674
대: DW-06154)

1. 연호 전문으로 알린 6월 15일자 미국측 Aide Memoire 내용은 접하였을 것으로 사료함.

2. 동 Aide Memoire 에대한 우리측의 ~~잠정적~~ 회답 Aide Memoire 안 (아직 수교치 않고 있음)은 미국측이 기우하고 있는 정상적 일반법원의 기능 및 법절차의 수립조건에 관하여는 "미국이 행정협정을 맺고 있는 다른 나라들의 법원의 기능 및 법절차의 수준을 체결의 조건으로 양해한다"는 내용으로 되어 있는바 그간의 교섭경위로 보아 미국측이 수락하는데 별 곤란이 없을것으로 전망되고 있음.

3. 6월 15일자 미국측 Aide Memoire 와 함께 버-거 대사가 우리측에 제시한 미국측 공동성명서안은 다음과 같음:

JOINT ROK-US PRESS STATEMENT

RESUMPTION OF NEGOTIATIONS OF STATUS OF FORCES AGREEMENT

THE AMERICAN AMBASSADOR HAS INFORMED THE MINISTER OF FOREIGN AFFAIRS THAT THE UNITED STATES GOVERNMENT IS PREPARED TO REOPEN NEGOTIATIONS FOR AN AGREEMENT COVERING THE STATUS OF THE UNITED STATES ARMED FORCES IN THE REPUBLIC OF KOREA. THE FOREIGN MINISTER WELCOMED THIS DEVELOPMENT ON BEHALF OF HIS GOVERNMENT.

통제관		자체 통제		기안처	
결재					

타자 . 판치	검	근무자	국장

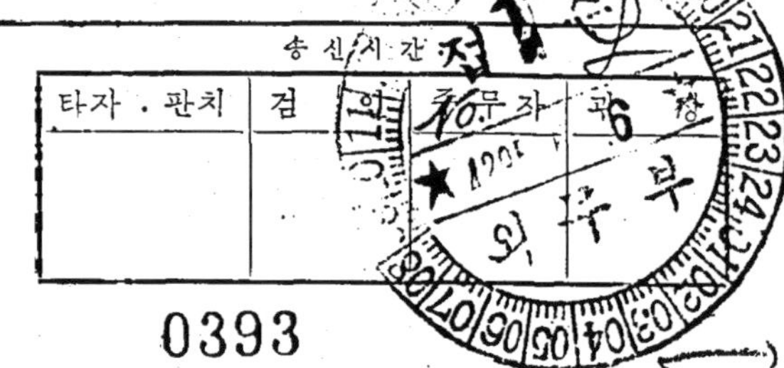

1964년 9월 30일 미주과 일반문서로 재분류

보안불필요 □

0393

0394

대한민국 외무부

번 호:

일 시:

발신전보

종 별

수 신 인:

BOTH SIDES AGREED THAT NEGOTIATIONS WOULD RESUME AT THE WORKING LEVEL SOMETIME IN JULY. IT IS RECOGNIZED THAT ANY STATUS OF FORCES AGREEMENT INVOLVES COMPLEX MATTERS AND IT IS EXPECTED THAT NEGOTIATIONS WILL REQUIRE A CONSIDERABLE PERIOD OF TIME. IN ANY EVENT, IT IS RECOGNIZED THAT, IN VIEW OF THE FORTHCOMING CONSTITUTIONAL CHANGES IN KOREA, IT WILL NOT BE POSSIBLE TO CONCLUDE A STATUS OF FORCES AGREEMENT UNTIL AFTER NORMAL CONSTITUTIONAL AND LEGAL PROCEDURES HAVE BEEN ESTABLISHED. 있어서 특히 "In any event..." 以下의 최종구절의 어구에 대하여

4. 전기한 미국측 공동성명서안에 우리측은 그동안 우리측 대안을 수차 교섭하여온바 있으며 6월25일에는 다음과 같은 대안을 제시하고 수락할것을 교섭하였는바 미대사관측은 본국정부에 보고, 청훈하겠다고 함.

..... ACCORDINGLY, IN VIEW OF THE FORTHCOMING CONSTITUTIONAL CHANGES IN KOREA, IT IS POSSIBLE THAT THE CONCLUSION OF A STATUS OF FORCES AGREEMENT CAN TAKE PLACE AFTER CIVIL GOVERNMENT IS RESTORED.

5. 상기 우리측 대안에 대하여 미국무성측과 지체없이 교섭하여 미국정부가 수락하도록 노력하시고 그 결과를 보고 하기 바람. (정,미) 끝

보통문서로 재분류(1966.12.31)

~~일반문서로 재분류(협정 체결후)~~

1966.12.31.에 예고문에 의거 일반문서로 재분류됨

송신시간:

통 제 관		자 체 통 제		기안처	
결 재					

타자.판치	검 인	주무자	과 장

필 요 ☐ 보안불필요 ☐

0395

마문 118-19

0396

0397

대한민국 외무부

번 호: DW-06181

일 시: 271930

착신전보

수신인: 외무부 장관 귀하

군대지위협정

대: WD -06121

대호전문훈령에 의거하여 금 27일 김참사관이 국무성 한국과장과 접촉한 결과를 다음과같이 보고함.

1. 국무성은 외무부의 공동성명 수정안에 관하여 버거대사로부터 25일 보고 받았으며 즉일로 미국대사관에 훈령하였다함.

2. 동훈령에서 국무성은 미국측의 기본조건(ESSENTIAL CONDITIONS) 이 공동성명서에서 반영(REFLECT, INDICATE) 된것을 조건으로 본건을 서울에서 해결한것을 버거대사에게 위임하였다고함.

3. 전기 기본 조건에 관하여는 이미 미국대사관이 외무부에 설명하였을것이라고 한국과장은 말하면서 전기 버거대사에 대한 훈령이후 국무성의 입장에 변동이 없음을 시사함.

4. 한국과장은, 이미 쌍방의 의견이 거의 접근하여 앞으로 수일내로 합의를 볼 것으로 생각된다고 말함.

167
주미대사

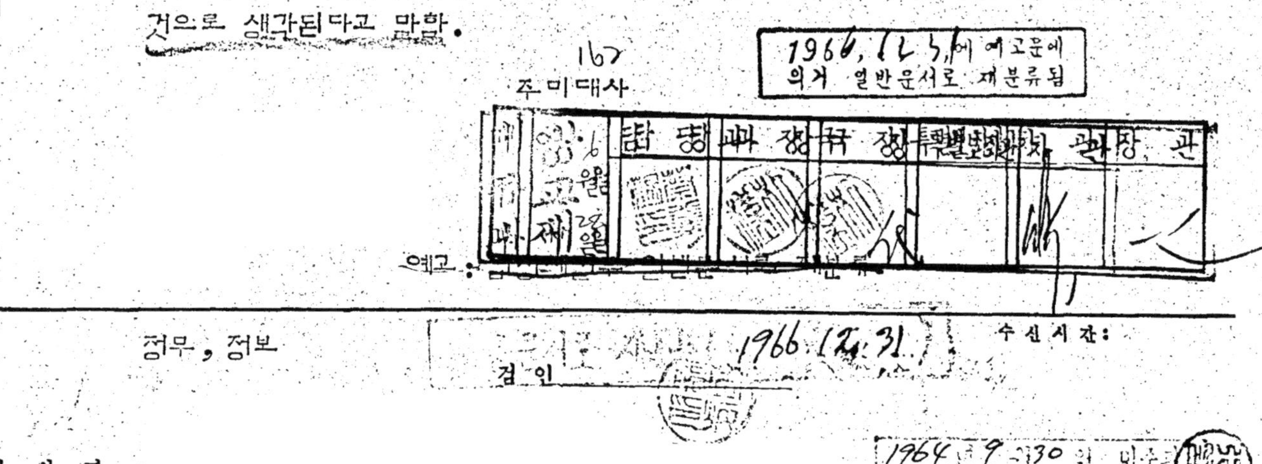

정무, 정보

1966.12.31.

검인

수신시간:

1964년 9월 30일 미주국장 직권으로 III급비밀로 재분류

외신과

0398

대한민국 외무부

착신전보

번 호: DW-06182

일 시: 271930

수신인: 외무부 장관 귀하

군대지위협정

대: WD -06121

미국측 조건중의 하나인 법원기능 및 법절차문제에 관하여 당대사관의 견해를 다음과 같이 보고함.

1. 버거대사 6. 15 AIDE MEMOIRE 내용에 입각하면, 미국측은 미국과 군대지위협정을 체결한 국가는 북대서양 조약기구 당사국과 일본만을 의미한다는 점을 강하게 시사한것으로 사료됨.

2. 대호전문 제 2 항중 우리측 회답 AIDE MEMOIRE 안내용대로하는 경우에는, " 행정협정" 이 전술한바와같은 군대지위협정을 의미한다면, 우리측의 대안은 실질적으로 미국측입장과 차이없는것으로 사료됨.

3. 따라서, 대호전문 제 2 항대로 하드라도, 주미대 6 - 905 호 별지보고 제 2 항 (가) 의 미국입장에 접근하는것 밖에 되지않는것으로 사료됨.

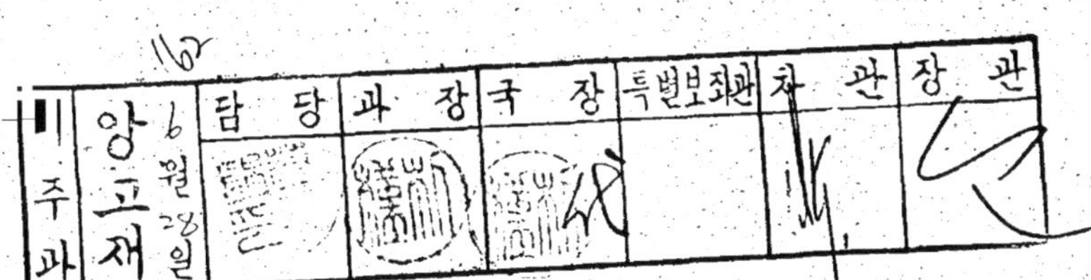

미주과	양 6월 28일 고재	담 당	과 장	국 장	특별보좌관	차 관	장 관

주미대사

1966. 12. 31. 에 예고문에 의거 일반문서로 재분류됨

~~예고 : 협정체결후 일반문서로 재분류~~

보통문서로 재분류 (1966. 12. 31.)

정무, 정보

수신시간:

1964년 9월 30일 미주국 직권으로 Ⅲ급비밀로 재분류

외신과

제목 : 외무차관과 "마지스트레티" 부대사와의 비공식 회합

장소 : 조선호텔

1962.6.25일 오후

시일 : 4시 ―4시 45분까지

참석자 : 외무부차관, 정무국장, 미주과장

"마지스트레티"부대사, "하비브"참사관

회담내용 요약:

1. 공동성명서 어구문제

가. 공동성명서 안에 있어서의 최종구절의 어구수정 문제에 관하여 (하비브참사관 이 제의한것)

외무부차관은 지난 21일 장관과 버-거대사의 비공식회담에서 토의된 안 ~~있어서 미측이 제시한 해협은~~ " It is recognized that in view of the forthcoming constitutional changes in Korea the conclusion of a status of forces agreement can take place only after civil government is restored."

는 only 라는 용어를 포함하고있기 때문에 우리정부로서 받아드리기 곤란한것이라고 말하고 현재 출장중인 장관이 출장에 떠나면서 미측과 다시한번 비공식적으로 접촉하여 쌍방이 수락할수있는 다른 무슨 새로운 어구를 모색하여 보라고 지시하였다고 말하였음.

나. 그리고 우리측에서 아래와같은 대안을 제시하였음.

"Accordingly, in view of the forthcoming constitutional changes in Korea, it is possible that the conclusion of a status of forces agreement ~~can~~ will take place after civil government is restored".

다. 여기에대하여 "매지스트레티"부대사는 본 구절문제에대한 본국정부로부터의 훈령은 아주 엄격하여 현지대사관이 별로 신축성을 갖이고 있지못하다고 말하면서 이미 이문제를 갖이고 몇번 논의한바가 있으니 오늘은 아지리에서 길게 재론할것없이 ~~한국측의~~ 이 안 ~~이 안으로~~ ~~새로운 대안을~~ 본국정부에 보고하여 청훈하겠다고 말하였음.

이어 그는 청훈에대한 회답은 2,3일이 걸릴것이라고 첨언하였음.

으로 하면 외무부가 받을것같다는 주를부쳐

0393

0400

타. 차관은 우리측에서도 차관이 제시한 새로운 대안을 상부에 보고 하여 거기에대한 청훈을 요청하겠다고 말함.

2. 한일관계에 대한 최근 일본측 태도에관한 신문보도

가. 정무국장은 최근 일본신문 "일본경제"에 게재되었다고 하는 한일회담에 관한 일본정부의 방침이라고 하여

(1) 청구권, 어업문제, 교포의 법적지위에 관해서는 개별적 협정을 체결하고

(2) 국교정상화와 대사관 교환설치는 교환문서로서 하고

(3) 국교정상화에 관한 기본조약은 체결하지 않는다는 원칙을 일본정부가 결정하였다는 보도에대하여 미국대사관이 들은바 있는가를 문의하는 동시, 차관과 정무국장은 만일 일본정부가 이러한 방침을 세운것이 사실이라면 한일문제는 매우 중대한 난관에 부닥칠것이며, 청구권 문제같은 것은 이러한 일본측의 기본방침에 비하면 극히 사소한문제라고 강조하면서 일본정부의 저의가 어디있는지는 모르나 우선 하나의 "아드 바룬"을 올려본것인지도 모른다고 말하였음.

나. 여기에대하여 "하비브" 참사관은 그러한 보고를 들은바 없다고 말하면서 그것이 권위있는 소식통에서 나온것인지, 아닌지는 모르나 만일에 사실이라면 서울 미국대사관도 동경 미국대사관을 통하여 무슨 보고를 들을것을 기대한다고 말하면서 만일에 그런것이 있을시에는 외무부와 접촉하여 알려주겠다고 말하였음.

1964년 9월 30일 [illegible] 지권으로 예고문 [illegible]

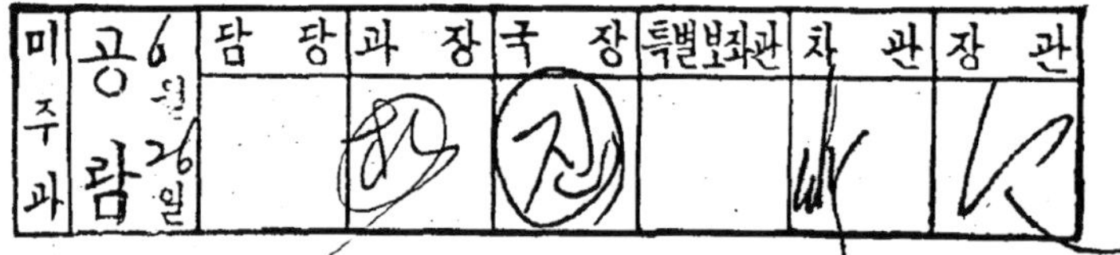

미주과	공람 6월 26일	담당	과장	국장	특별보좌관	차관	장관
			[signature]	[signature]		[signature]	[signature]

보통문서로 재분류(1966.12.31)

1966. . . 에 예고문에 의거 일반문서로 재분류됨

0401

0402

공동성명서안에 관한 한미양측의 입장과 교섭경위

1. 미측의 원안에서의 문제점 — 최종구절

"한국과 한국의 불원간 있을 헌법변경을 추정하여 정상적인 헌법과 법적절차가 수립될때까지는 군인 지위협정의 체결이 불가능한것임을 인식하는 바이다"

2. 우리의 입장

가. 우리측은 미측의 이 원안에 있어서 특히 "정상적 헌법 절차의 수립" 운운한 구절을 그대로 받아들인다면

첫째, 민정복귀후에도 그때의 헌법절차가 미측에서 말하는 정상적 인것이냐 아니냐 하는 문제를 미국측이 야기 시킬수 있을것임.

둘째, 따라서 민정복귀후 에 체결(발효)하여도 좋다고한 우리측은 1 입장과 반드시 동일한것이 아님.

셋째, 우리측은 이제까지의 교섭경위에 있어서 미측에 민정 복귀후에 발효하여도 좋다고는 하였으나 한번도 정상적 헌법 및 법적절차 수립이후라는 언질을 준 적은 없으므로 이것을 그대로 받아들인다면 이 공동성명으로 인하여 우리측은 미측에 새로운 언질을 주는것임.

나. 따라서 우리측은 다음과 같은 입장을 취하였음.

첫째, 미측 원안에서 문제가 되는 최종구절을 전부 삭제할것을 미측에 제의하고 미측의원안에서 동구절을 삭제한 우리측의 제1차 수정안을 수락하도록 교섭하였음. 미측은 이것을 수락하기 곤란한것이라고 하여 거절하였음.

둘째, 따라서 우리측은 제2차수정안을 미측에 제시하고 그수정안에서는 "정상적 헌법 및 법적 절차" 운운 한구절 대신 "그러므로 협정의 체결은 아마도 1963년의 민정복귀후에 실현될것으로 추정한다" 라는 구절로 대치할것을 제안함. 미측은 이 안도 자기들의 생각하고 있는것과 거리가 멀다고 하여 거절하였음.

셋째, 이 외에도 우리측은 이와 대동소이한 몇가지 대안을 미측에 제시하였으나 역시 미측은 수락하기를 거부하였음.

0403

넷째, 그러나 미측은 외무부 장관이 미측의 원안에 대하여 그 마즈막 구절의 표현이 긍정적으로 끝나지 못하고 부정적으로 즉 " .... 까지는 체결이 불가능함을 인식하는 바이다" 라고 한 미측안의 부정적 표현방식을 긍정적 방식으로 바꾸어 "... 후에 체결이 가능한것을 인식하는 바이다" 와 같은 식으로 표현을 할것을 제의한바 미국측은 건설적이고 이해할수 있는 제안이라고 하여 수락하였음.

3. 우리측의 입장과 미국측 입장의 차이점

(1) 우리측은 미측 공동성명서안의 마즈막 구절을 삭제할것을 원하고 있는데 대하여

(2) 미측은 그렇게 하는것은 불가능하다는 점을 명백히 하는 동시 만일에 공동성명서에서 삭제로 하는경우에는 미측은 따로 기자회견을 열어서 외무부장관과 미국 대사는 공동성명서에서는 빠졌으나 여사 여사한 점에 합의를 하고 있다는것을 내외에 천명하여야할것이라고 함.

(3) 우리측은 "정상적 헌법 및 법적절차의 수립" 까지라는 미측안의 구절을 받아들일수 없다는것은 명백히 하고 만일에 반듯이 공동서명서에 체결시기에 관한 언급이 있어야한다면 "민정복귀후"라는 구절로서 미측의 구절을 대치하는것만이 받아들일수 있는 최대양보선인데 대하여

(4) 미측은 명확한 언질을 주지않고 다만 와싱톤 국무성의 청훈을 해보아야 대답할수 있는사항이라고 하였음.

(5) 우리측의 판단으로서는 교섭여하에 따라 미측이 받아들일 가능성이 아직도 있는것으로 보고 있음. 다만 "민정복귀후에 만 가능하다" 는 구절에서 "만"을 뺄수 없다는것을 미국측은 명백히 하고 있음.

(6) 따라서 우리측은 새로히 아래와 같은 수정대안을 제시할수 있을것임.

"불원간 있을 한국의 헌법개정에 감하여 군대지위협정의 체결은 민정이 복귀된후에만 실현될수 있다는것을 인정하는 바이다"

(7) 미국측은 현재까지 그들의 원안에서 실질적인 양보는 하지않고있으며 그들의 원안을 수정하여 부정적표현을 긍정적으로 바꾸어 놓은 아래와 같은 구절을 고집하고 있음.

0404

"앞으로 있을 한국의 헌법개정에 관하여 정상적 헌법 및 법적 절차가 수립된 후에만 군대지위협정의 체결이 가능하다는것을 또한 인식하는바이다"

(8) 우리측은 물론 이안을 받아들일수없다는 점을 명백히 하였음.

건 의

1. 체결시기에 관하여 민정복귀후에라도 좋다고 한 우리측의 언질은 이미 미측에 주어져 있으며 문제는 이 사실을 공동성명서에서 공개하느냐 안하느냐 하는 점에 있는바

첫째, 공개를 안할경우에는 미측에서 별도로 그 사실을 공개하겠다고 하며

둘째, 만일에 미측의 그러한 별도 단독 공개를 교섭하여 단념시키게 되었다고 가정하더라도 이 사실은 불원간 비공식적으로 누설될 가능성이 있으며 그때는 국민에게 혁명정부가 미측과 무슨 "비밀협정"이나 맺고 있는듯한 흑막적 인상을 줄 우려가 있음.

세째, 또한 행정협정 체결교섭은 의례히상당한 시일을 요하며 따라서 현실적으로 체결은 내년에 있을 민정복귀후에 가서 실현될수 있는 실정임.

네째, 미국정부는 미국민이나 국회에 대하여 미국군인을 비정상적인 법질서하에서 재판을 받지 않도록 할것이라는것을 확언하여줄 불가피한 입장에 서있음.

2. 따라서 우리측은 전술한 새로운 수정대안을 미측에 수락토록 교섭할것임.

0405

제이 韓美共同新聞聲明 62.6.29

駐屯軍地位 交涉 協定再開

駐韓美國大使는 美國政府가 駐韓美軍地位協定에 關한 交涉을 再開할 用意가 있음을 外務部長官에게 通報하였다. 外務部長官은 韓國政府를 代表하여 이 提議를 歡迎하였다.

兩國政府는 交涉을 七月中에 實務者間에 再開할것을 合意하였다. 어떠한 駐屯軍地位協定도 複雜한 問題를 包含하고 있다는것을 認定하면서, 交涉은 相當한 時日을 要할것을 豫測하는 바이다.

따라서 韓國에 不遠間 있을 憲法改正에 鑑하여, 駐屯軍地位協定의 締結은 民政移譲 司法部의 樹立을 기다려 이루어질것이라는 것이라는 것을 認定하는 바이다.

(諒解)

新憲法의 施行되는 때를

가 오기 전

0407

0408

JOINT ROK-US PRESS STATEMENT

Resumption of Negotiations of Status of Forces Agreement

The American Ambassador has informed the Minister of Foreign Affairs that the United States Government is prepared to reopen negotiations for an agreement covering the status of the United States Armed Forces in the Republic of Korea. The Foreign Minister welcomed this development on behalf of his government.

Both sides agreed that negotiations would resume at the working level sometime in July. It is recognized that any status of forces agreement involves complex matters and it is expected that negotiations will require a considerable period of time. It is recognized that in view of the forthcoming constitutional changes in Korea the conclusion of a status of forces agreement can take place only after civil government is restored.

韓美共同 新聞聲明

美軍隊地位協定 交涉再開

駐韓美大使는 美國政府가 駐韓美軍隊地位協定에 關한 交涉을 再開할 用意가 있음을 外務部長官에게 通報하였다. 外務部長官은 韓國政府를 代表하여 이 提議를 歡迎하였다.

兩國政府는 交涉을 七月中에 實務者間에 再開할것을 合意하였다. 어떠한 軍隊地位協定도 複雜한 內容을 包含한다는 事實에 비추어 交涉이 相當한 時日을 要할 것으로 期待된다. 不遠間 있을 韓國의 憲法改正에 鑑하여 軍隊地位協定의 締結은 民政이 復歸된 后에만 實現될수 있다는것을 認定하는 바이다.

JOINT ROK-US PRESS STATEMENT

Resumption of Negotiations of Status of Forces Agreement.

The American Ambassador has informed the Minister of Foreign Affairs that the United States Government is prepared to reopen negotiations for an agreement covering the status of the United States Armed Forces in the Republic of Korea. The Foreign Minister welcomed this development on behalf of his government.

Both sides agreed that negotiations would resume at the working level sometime in July. It is recognized that any status of forces agreement involves complex matters and it is expected that negotiations will require a cosiderable period of time. (It is, therefore, presumed that the conclusion of the agreement would probably be effected after the restoration of civil government in 1963.)

0409

JOINT ROK-US PRESS STATEMENT

Resumption of Negotiations of Status of Forces Agreement

....

....

....

....

....

....

....

....

....

....

.... It is recognized that in view of the forthcoming constitutional changes in Korea the conclusion of a status of forces agreement can take place only after civil government is restored.

0410

JOINT ROK-US PRESS STATEMENT

Resumption of Negotiations of Status of Forces Agreement

The American Ambassador has informed the Minister of Foreign Affairs that the United States Government is prepared to reopen negotiations for an agreement covering the status of the United States Armed Forces in the Republic of Korea. The Foreign Minister welcomed this development on behalf of his government.

Both sides agreed that negotiations would resume at the working level sometime in July. It is recognized that any status of forces agreement involves complex matters and it is expected that negotiations will require a considerable period of time. (In any event, it is recognized that, in view of the forthcoming constitutional changes in Korea, it will not be possible to conclude a status of forces agreement until after normal constitutional and legal procedures have been established.)

0411

JOINT ROK-US PRESS STATEMENT

Resumption of Negotiations of Status of Forces Agreement

....

....

....

....

....

....

....

....

....

.... Accordingly, it is probable, in view of the forthcoming constitutional changes in the Republic of Korea, that the effectuation of a status of forces agreement will not take place before the establishment of normal constitutional and legal procedures.

0412

Accordingly, it is recognized that in view of the forthcoming constitutional changes in Korea, the conclusion of a Status of Forces Agreement will await the establishment of civil government and normal judicial procedures.

따라서, 韓國의 不遠間 있을 憲法改定에 鑑하여 駐屯軍地位協定의 締結은 民間政府와 正常的 司法節次의 樹立을 기다려 이루어질 것이라는 것을 認定하는 바이다.

(6. 27. 오후 3:30 라운 대 매지스트레티 부대사와의 비공식 회합에서 매지스트레티 부대사가 제시한 미측 대안)

0413

0414

외무부차관과 매카나기 부대사와의

비공식 회합

장 소 : 외무부차관실

시 일 : 1962년 6월 27일 오후 3시 30분부터 4시까지

참석자 : 외무부차관, 정무국장, 미주과장

매카나기 부대사, 하비브 참사관

회담내용 요약:

1. 공동성명서 어구문제:

가. 지난 6월 25일의 비공식 회합석상에서 우리측이 제시한 대안

"Accordingly, in view of the forthcoming constitutional changes in Korea, it is possible that the conclusion of a status of forces agreement ~~can~~ will take place after civil government is restored"

에 대하여 매카나기 부대사는 본국정부로부터 허가받은 안이라고 하면서 아래와 같은 수정안을 제시하여 왔음.

"Accordingly, it is recognized that in view of the forthcoming constitutional changes in Korea, the conclusion of a Status of Forces Agreement will await the establishment of civil government and normal judicial procedures."

보통문서로 재분류(1966.12.31.)

1966.12.31.에 예고문에 의거 일반문서로 재분류됨

나. 여기에 대하여 외무부차관은 우리측에서 검토하여 본다음 연락하겠다고 말하였음.

1964년 9월 30일 미주과 직권으로 예고문 으로 재분류

미주과	공람	담당	과장	국장	특별보좌관	차관	장관

外務 79-12(4)

0415

62. 6/28

최종어구에 관한 교섭경위

1. 미국측은 1962년 6월 15일자로 공동성명를 제출하였는데 동 공동성명의 최종구절은 다음과같다.

"In any event, it is recognized that in view of the forthcoming constitutional changes in Korea, it will not be possible to conclude a status of forces agreement until after normal constitutional and legal procedures have been established."

2. 한국측은 전술 최종구절을 삭제할것을 미측에 요구하였으나 미국측은 한국측 요구를 거절하였다.

3. 이에 한국측은 전술 최종구절 대신에 다음과 같은 구절을 대치할것을 제의하였다.

"It is, therefore, presumed that the conclusion of the agreement would probably be effected after the restoration of civil government in 1963."

4. 미국측은 전기 한국측 대안을 거절하고 다음과같은 구절을 재차 제의하였다.

"It is recognized that it will not be possible to conclude a status of forces agreement until after normal constitutional and legal procedures have been established."

5. 전기 미국측 재재의 안을 한국측이 거절하자 미국측은 다시 다음과 같은 구절의 대치를 제의하였다.

"It is recognized that in view of the forthcoming constitutional changes in Korea the conclusion of a status of forces agreement can take place only after civil government is restored." 62-6-28

0416

62-4-11

6. 한국측은 전기미국측안을 거절하는 동시에 다시 다음과 같은 안을 제의하였다.

"Accordingly, in view of the forthcoming constitutional changes in Korea, it is possible that the conclusion of a status of forces agreement can take place after civil government is restored."

7. 미국측은 전기 한국측 제의를 거절하는 동시에 6. 27일 다음과 같은 안을 제의하였다.

"Accordingly, it is recognized that in view of the forthcoming constitutional changes in Korea, the conclusion of a Status of Forces Agreement will await the establishment of civil government and normal judicial procedures."

62-4-46

보통문서로 재분류(1966. 12. 31.)

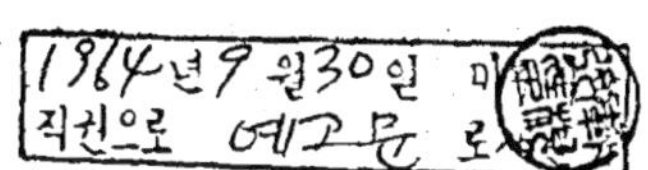

1966, 12, 31, 에 예고문에 의거 일반문서로 재분류됨

0418

62-4-15 미기분 729-11(2)

0419

외무부차관과 매지스트레티 부대사와의

통화 내용

1. 1962. 6. 29. 1530시 외무부차관은 매지스트레티 부대사를 전화로 불러 공동성명서 안의 최종구절을 다음과같이 제의함.

"Accordingly, it is understood that in view of the forthcoming constitutional changes in Korea, the conclusion of a Status of Forces Agreement will await the establishment of civil government."

2. 동일 1545시 매지스트레티 부대사는 전화로 외무부차관에게 상기안을 버-거대사와 상의하였다고 말하고, 본국정부의 훈령이 "민간정부와 정상적인 사법절차"(civil government and normal judicial procedures) 라는 두어구는 필히 삽입토록 하라는 것이니, 외무차관이 제의한 "정상적 사법절차" 구절의 삭제는 받아드릴수 없으며 다만, "안정한대"를 "양해한대"라는 용어로 대치하는것은 받아드릴수 있다고 전하여왔음. 따라서 미국측 제안은 다음과 같음.

"Accordingly, it is understood that in view of the forthcoming constitutional changes in Korea, the conclusion of a Status of Forces Agreement will await the establishment of civil government and normal judicial procedures."

9

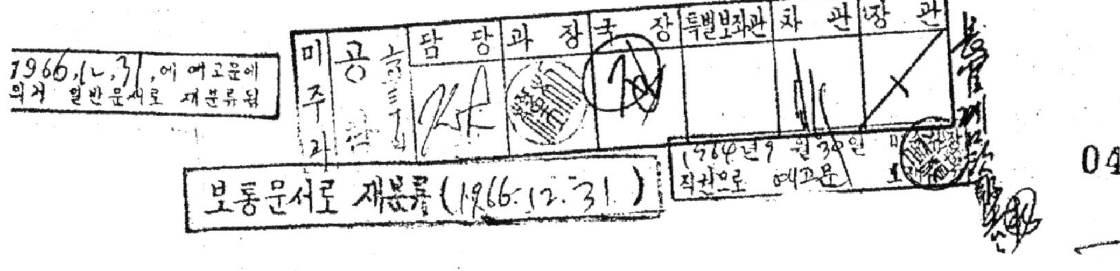

0420

0421

Jw. LKH.

1962. 6. 30.

受信: 長官 貴下

報告者: 情報局長代理

書記官 李漢凰

一. 韓美行政協定에 대한 Joint Communique

出処: 中央情報部 第2局 第2課長
中央情報部 次長

時日: 1962. 6. 29~30

参考: 中央情報部 第2局 第2課에서 前般 高大学生 데모 事件을 募始한 学生데모 事件에 対한 情勢判断을 主管한 機関임.

諜報: 1. 中央情報部長께서는 中央情報部次長에게 恒常 美國側이 韓美行政協定 締結問題와 軍事政府의 民間移讓과 結付시키는데 매우 不満을 表示하고 어데까지나 韓美行政協定締結 問題와 韓國 軍事政府의 民政移讓이라는

1964년 9월 30일 미주과장
직권으로 비밀 해제 로 재분류

0422

0423

반드시 合議시켜서 行하여져야 한다고 力說하고 있다함. 特히 이러한 것은 現韓國政府가 美國의 信望을 갖지 못하고 있다는 것을 國民에게 誤解 받기 쉽다는 點이라함

2. 따라서 中央情報部次長 및 第2課長은 Joint Communique 에 對하여 中央情報部長의 意思는 既知의 事實이라는것이며 即 民政移讓后에 締結되리라는 語句는 全然 不滿일 것이라 함

(外務部 第一課長은 이에對하여 外務部長官任께서도 同感이시라는것을 再言必要도 없으나 外交交涉에 있어서는 相對方國家의 Essential Condition 이라는 것이 있는것이며 外務部로서도 最善을 다한 것임을 說明하였음 또한 이 論議하고 있는 것이 最終은 아니며 無稿을 받기 爲한 것임을 再確認시켰음)

3. 既히 通信 및 新聞誌上에 韓美行政協定이 民政移讓后에 締結될것이라는 것이 非公式으로 發表된 以上 새로운 또는 놀랄만한 事實이 아니기 때문에 이렇다할 國民의 反響은 없지 않을가 하는것이 中情의 判斷임

1966.12.31,에 예고문에 의거 일반문서로 재분류됨

보통문서로 재분류(1966.12.31)

長官任께서 直接 中央情報部長과 議長께 具体的인 說明을 하실것을 建議합니다.

新聞記者會見案

問 1. 今般 共同聲明書 發表까지 美國側과 여러차례 公式 非公式 交涉을 展開하여 왔다고 들었는데 그 問題点은 무엇이었는가?

答: 共同聲明書案에 對하여 兩國間에 些少한 語句上 및 表現上의 意見差異가 있었다. 元來 共同聲明은 主로 兩國國民에 對한 것이니 만큼 韓美兩國政府가 各々 自己 國民을 爲하여 더 좋은 表現方式을 願하는것은 自然스러운 現象이며 따라서 相互間에 用語選択問題 및 表現方法 等에 있어서 見解가 若干 다를수 있었는것이다.

問 2. 이제는 그 意見의 差異가 解消 되었다고 보는가?

答: 앞서 말한것과 같이 語句上 및 表現上의 些少한 意見差異였고 實質的으로 아무 根本的 意見差異는 없는것이다.

그러기 때문에 共同聲明이 나오게 된것이고 또한 交涉이 再開 되게 된것이 아닌가.

8

0424

問 3. 交涉은 얼마나 오래 걸릴것으로 生覺하는가?

答: 行政協定 이라는것은 元來 廣範하고 複雜한 問題를 取扱하는것이기 때문에 依例히 그 交涉은 長期間을 要하는것이다.

NATO 行政協定만 하드라도 오랜 交涉 后 美國上院의 批准을 얻는데 만도 約 2年 以上의 時日을 要하였으며 美日 行政協定은 美國國會의 批准을 不必要로(?) 한것이 였지만 交涉期間 만도 2年 가까히 所要 되었든것이다

美國과 某自由友邦과의 交涉은 4年 以上이나 걸리고 있으나 아직도 締結을 보지 못하고 있는 形便이다. 따라서 現實的으로 보아서 韓美間의 行政協定도 지금부터 交涉을 始作하여 아마 民政復歸后에나 가서야 締結이 可能할것으로 보는바이다.

0425

2

問4. 美側에서 正常的 憲法政府의
樹立時까지는 締結 할수없다는
報導가 있는데 이에 關하여 論評
해주기 바란다.

答: 美側에서 말하는 正常的 憲法政府는
내가 이제 말한 民政을 뜻하는것이다.
이는 다만 表現上의 差異으것 뿐이다.

問5. 美側에서는 또 正常的 司法節次의 樹立時
에 締結 한다는것인데?

答: 民政이 復歸되면 ~~戒嚴令도~~ ~~自然히~~ 도
解除될것이고 따라서 司法節次가
正常化 될것은 當然한 일이다.
따라서 되풀이 말하게 되지만 美側에서
말하는 正常的 憲法政府나 正常的
司法節次의 樹立은 우리가 말하는
民政復歸와 實質的으로 同一한것을
意味 한다고 生覺한다.
(解釋하여야 할것이라고)

0426

또, 우리나라 司法水準問題에 있어서 우리는 반드시 美國의 司法水準을 模倣하여야 한다고 生覺하지 않으며 다만 美國이 行政協定을 締結하고 있는 다른나라들, 例컨대 日本 또는 NATO 諸國,의 司法水準은 우리에게 參考가 될수 있는 것이라고 生覺한다.

따라서 우리는 韓美兩國間에 行政協定의 締結을 不可能하게 하는 아무런 本質的 障碍도 없으며 兩側이 誠意와 忍耐로서 交涉을 推進한다면 合理的 期間内에 締結의 實現을 볼수 있을것으로 믿는 바이다.

그러나 事實上 우리는 只今부터 交涉을 始作하여도 時間的으로 보아서 民政復歸 以前에 協定의 締結이 實現될 可能性은 稀薄하다는것을 알고있다.

다만 民政이 復歸된 后 最短時日内에 締結에 까지 到達할수 있도록 只今부터 미리

0427

交涉을 進捗시켜 놓자는 것이 今般交涉再開에 臨하는 우리 政府의 態度인 것이다.

5

0428

1962. 7. 3. 하오 4시 30분부터 6시 5분 까지 주한미대사관 "버 — 거" 대사는 "매지스트레티" 부 대사를 동반하고 외무부장관을 방문 오담하였는데 동 오담중 외무부장관은 한미간 행정협정 체결 교섭 재개에 관한 공동성명서 안의 최종구절을 삭제하고 이를 발표하는 동시에 한미 양당국은 각각 별도로 신문 기자 회견을 갖는것이 어떻냐고 말한바 "버-거" 대사는 이는 미국측으로서 받아드리기 곤란한것이라고 대답하였음.

Memo by Pak Kun

62-11-44

0429

마이필 79-9(4)

0430

0431

KOREAN EMBASSY
WASHINGTON, D. C.

주미대 62 — 988 1962. 6. 28.

수 신 : 외무부장관

제 목 : 한미 군대지위협정 체결 교섭

연 : 주미대 62 — 905

1. 그간 미국정부 당국과의 협정교섭에 관하여 별첨 (1) 과 같이 보고함.

2. WD —0670 제 6 항의 지시에 따라 당 대사관이 행한 공보활동중 주요 부분을 별첨(2) 및 (3) 과 같이 보고함.

3. 본건에 관한 국무성 당국자와의 접촉에 관하여는 주미대 62 — 978 호로 별도 송부하는 당대사관 정무활동기록 No. 62 —150 호 및 No. 62 — 151 호로 각각 보고함.

미주과	안고재 7월 6일	담당	과장	국장	특별보좌관	차관	장관

별 첨 : (1) 면담기록.

(2) 윤 공보관 면접기록.

(3) 윤공보관 면접기록. 끝.

~~예고 : 군대지위협정 체결후 일반문서로 재분류~~

보통문서로 재분류 (1966. 12. 31)

주 미 대 사 정 일 권

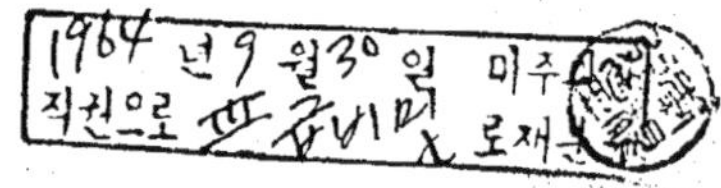

1964 년 9 월 30 일 미주과 직권으로 재분류됨 로재

미국문 118-47(12)

0432

<u>면 담 기 록</u>

1962. 6. 21.(목요일)

정일권 대사는 금일 오후 1시 45분 안광호 육군무관을 대동, 작 20일 월남, 태국, 지방 순시로부터 귀임한 마 육군참모총장 뎁카 대장을 방문하고, 한미군대지위협정 체결문제에 관하여 다음과 같이 토의함.

기

정대사는 한국정부의 현재 이문제에 대한 입장 및 주장 내용을 설명하고, 특히 한국문제에 경험이 있고 이해가 깊은 장군의 적극적 협력과 이해를 요망하였음.

이에 대하여 뎁커 대장은 다음과 같은 의견을 말하였음. 자기가 8군 사령관으로 재임당시부터 이문제에 당면하였음. 일본과 기타 나토 국가 등과 협정을 가지면서 한국에서 이 협정을 체결하지 않고 ~~없는~~ 있다는 것을 이해못하는 바 아니며 한국민의 감정도 또한 이해하는 바임. 또한 일부 학생 및 그에 영향력을 주는 사람들(group)의 심정도 알만함. 그러나 자기가 알기에는, 최근 협정에 관한 토의를 시작할 단계에 놓여있는 것으로 알고 있는데, 재판관할권 문제만은 제외되어 있는 것으로 듣고있음. 이 형사재판관할권 문제는 한국정부가 당면하고 있는 델리케이트 한 입장과 같이 미국에 있어서도 델리케이트 한 과제임. 특히 국회와 일반국민은 미국장병이 현재의 한국법절차에 의해서 재판 받는것을 반대하고 있음. 즉, 최근 한국에서 취해진 재판의 실례에 비추어 한국의 법절차가 미국의 그것과 같은 원리와 절차를 가지고 있지 않으므로, 재판절차에 대한 충분한 보장이 이해되기전에는 납득이 가지 않는것으로 보고있음. 현재 많은 미국국회의원이 한국을 우방으로 이해하고 적극적 협력을 표시하고 있는데, 이 형사재판권문제를 성급히 강행한다면 이들의 반발을 초래할 우려가 있음을 알려주고저함. 가령 형사재판관할권 협정이 체결되드라도 근무중의 불법행위는 미군법에 의거하여 처리될 것이며 단지 근무외의 행위만이 대상이 될것이므로, 한국정부로서는 실질적인 이점이 없다되지 않는 문제때문에 좋지 않은 반향이 올지도 모르는 현단계에 있어서 이문제를 신중히 고려하여야 할 것으로 생각됨.

0433

미원 03-19

[illegible]

0434

정대사는, 한미 양국정부가 서로 성의를 표시하면 해결될수 있으며, 해결을 위하여 진일보 하여야만 국민의 지지를 얻을수 있을것이며 이는 한미 양국의 공동목표를 달성하는데도 도움이 될것이므로, 동장군의 이해 있는 협력과 본건 협정을 위한 노력을 요망하는 바이라고 말함.

끝.

보통문서로 재분류(1966. 12. 31.)

1966, 12, 31에 예고문에 의거 일반문서로 재분류됨

0435

미편 118-117

0436

별첨(2)
윤보순 공보관

면담자 : 와싱톤 포스트지 논설위원 MERLO PUSEY

면담일자 : 1962. 6. 18. 12:00 —12:25

행정협정에 관하여 와싱톤 포스트지는 6.13 일자로 이에관한 사설을 게재하였음. 본직은 동 퓨 씨 씨를 만나 면담. 다음과 같은 요지의 의견교환을하였음.

1. 와싱톤 포스트지 사설에서 박의장 정부가 행정협정교섭 재개를 위하여 압력을 가하는 방도의 하나로서 시위를 사촉했을런지 모른다는 일종의 시사논평에 대하여 본직은 다음과 같이 언명하였음. 즉 현재 계엄령하에서는 어떠한 공공집회도 허용되어있지 않는 현실에 비추어 이러한 추측은 언어 도단이다. 이어서 본직은 첨언하기를 한국 학생들은 자존심이 강하고 독립정신이 강하여 어떠한 사촉에 의하여 절대로 행동하지 않으리라고 확신한다.

2. 동 사설에서 지적하기를 만약 미국이 너무 서둘러서 한국법정에 미국 군에관한 재판권을 부여할시에 한국에대한 군사원조를 철회하자고 하는 여론이 대두될런지 모른다는데 대하여 본직은 다음과 같이 언명하였음. 즉 미국민 일부에서는 아세아 특히 한국민을 잘 이해하지 못하고 있는것 같다. 즉 환언하면 만약 한국법정에 재판권이 부여되었을시에 본직이 확신하기는 미국군인이 한국법정에서 재판을 받을때에 한국인 자신보다도 더 관대한 재판을 받을것을 확신한다. 이것은 어디까지나 기술적인 문제로서 양측에 만족할만한 해결책을 볼수있을것으로 본다.

3. 동 사설에서 행정협정 체결를 민정복귀까지 연기하는 시사를 한데대하여 본직은 다음과같이 언명하였음. 즉 이 정권이 물러간후 장면정권이 선거를 통하여 정권을 잡게되고 미국정부가 이에 대하여 전적으로 지지를 하는 결의와 태도를 공표했음에도 불구하고 미국에 성의를 의심할 정도로 행정협정에 관한 교섭을 아무 진전도

0437

비밀 18-17

0438

없었다. 본직은 동씨에게 언명하기를 다음사항은 절대로 오푸더 레코드 로 언명하기를 당시 한미 행정협정에 관한 비공식 접촉에서 미국측이 피 알 하기 위한 로의에 끌쳤다는것이 문서상으로 나타나고 있다. 이것은 절대 공표할수없는 비밀이며 만약 한국국민이 이런것을 안다고 하면 정말 반미사상이 대두할런지도 모른다고 언명. 한미행정협정에 관한 논의는 지금 돌발적으로 야기된것은 결코 않이다. 이문제를 휴전이 조인된 1953 년 이후로 계속적으로 논의에 대상이 되어온것이며 우리가 요구하는것은 우리전쟁 비상시에 일시 양보했던 우리의 주권의 일부를 복귀시켜달라는데있는것이며, 결고 일본이나 독일이 가지고있지 않는것을 우리가 요구하는것은 아니다. 이에 대하여 동 퓨 씨 씨는 자기신문에 입장을 행정협정을 체결하는 방향으로 가야된다는 입장에는 하등에 변화가 없다. 문제는 시기문제며 또 미국내에서 외국사정에 정통하지못한 일부 국민들이 자기네의 자식 혹은 남편들이 외국에 법정에 의해서 재판을 받는다고 하면은 미군철수논그가지 대두될수있는 결과를 가져올 우력가 많으므로 이문제는 아주 심각한 개인적 문제에도 관련이 있다. 이에 대하여 본직은 그 원칙에는 행정협정 필요성에 하등에 이론이 없고 다만 한국실정에 정통치 못한 미국민을 위하여 와싱톤포스트 같은 영향력을 가진 유력지의 사명과 책임이 더국 크다는것을 강조하였음. 마지막으로 본직은 일부 미국신문에서 보도된바와 같은 소위 반미사상 대두에 관하여 다음과 같이 언명하였음. 우리한국에서는 반미주의가 있을수없다. 본직이 생각하는바로서는 반미주의란 미국을 원하지 않는 사람이라고본다. 그런데 우리 한국은 공산주의와 투쟁하는 제일선에선 나라로서 미국이 필요하며, 미국에 군대

0439

가 계속하여 우리나라에 주둔하여 우리 국군과 함께 공산침략을 막아야되는 입장에 있음에 비추어 어떻게 반미주의가 있을수 있느냐고 반문하였음. 일본과 같은 나라는 미국 군인 내지 미국 군사 기지를 철수 하라는 운동이 대대적으로 전개되는 실정하고는 완전히 근본적으로 다르다.

0440

별첨(3)

윤호근 공보관

면담자: 이브닝 스타지 논설위원 JOHN CLINE

면담일자 : 1962. 6. 18. 1100 — 1120

행정협정에 관하여 이브닝 스타지는 6.13 일자로 이에 관한 사설을 게재하였던바 본직은 동지의 논설위원 쟌 클라인 씨를 면담. 다음과 같은 요지로 의견을 교환하였음.

1. 행정협정 체결이 대국적인 견지에서 볼때에 진정한 의미로 한미 양국의 협동 정신을 선양하는 길이라고 강조한데 대하여 동씨는 동지의 입장은 어느 나라하고도 유사한 협정을 원측적으로 바대하여 왔다고 언명하였음. 본직은 이에 대하여 첨언하기를 어떠한 외국군대라도 어떠한 형식으로 독립국인 외국에 주둔하였을때도 그나라에 주권행사의 제재를 밤아야된다는것은 상식적인 문제이다. 우리는 공산군을 목전에 두고 쉴새없이 공산측의 선전공세에 직면하고 있고, 공산선전은 항상 우리를 가리켜 미제국주의에 압제비라고 그릇선전하고있다. 이러한 실정에 비추어서 유사한 선전이 실질적으로 주요한것은 아니지만 그런 선전이 주는 심리적 타격은 무시할수없다. 만약 미국이 진정으로 한미양국의 건전한 협동정신을 원한다고 하면은 우리가 전장 비상시에 임시 양보한 주권의 일부를 복귀시킴으로서 세계만방에 대하여 미국의 대국으로서의 자유 세계의 지도국이 될수있으며 우리에게 국가적인 자존심을 다소나마 선양시킴으로서 대 공산 주의에 대한 실질적인 선전 공세를 취할수있다.

2. 본직은 또한 동지의 사설에서 한국측에 요구에 응하기 보다는 차라리 미국군대를 철수해야될것이라는 논평에 대하여 놀라움을 표명할수밖에 없는 동시에, 이브닝 스타지와 같은 영향력을 가진 유력지가 이러한 감정적인 논평을 할때에 그런 논평이 미국일반에게 주는 영향의 결과는 미국이나 한국이 다같이 원하지 않을것으로 확신한다. 본직이 추언하기를 클라인씨가 잘아는바와 같이 한국전쟁이 왜 났으며,

0441

미국군인과 한국이 누구를 위하여 희생하였는가 이것은 오로지 한국의 자유뿐만아니라 전자유진영의 자유와 안전을 위해서 싸운것이다. 우리가 현재 미국으로부터 많은 군사 경제 원조를 받고 있음에도 불구하고 우리 육십만 대군을 유지하기 위하여 우리의 국내 세입의 약 30 퍼센트를 국방비에 조달하고있는 실정이다. 이러한 어려운 환경하에서도 공산당에게 아무저항없이 굴복하기보다 여러난관을 극복하여 공산주의와 끝까지 싸우겠다는 우리의 결의에는 하등에 변화도 없다. 우리가 현재 당면하고있는 여러 어려운문제는 즉 국토양단에서 오는 모든 비극은 우리자신의 선택이 아니였다. 우리에게 죄가 있다면 무자비한 국제정치의 미끼로서 우리가 국가적으로 약소국이였다는 죄밖에 없다. 이러한 모든점에 비추어 보아 이브닝 스타가 그러한 이론을 전개하는것은 매우 유감스러울뿐만아니라 매우 위험한 논법이라 하겠다. 본직이 묻고자하는것은 쿨라인 씨가 진정하게 미군이 철수를 해도 좋다고 하는 의도인지 모르지만 내가 알기에는 지금 우리가 당면하고 있는 공산위협에 그러한 결론이 나올수가 절대없다는것이다. 이어서 본직은 미국일부에서 한국법정의 후진성을 염려하는 나머지 행정협정을 반대한다는 시사가 있는데 대하여 한국사람 심리는 미국과 같은 우호국 국민들에게 조금이라도 더 후하게 대우하려고하는것이 우리국민의 민습이다. 이에 대하여 동 쿨라인씨는 본직의 방문을 통하여 많은 이해점을 발견하였으니 서로가 이해를 할 기회를 가졌다고 언명하였음. 본직은 이에 대하여 앞으로 어떠한 사태에 직면하였을시에 쿨라인씨가 우리대사관에 연락하여 의견교환을 요청함에 대하여 어느때라도 쾌히 응할것이며 또 이것이야말로 진정한 의미로서 친한 친구간에 해야할일이라고 생각한다.

보통문서로 재분류(1966.12.31)

0442

1966.12.31. 예고문에 의거 일반문서로 재분류됨

공 대 사 부공관장 참사관

람

Mr. Chai letter next 본국기안에 copy

전 무 활 동 기 록

(NO.62 - 151)

1. 기록작성자 : 성명 김동환, 오재희 직위 참사관, 3등 서기관

2. 면 접 자 : 성명 맥도날드 직위 국무성 한국과장

3. 일 시 : 서기 1962 년 6 월 27 일 오후 4 시 15 분 — 45 분

4. 장 소 : 국무성 한국과장실

5. 건 명 : 군대지위협정 및 유엔 한국문제

6. 내 용 :

김동환 참사관은 오 3등 서기관을 대동, 한미군대지위협정 교섭에 관한 장관훈령에 따라 국무성으로 맥도날드 한국과장을 방문하고, 아래와 같이 토의하였으며, 그 석상에서 금후 유엔한국문제에 관하여도 의견교환을 하였음.

1) 군대지위협정 : 김참사관은 WD—06121 호 훈령에 따라 외무부안을 설명하고 국무성이 이를 수락해줄것을 촉구함. 이에 대하여 맥도날드과장은, 외무부차관과 주한미대사관 부공관장관에 이문제에 관하여 토의가 있었던 것인데, 외무부 안은 지난 6 월 25 일 미국대사관으로부터 보고에 접하고 당일로 국무성은 대사관에 훈령하여, 미국정부의 필수 기본조건(ESSENTIAL CONDITIONS)을 반영(REFLECT, INDICATE)시킬 것을 조건으로 기타 용어 사용에 있어서 미국대사관에 위임하였으며, 따라서 본건은 미국대사관이 외무부와 계속적으로 협의할것이라고 말한다음, 동과장은 솔직하게 말해서 미국정부로서는 한국정부와 이문제에 관하여 합의할수 있는 범위는 미국측의 입장을 반영시키는 것이라고 말함. 미국무성이 말하는 기본조건에 관하여 좀더 상세히 말할수 없느냐는 질문에 대하여 한국과장은 이점은 이미 주한미국대사관을 통하여 외무부에 설명이

~~7. 의견 또는 건의 사항~~

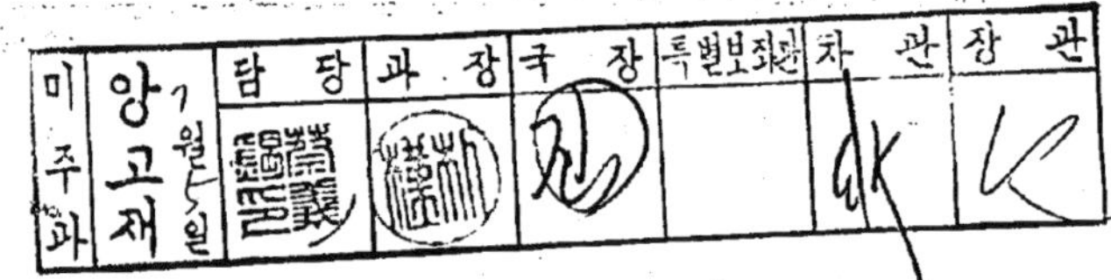

미주과	양 7월 일 고재	담당	과장	국장	특별보좌관	차관	장관

~~8. 비 고 :~~

1964년 9월 30일 미주과장 직권으로 일반문서로 재분류

0443

0444

되어있을것이라고 말하였으며, 6월 25일 이후의 국무성입장에 변동이 있겠느냐는 말에 대하여, 동 한국과장은 변동이 없다고 말함.

2) 유엔한국문제 : 김참사관은, 주 유엔 소련대표가 "남한으로부터의 외국군대 철수"를 금후 유엔총회 의제로 할것을 제기한것에 언급하여, 한국문제 토의에 관한 전망을 물은데 대하여 맥도날드한국과장은, 자기로서는 아직 소련제안에 관하여 충분히 검토를 못하였으나, 지금 현재로 우선 생각할수있는것은, 우리가 먼저 한국문제를 제기하느냐 또는 소련측의 움직임에 대항하느냐 하는것은 별로 문제되지 않겠지만 소련측 제안에 대항하도록하는 편이 좋을것으로 생각되며, 작년에는 우리가 극히 좋은 조건하에 있었으나 금년에는 사정이 좀 다를것인바, 문제는 북한국회의 결의문과 소련측 제안인데 그들의 목표는 한국문제 토의에 북한대표를 참석시키는것으로서 이를위한여 열심히 활동할것으로 생각됨. 금번 소련 제안의 어조를보면 매우 이치에 맞고 어느 누구도 모욕하지 않도록 애쓰고 있으며 주장의 내용은 유엔에 대한 오해를 없애기 위하여는 외국군대를 철수시켜야된다고 하는점으로 봐서 소련은 매우 이치에 맞고 평화적인척하도록 애쓰고있는것이며 이에 수반하여 아마 북한측도 사무총장앞으로 서한을 보내어 유엔을 찬양하고 모두 함께 한자리에 앉아서 한국문제를 토의하자고 나올런지도 모르겠다고 말함. 이어 한국과장은, 다른나라들을 설득함에 있어서 우리는 곤란을 받게 될런지도 모르겠다고 말함.

김참사관은, 주유엔대표부로부터의 정보에 의하면 부탁자발 그룹측은 금년에도 계속적으로 우리를 지지할것이라는 약속을 받았다는점을 말하자, 한국과장은 동일문제에 있어서는 그렇겠지만 지금 공산측이 기도하는것은 북한대표의 토의참석이며 이는 다른문제이라고 말함.

의 견 : 1) 군대지위협정 : 본건을 외무부에 보고할 것인바, 국무성은 일단 자기측 입장을 확정해놓고 공동성명 고섭을 서울대사관에다 미루어 융통할수있는 범위내에서 외무부와 접촉하도록 하고있는것으로 사료됨.

2)유엔문제 : 국무성은 공산측이 작년도의 전술을 바꾸어서 매우합리적이고 평화적인태도를 취할려고하는 전술에 대하여 주목하고있는것으로 사료됨. 본건은 국무성 사정을 좀더 파악한후 외무부에 보고함이 가하다고 사료됨.

0445

0446

Mr. Chai

공람	대 사	부공관장	참사관

전 무 활 동 기 록

(NO.62 - 150),

1. 기록작성자 : 성명 김동환. 오재희 직위 참사관. 3등 서기관

2. 면 접 자 : 성명 베이콘. 레놀드 직위 국무성 동아국 부국장 한국과 직원

3. 일 시 : 서기 1962 년 6 월 18 일 오전 10시30분 — 10시 50분

4. 장 소 : 국무성 동아국 부국장실

5. 건 명 : 한미 군대지위협정 교섭

6. 내 용 :

작 6월 17일 베이콘 부국장은 전화로 김참사관과의 회동을 요청하고 지난 6월 15일 서울에서 버거 대사가 최 외무부장관에게 수교한 미국측 AIDE-MEMOIRE 의 사본을 수교할 것이라고 말하였음. 따라서 김참사관은 금일 오전 10시 30분 오 3등 서기관을 대동하고 베이콘 부국장을 방문함(한국과 직원 레놀드씨가 동석함).

베이콘 부국장은 김참사관에게 전기 AIDE-MEMOIRE 사본을 수교한 다음, 최외무부장관으로부터 이에대한 답변이 있을것으로 생각된다고 말하면서, 한편 외무부장관은 아마 어려운 문제를 뒤로 미룰 생각을 하고 있는것 같은데, 버거 대사의 말과 같이 실무자 교섭을 시작할 용의는 있으나, 형사재판관할권문제는 입법 정치와 ~~회복하고~~ 일반 재판 기능과 법절차가 수립되때 까지는 체결(CONCLUDE) 하지 않겠다는것이 미국입장이라고 전기 AIDE-MEMOIRE 내용을 설명하였음. 이어 베이콘 부국장은, 그외에 또한, 우리는 미국군인의 보호를 위한 그러한 수준의 요건을 검토하여야만 할것이라고 말하였음.

7. 의견 또는 : 건의 사항

8. 비 고 :

0447

미원 1847

0448

이에 대하여 김참사관은, 재판관할권문제에 있어서는 한국정부는 내년의 일정이압 까지는 효력을 발생시키지 않어도 좋다는 입장을 취하고 있다고 말하자, 베이콘 부국장은 버거 대사가 명백이 언명한것처럼 미국입장은 협정을 서名한 시기 이전에는 체결(CONCLUDE)할수없다는 입장인데, 한국정부는 협정은 체결하되 효력발생은 일정시기까지 보류하겠다는 것이라고 말하였음.

의 견 :(1)첫째 돌발에 국무성이, 서울에서 전달된 AIDE-MEMOIRE 의 사본을 새삼스럽게 당지에서 우리측에 수교한점과, 둘째 지금까지 대사관 실무자측과 이문제에 관하여 직접 접촉을 가지지 아니하였던 베이콘 부국장이 이를 수교한 점과, 셋째 베이콘 부국장의 말은 미국측 입장을 다시 설명하는데 불과하고 특히 형사 재판관할권에 관한 문제는 한국정부가 생각하는것처럼 먼저 교섭을 완료하였다가 일정시기 후에 발효하게 하는것이 아니라 미국측이 제안한 시기 이후에 체결, 발효케 하겠다는점을 강조한 것으로 미루어 보아, 오늘 국무성의 태도는 지난 15일자 버거 대사가 제시한 미국입장이 확고한것임을 말하여 주는 외교적 제스츄어 인것으로 관주될수 있음.

(2) 본건을 금일 외무부에 타전 보고 한것임.

보통문서로 재분류(1966.12.31)

1966.12.31.에 예고문에 의거 일반문서로 재분류됨

0449

미국.문 78-117(12)

0450

朴議長에 美駐屯軍地位協定에 関한 부리핑

日時: 1962年 7月 9日 午前 10時 20分 부터 12時 까지

場所: 最高会議 議長附属室

參席者: 議長, 副議長, 外務国防委員長, 外務部長官
法務部長官, 國防部 長·次官, 公報部長官
最高会議 公報室長, 金弘一, 李漢基 議長顧問,
美洲課長

부리핑 内容 및 經緯

1. 美國側 6月 15日字 覚書 및 共同声明書案에 関한 問題点 및 그간의 交涉經緯를 議長에게 부리핑 함

2. 부리핑後 大略 다음과 같은 論議가 있었음.

議長: 美側이 내세운 두가지 條件 即 民政復歸와 正常的 司法節次의 復歸를 받아들인다면 우리 國民의 反應이 어떠할지에 対하여 먼저 李顧問에게 意見을 물었음.

李顧問: 協定에는 NATO型, 美·日型, 美·比型 및 미·에치오피아型 등이 있을수 있는데 韓·美 行政協定文草案은 이中 最高水準인 NATO 또는 美·日 協定의 形態를 取하고 있는데 앞으로 美側과 交涉結果 萬一에 美·比協定 程度의 水準까지 低下될 可能性도 있는바 이렇게 된다면 國民이 어떻게 生覚할런지 모르겠다고 말하였음.

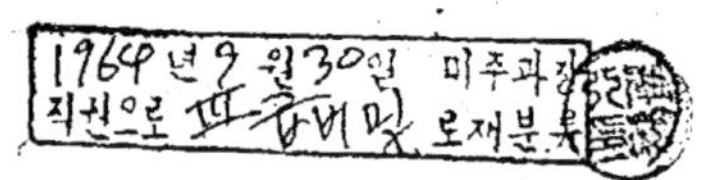

0451

公報部長官 : 第一에 民政復歸와 正常的 司法節次의 復歸條件으로 締結한다고 発表한다면 이제 安定狀態로 들어가서 國民과 革命政府사이가 順調롭고 緊密化되어 가고 있는것을 또 뒤흔들어 놓게될것이며 美側의 條件을 받아 들인다면 政府의 힘을 잡지 못하여 애쓰고 있는 小數不平分子 特히 거리에 彷徨하는 旧政治人들이 이것을 利用하여 革命政府에 어떠한 不利한 結果를 招来하게 될지 여기에 対한 責任을 못지겠으며 國民에 対하여 解明하기가 매우 困難한 것이라고 말하였음.

法務部長官 : 公報部長官의 意見과 비슷하다고 말하고 이러한 美側의 條件을 받아 들이고 協定締結交渉을 再開하는것 보다 오히려 民政復歸時까지 이대로 가서 民政復歸后에 交渉을 始作하는것이 政府立場으로서는 더 좋을것 같다고 말하였음.

柳委員長 : 民政復歸는 이미 國民뿐만 아니라 內外에 闡明한 바이니 國民輿論에 그다지 큰 影響이 없을것으로 生覺되는데 美國側으로서는 여기까지 온것은 相当한 讓步를 한것으로 生覺하며 亦是 美側은 美側으로서 美國会와 國民의 輿論을 참작하지 않을수 없는 것이라고 말하였음

外務部長官 : 美側은 前記 二個條件은 讓步할수 없는

0452

必須條件이라고 말하고 있으며 따라서 公報部長官이 말한것 처럼 國民에 対한 P.R.이 매우 難處한 立場에 서게 될것이라고 하는데 그러한 어려움은 무릅쓰고라도 行政協定의 早速한 実現을 위하여 國民을 納得시키고 交涉을 再開토록 하든지 그렇지 않으면 刑事裁判管轄权問題에 관하여는 未合意된채 現在 그대로 두고 其他의 問題를 討議하여 보도록 努力하여 보든지 할수 있는것이라고 말하였음.

公報部長官: 美側의 條件은 絶対로 받아 들일수 없는 性質의 것이며 P.R.에 있어서 責任질수 없는 問題라고 말하였음.

議長: 刑事裁判管轄权을 除外한 其他의 事項에 関한 交涉은 進行시키도록 하고 刑事裁判管轄权에 関한 交涉에 있어서는 韓·美 兩側의 異見이 調整되고 合致될때 까지 이대로 延期하기로 하고 國民에 対하여는 韓·美兩側의 意見差異로 因하여 現在 그 討議를 뒤에 미루고 있다고 말하면 되지 않겠는가 라고 말하였음.

外務部長官: 그렇다면 美側에 対하여 刑事裁判管轄权 問題는 그 討議를 当分間 兩側의 意見差異가 解消될때 까지 延期하고 于先 其他 事項에 対하여 交涉은 始作하자고 말하여 볼수 있으며 萬一에 美側에서 그것을 反対하여 受諾치 않는다면 現状대로

0453

交涉再開을 위한 努力은 當分間 繼續하여 未來의 民政復歸時까지 그대로 持續해나가는 한편 坡州事件과 같은 事件의 再發로 말미암아 國民感情이 또다시 惡化되지 않도록 하기 위하여 事前事后 對策이 잘 講究되어야 할것이라고 말하였음.

이에 關聯하여 外務部長官은 七部長官 對策委員會 會議를 通하여 이 事前事后 對策에 관한 結果를 맺겠다고 말하였음.

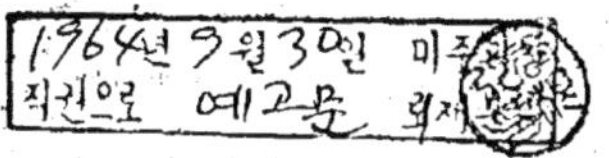

보통문서로 재분류(1966.12.31)

미주과	양고재 7월 9일	담당	과장	국장	특별보좌관	차관	장관

1966.12.31.에 예고문에 의거 일반문서로 재분류됨

0454

외교활동보고서

수 신 : 장관

제 목 : 정무국장과 "하비브" 참사관 과의 회담내용 보고

당국에서 외국인사와 접촉한 경위 및 내용을 다음과 같이 보고합니다.

- 아 래 -

1. 접촉인사 : 주한 미국대사관 "하비브" 참사관
   정무국장, 미주과장

2. 접촉일시 : 1962. 7.14. 9:00 - 10:00

3. 접촉장소 : 정무국장실

4. 접촉목적 : 주둔군지위 협정 교섭 재개에 관한 공동성명안에 대하여 상방의 의견차이를 조정하고, 우리측 입장에 대한 미측의 지지를 획득하기 위하여 실무자급의 접촉을 하기위한 것임.

5. 접촉경위 및 내용 :

(1) 정동소재 희랍 정교회 재산 소유권 귀속문제:

정무국장은 주둔군지위 협정 문제에 언급하기 전에 토의의 순조롭고 자연스러운 분위기 조성을 위하여 먼저 희랍 정교회 재산문제에 관하여 그동안 우리측에서 취한 조치를 "하비브" 참사관에게 설명하였으며 첫째, 지난 4월에 교회측에서 제기한 동재산의 소유권 확인 소송이 기각됨으로서 결과적으로 동재산은 귀속재산으로 확정되었으며, 둘째, 따라서 재무부에서는 귀속재산 처리법에 따라 경매처분 등의 행정처분을 하게되어 있는 것이었으나

미주과	七월十日	담당	과장	국장	특별보좌관	차관	장관

0455

1964년 9월30일 예고문에 의거 일반문서로 재분류

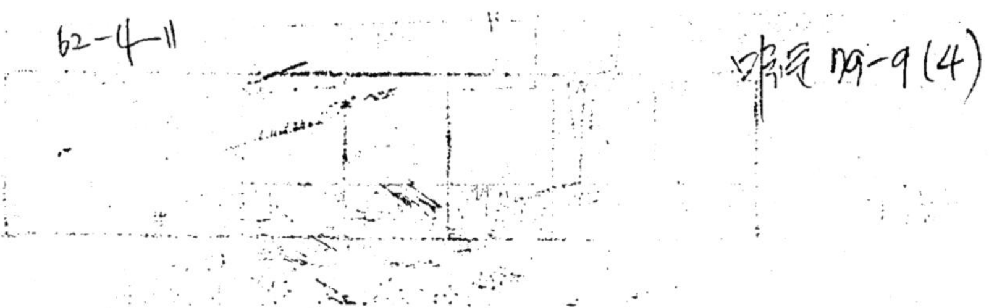

0456

셋째, 외무부에서 재무부에 요청하여 동재산 문제의 근본적인 해결을 볼때까지 우선 행정처분을 보류토록 하였음을 알려주는 동시에

넷째, 가능하면 외무부에서도 희담정교회 측에 유리한 방향으로 이 문제를 해결하기 위하여 모든 가능한 방법을 연구중에 있음을 말하였음.

여기에 대하여 "하비브" 참사관은 대단히 감사하다고 말하고 버 - 거대사에게 이사실일 보고하면 매우 고맙게 생각할것을 믿는다고 말하였음.

(2) 한일간 해저전선 사용료 문제 :

정무국장은 한일간 해저전선 사용료 문제에 언급하여 지난번 회담시에 요청한 이 문제의 실정 파악이 어느정도 되었느냐고 묻자 "하비브" 참사관은 현재 "후퍼" 1등서기관이 이 문제의 파악에 전력을 다하고 있으며 이미, 8군측과 두번이나 이문제에 관하여 회의를 개최한바 있으나, 아직도 완전한 파악이 못되었으며, 수일내에 끝나는대로 정무국장을 방문하여 파악한 실태를 알려주겠다고 말하였음.

정무국장은 일본측이 불합리하고 부당한 입장을 취하기 때문에 아직도 해저전선의 양분에 한일 양측이 합의를 보지못한 사실을 지적하고, 미국이 공정한 입장에서 이문제 해결에 한국측과 협조하여 우리측의 합리적 입장을 지지하여 줄것을 희망한다고 말하였던바, "하비브" 참사관은 자기로서는 현재 무어라고 말할수 없으며, 그문제는 한국과 일본사이에서 해결해야할 문제라고 생각한다고 말하였음. 여기에대하여 정무국장은 미국이 이문제의 공평하고 정당한 해결을 위하여 잘 조정하여 주기를 바란다고 말하였음. 62-4-42

0457

62-4-11

0458

(3) 주둔군 지위협정 교섭재개에 관한 공동성명안 문제:

정무국장은 주둔군 지위협정 문제에 언급하여 "하비브" 참사관에게 그동안 우리 신문에 보도된것을 읽어 보았느냐고 물었더니, 동참사관은 지난 월요일 박의장 지시라고 하여 최고회의 공보실에서 제공된 기사 내용을 말하는것인가고 물으면서, 그것은 물론 읽어 보았으며 그기사에 의하면 박의장은 관대하고 온화한 입장을 취하고 있지않는가 생각된다고 말하였음. 정무국장은 사실은 다른 장관들이 미측의 공동성명 안 중 ~~타협안을~~ 강력히 반대하였기 때문에 그안을 그대로 받아드릴수 없게된것이라고 말하고, 문제의 최종구절에서 "정상적 사법절차"만 뺀다면 "민정복귀" 구절만 가지고 다시한번 상부의 승락을 건의 해볼수있을지도 모르겠으나, "민정복귀"와 "정상적 사법절차"의 양 어구를 다넣은 현구절은 우리정부의 입장을 매우 곤란케하며 국민에 대해 극히 어려운 문제를 야기시킬 가능성이 있음으로 받아드리기 곤난하다고 말하고 재고를 촉구하였음. 여기에 대하여 "하비브" 참사관은 그것은 불가능한 일이며, 이미 한국측에서도 경험한바와 같이 미국의 여론과 언론도 때로는 매우 과격하고 지난번 학생데모때 미국내의 일부 신문기사가 그좋은 예라고 말하면서, 미국측 입장도 난처한점이 있을뿐만 아니라 자기나 버-거대사는 본국정부로부터 확고한 훈령을 받고있으므로 양보하기가 불가능하다고 말하였음. 여기에대하여 정무국장은 다시한번 무슨도리가 없겠는가고 다짐하자 "하비브" 참사관은 현재로서는 별도리가 없으며 한국 정부 당국의 재고를 바란다고 말하였음.

두가지 다 즉 "민정복귀"와 "정상적사법절차"의 구절은

62-4-43

보고서 작성자 정무국장 진필식

0459

62-4-11

미원 179-9

0460

電 文

WD-0773
201040

기 안 용 지

자 체 통 제		기안처	조 약 과 이 창 범	전화번호	근거서류접수일자
과 장		국 장	차 관		장 관
		전결			W.C.

관 계 관 서 명					
기 안 년 월 일	1962. 7. 20	시 행 년 월 일		보존 년한	5
분 류 기 호		전 체 통 제	종결		
경 유 수 신 참 조	주 미 대 사		발 신	외 무 부 장 관	
제 목	주둔군 지위협정 관계자료 수집				

정 서	기 장

미국이 지금 7가지 외국과 체결한 주둔군 지위협정의 당사국 수 및 당사국명에 관한 정확한 최근 자료를 수집 송부하기 바랍니다. 끝

승인양식 1-1-3 (1112-040-016-018) (190mm×260mm16절지)

0461

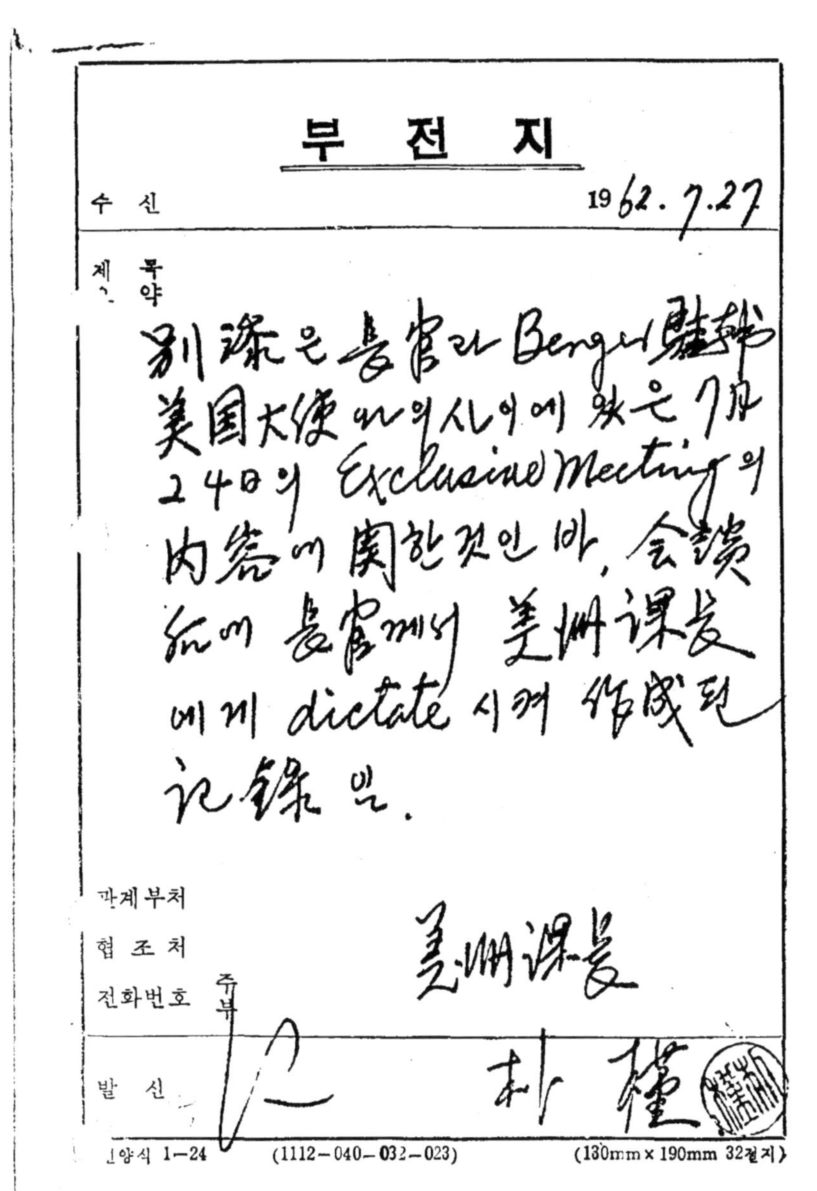

부 전 지

수 신 1962. 7. 27

제 목
요 약

別添은 長官과 Berger駐韓美國大使 사이의 사이에 있은 7月 24日의 Exclusive Meeting의 內容에 關한 것인 바, 會談後에 長官께서 美洲課長에게 dictate 시켜 作成된 記錄임.

관계부처

협 조 처

전화번호

美洲課長

발 신 朴權

공양식 1—24 (1112—040—032—023) (130mm×190mm 32절지)

0462

미 주 과

수 신 : 동북아 과장 1962. 7. 27.

제 목 : 장관과 버ー거 대사 간의 회담

1962. 7. 24. 장관과 버ー거 주한 미국 대사간에 있은 회담 내용은 장관께서 본인에게 서취 시켜 작성된 것을 별첨과 같이 송부하오니 서소 하시기 바랍니다.

유 첨 : 장관과 버ー거 대사간의 회담 기록서 사본 1부. 끝

1964. 9. 30. 에 예고문에 의거 일반문서로 재분류

미 주 과 장 박 근

0463

장관과 버-거 대사 간의 회담

1. 시 일 : 1962. 7. 24. 상오 11 시 부터 하오 12시 10분

2. 장 소 : 외무부장관실

3. 참석자 : 외무부장관 및 버-거 대사

4. 회담경위 :

(1) 주한 미국부대 교대식 석상에서 외무부장관은 버-거 대사를 단독으로 만날것을 요구하고 특별한 용무를 위한것보다도, 오히려 그냥 만나서 의견이나 교환하자고 외무부로 초치한것임.

5. 박의장에의 보고 :

동 회담내용을 7 월 25일 상오 11시부터 11시 20분 사이에 내각수반이 동석한 자리에서 의장 각하에게 보고하였음.

(수반에게는 24일에 이미 대충 보고한바 있음)

6. 회담내용 및 보고경위 :

(1) 버-거 대사는 그 언동이나 태도로보아 감정이 상당히 완화된것을 느낄수 있었으며, 우호적인 분위기 속에서 환담을 갖었음.

(2) 대일문제

(가) 장관은 먼저 대일문제에 언급하여 버-거 대사에게 한국은 미국측의 권고도 있고 또한 선거 기타의 일본측의 정치사정도 고려해서 이제까지 참고 기다리는 한편 성의있는 해결책을 모색하고 연구하여 왔음. 금일에 있어서 일본은 선거도 끝나고 대체로 정치적 안정을 가지게 되었다고 볼수있으니 우리는 차제에 미국이 한일문제에 관하여 어떠한 생각을 하고있는지 알고 싶다고 말하였음.

62-5-10

여기에 대하여 버-거 대사는 한일문제에 대한 종래의 미국측 입장에는 하등 변경이 없다는것을 명백히 하고 또한 미국은 아직도 한일문제에의 해결을 위한 희망을 가지고 있다고 하였음. 다만 한일관계에 관한 최근소식은 별로 들은바가 없으니 있으면 알려주기 바란다고 말하였음.

0464

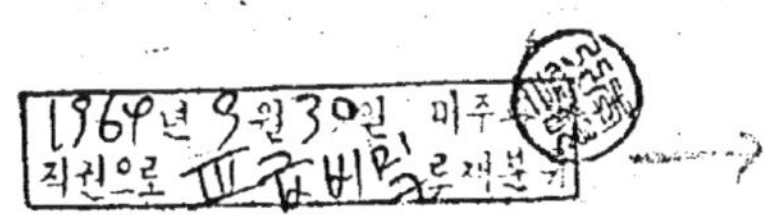

62-5-3 (4)

[illegible] 119-8 (4)

0465

여기에 대하여 장관은 버-거 대사의 희망이 있다는 말에도 불구하고 한국측은 점점더 우려하지 않을수 없는 형편임을 유감스럽게 생각한다고 말하고 그좋은 예로서 이번 신외상의 리-비 회견내용이 있다는것을 지적하고, 그회견 내용을 들은바 있는지 문의하였음.

버-거 대사는 대략 들었으나 자세히는 모른다고 말하였음.

장관은 따라서, "오히라" 일본 외상은 문제의 리-비 회견 내용을 자세히 설명해주고 이어서 강조하기를 우리 국민들 특히 지식인들은 그렇지 않아도 한일국교가 정상화되어 일본의 경제협력이 실시되게 되면 미국은 대한 경제원조 부담을 감소하기 위하여 그일부를 일본으로 하여금 부담토록 하는 방향으로 나가지나 않을까하여 많은 우려를 하고 있는 실정이라고 말하면서 만일에 전술한 일본외상의 말이 사실이라면 이것은 바로 우리국민의 여사한 우려를 뒷받침하는 것이 아닐수 없다고 생각한다고 말하였음.

여기에 대하여 버-거 대사는 이점에 관하여는 작년 11월에 러스크 국무장관이 한국을 방문하였을때 말한것이 있는데 현재에도 그것이 그대로 유력하며 적용되는 것이라고 말하고 또한 자기자신도 두차에 걸쳐 금년들어서 같은말을 한바있다고 강조하고 미국의 원조와 일본의 경제협력은 별개의 문제이며 국교 정상화 후의 일본의 경제협력은 미국원조에 "부가적" (additional) 인것으로 상호간에 직접 관련성이 없음을 명백히 해두고저 한다고 말하였음.

여기에 대하여 장관은 세계의 대세를 보든지 아세아의 정세를 보든지 또는 미국의 자유진영 영도자로서의 입장을 참작하여 한국측은 계속하여 한일 문제에 대한 성의를 다할 예정이며 따라서 십지여는 중요한 어떤 정책상의 전환도 해볼용의가 있는데 다만 한국측은 이러한 정책전환에 앞서서 미측으로부터 "미국원조를 일본측에 분담시키지 않는다" 나아가서 "한국경제 개발 예를들면 5개년 계획을 전적으로 지지한다" 는 것과같은 언질을 사전에 받아야 할것이라고 하였음.

0466

62-5-3

0467

버-거 대사는 5 개년 계획은 한국측의 국가계획 (Blue Print) 인데 미국정부는 여기에대하여 이미 이것을 완전히 지지한다는 것보다 오히려 개개 사업계획 별로 지지를하고 있으며 앞으로도 미국의 지지는 개개의 사업기준으로 될것이라고 말하고 이와 관련하여 또 내년도의 미국 경제원조는 약 1 억불정도가 될것이라고 이미 관계 당국에게 알려준바 있다고 하였음.

장관은 앞에서 언급한 중요한 대일정책 전환의 구상에관하여 이러한 정책전환으로 인하여 한일문제가 원만히 해결을 볼수있도록 일본측도 같이 응하여 올것이라는 보장을 받아야 한다는것은 강조하고 특히 과거의 예를보면 일본측은 언제나 최후의 순간에가서 무슨구실로 책임을 전가하려고 간계를부리고 발뺌을 할려는 경향을지적하였음.

버-거 대사는 이문제를 자기도 노력하여 관계 계통에 잘 말해보겠다고 하였음.

장관은 먼저 중요한 정책전환의 방안에 대하여 버-거 대사에게 설명하여 준 다음 우선 이것은 아직 결심한것이 아니고 연구중이라는 것을 명백히말하고 또 버-거 대사에게 이러한 내용을 연락할때에 전신을 이용한다는 것이 안전하지 못하며 가급적 서한을 이용할것을 충고하고 또한 이정책 전환 구상에 대하여 아직도 일본측과 접촉해서는 안되며 한국측은 다만 현재로서는 미국측의 의견만을 듣고저 한다고 말하였음.

여기에 대하여 버-거대사는 물론 자기정부에 보고하여 미국측의 의견을 알려주겠다고 말하면서 우선 당장에 자기개인의 의견으로 말할수있는것은 장관께서 말한 정책전환의 내용이 사실 중대한 것이라고 생각하며 국제여론에 매우 좋은 영향을 줄것이라고 하면서 만일 일본 대사관이 서울에 서게되면 일본대사를 언제든지 마음대로 불러 말할수 있는 유리한점도 있지 않는가 하였음. 62-5-12

0468

62-5-3 미문 779-8

0469

장관은 일본대사가 서울에 있게된다면 우리측으로서는 오히려 고통스러운 일일것이라고 설명하였음.

(나) 이상의 회담내용을 의장 각하에게 보고드리고 장관은 장관 개인 의견으로서는 한국, 미국, 일본의 3각 관계 외교에 있어서 한국과 일본은 서로 미국으로부터 최대한의 이익을 빼울려고 노력하는것으로, 우리측은 특히 와싱톤 고위당국에 대한 직접적인 교섭이 필요하다고 생각한다고 말하였음. 동석한 수반도 또한 한일간 국교정상화를 열망하고 지지하는 오지의 발언을 하였음.

장관은 또한 일본에대하여 강경한 P.R. 활동을 전개할것을 건의하고 이러한 강경한 P.R 은 한국측이 구상하고 있는 정책전환을 은폐하고 또한 유리한 국민 여론을 조성하기위하여 도움이 될것이라고 말한바 의장께서는 좋으니 외무부에서 잘해보라고 하였음.

제외

(3) 한미 행정협정 :

(가) 한미 행정협정에 관하여 버-거 대사와 논의한바 있는데 특히 형사재판 관활권 문제에 관한 토의는 쌍방의 의견차이가 해소될때까지 뒤로 미루고 우선 여타 문제부터 토의를 시작할수도 있지않겠는가 하고 문의한바 버-거 대사는 난색을 보였음.

(나) 따라서 행정협정 문제에 관하여서는 귀국한 김동환 공사에게 몇개의 안을주어 주미대사로 하여금 현지에서 교섭해보고 그 교섭결과에 의거하여 장관에게 건의토록 할것이라고 말하고 동시에 김공사가 지참할 안은 버-거 대사에게도 알려주는것이 좋을것이라고 말한바 의장께서는 좋다고 말하였음.

62-6-13

미주과	양 고 재 월 일	담 당	과 장	국 장	특별보좌관	차 관	장 관

0470

62-5-3 (4)

미지문 179-8(4)

0471

관리 번호 87

KOREAN EMBASSY
WASHINGTON, D. C.

주미대 62 — 1150 1962. 7. 26.

수 신 : 외무부장관

제 목 : 군대 지위 협정

검토필(196.4.12-30.)

대 :WP —0773, 연 :DW —07159

참조 :DW—06182

1. "군대지위협정"의 정의와 범주에 대하여 국무성이 명백한 입장을 취할수있는 기회를 부여하지 아니하고 또한 현재 한미 교섭과정에서 대호전문지시 자료가 문제되는것은 주로 형사재판관할권에 관한것임을 유의하여, 본건 자료를 구득함에 있어서는 국무성의 비공식 경로를 통하여 외국주둔 미국군인에 대한 형사재판관할권을 규정한 일체의 협정을 구득하도록 하였음.

2. 따라서 국무성관계 자료부터 얻은 별첨(1)의 리스트에는 "군대지위협정" 뿐만 아니라 형사재판관할권을 규정한 기타 협정도 포함되게된것인바, 이와 같이 형사재판관할권을 포함하였다고해서 이를 반드시 "군대지위협정" 이라고 호칭하지는 아니한점에 유의하여야 할것으로 사료됨.

3. 별첨(2) 이하의 자료는, 별첨 (1)에 명시된 자료중 인쇄된 것을 구득 할수 없거나 또는 최근의 것으로서 아직 외무부가 보유하지 않고 있는 것으로 사료되는 것만을 송부하기로 한것임.

0472

별 첨 : (1) List of Agreements.

(2) TIAS 4734.

(3) TIAS 4502.

(4) TIAS 5013.

(5) TIAS 4934.

(6) TIAS 4281.

(7) ~~XXXX~~ Procedural Agreement No. 16 between the United States and Spain.

(8) E. A. S. 235.

끝.

예고: 군대지위협정 체결후 일반문서로 재분류.

주 미 대 사 정 일 권

0473

별첨(1)

July 24, 1962

STATUS OF FORCES AGREEMENTS AND OTHER AGREEMENTS
CONTAINING STATUS OF FORCES PROVISIONS,
INCLUDING PROVISIONS REGARDING JURISDICTION OVER OFFENSES

Date signed	Country	TIAS	Subject
June 19, 1951	Multilateral: United States, Belgium, Canada, Denmark, France, Italy, Luxembourg, Netherlands, Norway, Portugal, United Kingdom, Turkey, Greece	2846	NATO Status of Forces agreement.
Aug. 28, 1952	Multilateral	2978	Status of International Military Headquarters.
Feb. 19, 1954	Multilateral	2995	Status of NATO forces in Japan.
May 26, 1952, as amended Oct. 23, 1954	Multilateral re Germany	3425, p.1492	Rights and obligations of foreign forces in the Federal Republic of Germany.
Mar. 19, 1957 Will terminate March 19, 1967.	Dominican Republic	3780	LORAN stations.
May 29, 1953	Ethiopia	2964	Defense installations.
Sept. 7, 1956	Greece	3649	Status of US forces.
May 8, 1951	Iceland	2295	Status of US personnel & property.
Jan. 19, 1960	Japan	4510	Facilities and areas and status of forces.
July 12, 1950	Korea	3012	Jurisdiction over offenses.
Sept. 9, 1954	Libya	3107	Defense.
Feb. 24, 1955	Libya	3607	Criminal jurisdiction.
Sept. 5, 1958	Nicaragua	4106	LORAN station.
July 18, 1959	Pakistan	4281	Peshawar communications center.
Jan. 16, 1962	Paraguay	4934	Mapping.
March 14, 1947	Philippines	1775	Military bases.
Sept. 26, 1953	Spain	2850	Defense agreement.

0474

Date signed	Country	TIAS	Subject
Feb. 4, 1955	Spain	Not printed	Procedural agreement no. 16 - jurisdiction over US forces.
⊐r. 24, 1962	Netherlands	5013	Sanderij Airport, Surinam.
June 23, 1954	Turkey	3020	Status of US forces.
Apr. 22 and July 21, 1955	Turkey	3337	Status of US forces.
Mar. 27, 1941	United Kingdom	EAS 235	Leased naval and air bases.
July 19 and Aug. 1, 1950	United Kingdom	2105	Leased naval and air bases.
July 21, 1950	United Kingdom	2099	Bahamas long range proving ground.
June 25, 1956	United Kingdom	3603	Long range proving ground--Ascension Island.
Nov. 1, 1957	United Kingdom	3927	Oceanographic research station--Bahamas.
June 24, 1960	United Kingdom	4502	LORAN station.
Feb. 10, 1961	West Indies Federation	4734	Bases in the West Indies.

0475

0476

자체 통제	[illegible]	기안처	미주과 이경훈	전화번호	근거서류접수일자
과장	국장	차관보	차관	장관	
	전결		전결		
관계관 서명					
기안 년월일	1962. 8. 2.	시행 년월일	62. 8. 3.	보존 년한	정서 기장
분류 기호	외정무 255	전체 통제	1962.8 종결		
경유 수신 참조	주미 대사	발신	장관		
제목	주한 미국 군대 지위 협정 체결 교섭 자료 송부				

주한 미국 군대의 지위에 관한 협정 체결 교섭 재개를 위한 별첨 자료를 송부 하오니 ~~시수 하시기 바랍니다~~. 참고하시고 미국측과의 교섭 결과와 의견을 수시로 보고하시기 바랍니다.

별첨 : ~~REFERENCE MATERIALS FOR NEGOTIATIONS ON SOFA~~

끝

보통문서로 재분류(1966. 12. 31.)

1966, 12, 31에 예고문에 의거 일반문서로 재분류됨

승인양식 1—1—3 (1112—040—016—018) (190mm×260mm16절지)

1964년 9월 30일 미주 직권으로 프급비밀 로 재

REFERENCE MATERIALS FOR NEGOTIATIONS ON SOFA

The following information and discussion are intended to serve as a source of reference in carrying out negotiations for a formal resumption of talks on SOFA.

1. The Issue

(1) The U.S. side wants to set forth in its proposed joint press statement the following two conditions for the conclusion of a SOFA.

a) Establishment of "Civil Government" (The U.S. side originally proposed the phrase, "normal constitutional government", but later agreed to replace it with "civil government.")

b) Establishment of "Normal Judicial Procedures" (The U.S. side originally proposed the phrase, "normal legal procedures" which was later changed to "normal judicial procedures.")

(2) Our side does not want to accept the condition b), and wants to delete both conditions, if possible, from the joint press statement, or from any formal joint statement.

2. Analysis of the U.S. Position

(1) The above U.S. position seems to be based primarily on the following considerations.

a) To postpone the conclusion of a SOFA as long as possible. It is evident that the United States is reluctant to conclude, or even to resume negotiations, for a SOFA, and wishes to postpone an agreement with us on the status of U.S. military forces stationed in Korea. The above two conditions are only intended to facilitate such delay or postponement.

b) To placate the Congress and the public opinion on the question of criminal jurisdiction, once the negotia-

0477

0478

tion are resumed.

c) To influence the forthcoming constitutional changes in Korea towards the direction most desirable and favorable from the U.S. standpoint, i. e. towards the establishment of a constitutional democratic government and an independent judiciary in Korea.

(2) Evaluation

a) With the purpose to refuse our request for the conclusion of a SOFA, the United States hitherto has offered various excuses such as the fact that the U.S. forces in Korea are a part of the U.N. forces, or that Korea is still techincally in a state of war. The latest U.S. conditions relative to the political and judicial system of Korea may be regarded as another of U.S. excuses.

b) Neverthless, we can also assume that this time the United States is sincere and in good faith in agreeing, if only conditionally, to resume SOFA negotiations, since the U.S. Government appears to be seriously concerned about the possible deterioration of friendly feelings between the peoples of the two countries due to such incidents as occurred in Paju.

c) Upon such an assumption, we may suppose that, of the above-mentioned two U.S. conditions, i. e. the establishment of "civil government" and of "normal judicial procedures", the establishment of "civil government"alone seems to be able to give minimum satisfaction to the U.S. side as far as the American Congress and public opinions are concerned, and therefore the phrase, "normal judicial procedures", may not necessarily be an "essential" or "indispensable" condition in order to placate the Congress and the people of the United States.

0479

미원 78-16

0480

d) However, it seems that the U.S. Government intends to use the proposed conclusion of a status of forces agreement as a political instrument in order to exert its influence on the forthcoming constitutional changes, especially to encourage the emergence of a democratic government and an independent judiciary. Hence, the United States seems to insist upon the insertion of the both conditions.

3. Position of the ROK

(1) Points that must be taken into consideration in formulating our policy on the resumption of SOFA negotiations.

a) Effects on the Korea-Japan Talks:

It is conceivable that the Japanese side might use any failure to resume SOFA negotiations as an excuse for delaying the normalization of the Korea-Japan relations until the establishment of "normal constitutional government" in Korea.

b) Effects on the Korea-U.S. Relations:

First, if our side refuses to reopen negotiations because of the aforementioned U.S. conditions, the U.S. government might interpret our refusal as an indication that the Korean government is not really under a serious public pressure for the early conclusion of a SOFA even if it was the Korean side which originally requested the resumption of negotiations under the allegedly strong public pressure. At the same time, the U.S. side appears to feel that such U.S. conditions would not be provocative or hurtful to the Korean people.

Second, the rejection of those conditions by our side could also be misconstrued as a possible sign of

0481

미문 78-16

0482

relunctance on the part of the Revolutionary Government to restore civil government in 1963. Such a misconception, if ever entertained by the U.S. side, will be very dangerous and harmful to the friendly and smooth relations between the two governments, and therefore must be thoroughly and totally dispelled through effective diplomatic activities.

Third, in view of the above considerations, it may be said that the Korea-U.S. relations in general could be adversely affected by any failure to resume SOFA negotiations. On the other hand, the U.S., on its part, would welcome the delay caused by such failure as far as the conclusion of a SOFA itself is concerned.

c) Effects on our Public Opinions:

First, in view of the wide publicity which the issue of SOFA negotiations received in Korea, it is conceivable that the people are expecting too much from the government, and they therefore would likely be disappointed if the resumption of negotiations were not effected.

Second, should an incident similar to those of Paju recur in the future, the public opinion might be stirred up more strongly and the Government would be blamed for its inability.

Third, some ~~anti-government people~~ "old politicians" might be able to exploit such failure to further their own political ambition, and might spread such malicious rumor that the U.S. Government has decided not to do any serious business with the present Revolutionary Government any more.

Finally, at the same time, even the people who might be sympathetic with the Government may begin to blame the U.S. side and thereby there could eventually grow an anti-American feeling in Korea.

0483

미문 78-16

0484

Thus, it may be concluded that every effort should be made to bring about the resumption of SOFA negotations on a basis as acceptable as possible.

(2) Our Present Position:

a) In light of the above discussions, our side must, on the one hand, cooperate with the United States to give them as much satisfaction as possible regarding their proposed conditions. On the other hand, we must check their possible delaying action, or their possible attempt to postpone the conclusion of a SOFA.

b) Although our side has given the U.S. side an informal and oral agreement on the condition "civil government", we would like to avoid the same condition inserted in a joint press statement.

c) Our side cannot agree, formally or informally, on the second condition, i. e. "normal judicial procedures."

(3) On the basis of the above, (the following approaches are still worthy of further exploration. (All of them, except d), have been explored by the Ministry in its contacts with the U.S. Embassy in Seoul.)

a) Delete the last sentence of the proposed joint press statement, i. e. "Accordingly, it is understood that in view of the forthcoming constitutional changes in Korea, the conclusion of a Status of Forces Agreement will await the establishment of civil government and normal judicial procedures".

b) Resume negotiations for a SOFA without any public announcement in the form of a joint statement or of separate press releases, since both sides already issued a joint statement back in 1961.

c) Delete the last sentence and insert the following

0485

비문 78-16

0486

paragraph: "It is understood, however, that actual negotiations on the question of criminal jurisdiction will be started at a mutually agreeable time."

d) Delete the same from the joint press statement, and include the proposed paragraph "c)" in an Aide Memoire.

e) Dispense with the joint press statement, and adopt separate press releases, the text of which may or may not be mutually agreed upon in advance.

f) Delete the phrase, "and normal judicial procedures", and leave the phrase, "restoration of civil government", only. (This has to be still approved by the higher authority.)

4. <u>Directives</u>

It is requested that the Washington Embassy try to explore the best possible approach through appropriate diplomatic contacts and the evaluation of situation on the spot, and submit most practical recommendations to the Ministry regarding the possible way of facilitating the resumption of SOFA negotiations. For the purpose of reference, the above six approaches are listed in the order of priority.

보통문서로 재분류(1966.12.31)

1966년 9월 30일 미국 직권으로 예고문 로재

1966.12.31.에 예고문에 의거 일반문서로 재분류됨

미주과	양 고 재	월 일	담 당	과 장	국 장	차관보	차 관	장 관

0487

마찬 78-16

0488

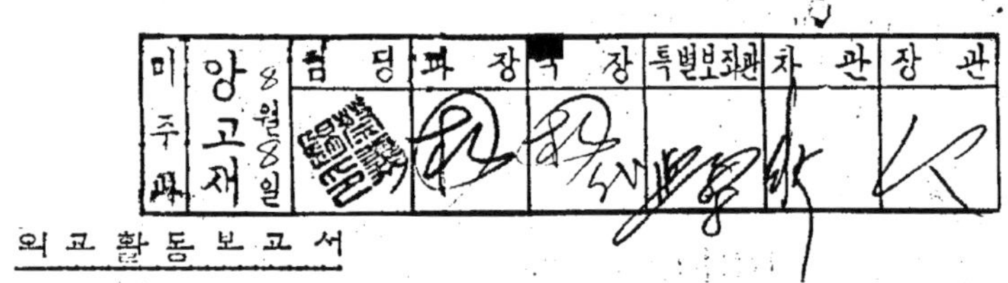

외교활동보고서

수 신 : 장 관

0489

제 목 : 정무국장과 "하비브" 참사관과의 회담내용 보고

당국에서 외국인사와 접촉한 경위 및 내용을 다음과 같이 보고합니다.

- 아 래 -

1. 접촉인사 : 주한미국대사관 "하비브" 참사관
정무국장, 미주과장

2. 접촉일시 : 1962. 8. 7. 1400 - 1500

3. 접촉장소 : 정무국장실

4. 접촉경위 : "하비브" 참사관의 요청에 의함.

5. 접촉내용 :

(1) 라오스 사태

"하비브" 참사관은 지상으로 주태국 유재흥 대사의 귀국을 알았다고 하면서 무슨 특별한 용무나 이유가 있어 본국으로 업무협의차 소환한것인가고 물으면서 특히 지난번 한국정부에서 주라오스 대사에 대한 아그레망 신청문제에 대하여 무슨 진전이 있느냐고 물었음.

정무국장은 유재흥 대사의 귀국은 순전히 개인적인 이유에 의한 휴가요청을 정부가 허락한것에 불과한것이며 주라오스 대사에 대한 아그레망 요청은 그후도 그대로 추진하고 있으며 현재까지는 별다른 특별한 진전은 없다고 말하였음.

"하비브" 참사관은 자기도 그후 새로운 소식을 들은것이 없다고 말하면서 자유중국과 중공의 경우와 우리나라와 북괴의 경우를 비교하면서 말하기를 자유중국은 이미 신임장을 제정하였을뿐 아니라 자유중국이나 중공도

0490

마찬가지로 어느 한편이 라오스와 외교관계를 수립할때에는 다른 한편은 그것을 인정할수 없다는 입장에서 소위 2개의 중국을 인정하는것과 같은 처사를 그어느쪽도 수락하지 않기때문에 자유중국이 이미 앞서 외교관계를 수립한 이상 중공은 자유중국을 제거하지 않는한 라오스와 외교관계를 맺을려고 하지않을 것이지만 한국과 북괴의 입장은 이와달라 머어려운 사정에 있다고 생각하며 그이유는 북괴는 중공과는 달리 두개의 한국을 인정하는 입장을 무방하게 생각하고 있다고 추측이되며 따라서 비록 한국이 신입장을 제정하고 대사관을 설치한 후에라도 북괴는 한국과 대등하게 라오스와 국교관계를 맺고 그들의 대사관을 설치하려고 기피할것이기 때문이라고 말하였음. 그러면서 동 참사관은 만일에 한국 대사관이 설치된후에 북괴가 그들의 대사관을 설치하는데 성공한다면 한국측으로서는 매우 어려운 처지에 서게될것이며 이러한 어려움을 예상하여 무슨 대책을 연구한바 있는가하고 물으면서 예를들면 대사관대신 총영사관 같은것을 설치하여 북괴로하여금 대사관 설치를 못하게하고 인도의 경우와 같이 한국과 북괴가 총영사관으로서 서로 맞서게 되도록 하는방법도 있지않으냐고 말하였음.
여기에대하여 정무국장은 자기생각으로는 북괴가 대사관을 설치하려고 라오스에 제의하기 전에 우선 중공의 입장을 지지하고 추종하여 자유중국의 축출을 기피할것으로 보며 중공이 두개의 중국을 부인하기 때문에 자유중국이 있는한 라오스와 외교관계를 맺지 않을것이므로 북괴도 역시 이러한 중공의

0491

62-4-11

0492

입장을 무시하고 난폭으로 라오스와 외교관계를 수립하는 것을 주저할것으로 본다고 말하고 또한 라오스 정부의 입장에서 볼때에도 북괴와의 외교관계 보다도 중공과의 관계가 좀 대한 문제일것이므로 북괴와의 외교관계 수립은 그렇게 쉽사리 이루어질것으로 보지않는다고 말하였음. 그러나 만일 북괴가 외교관계를 수립한다면 한국으로서는 이에대한 엄중한 항의와 더부러 한국과 라오스와의 외교관계를 단절 하지않을수 없을것이라고 말하였음.

(2) 한미 행정협정

"하비브" 참사관은 일전에 장관께서 버-거 대사에게 김동환 공사가 귀임시에 가지고간 우리측의 대안의 내용을 주한미국 대사관측에도 참고로 알려주겠다고 말한데 대하여 어떠한 대안을 가지고갔는지 알고싶다고 말하였음.

여기에대하여 정무국장은 그 대안의 내용을 설명하여주고 김동환 공사가 지참한 우리측의 대안을 별첨사본과 여히 수교하였음.

"하비브" 참사관은 매우 감사하다고 말하고 행정협정의 교섭재개를 위하여 미국측에서도 모든노력을 다하고 있다는 점을 강조하면서 "민정복귀" 와 "정상적 사법절차의 수립" 의 두조건중에서도 특히 민정복귀는 절대로 철회할수 없는 절대적 조건임을 강조하므로서 "정상적 사법절차" 의 구절에 관하여서는 그것을 철회 하도록 하는것이 전혀 불가능한것이 아닌듯한 인상을 약간 주는듯 하였으나 역시 미국측에서도 와싱톤 국무성 허가가 필요하다는 점, 그리고 그허가는 얻기가 [illegible] 을 강조하였음.

62-11-40

62-4-11

0494

장관과 "버-거" 대사간의 회담

1962. 8. 31. 하오 2 시 주한미대사관 "버-거" 대사는 "메지스트메트" 부대사를 대동하고 외무부장관을 방문하고 3 시까지 다음과같은 문제에 관하여 오답하였음.

1. "버-거" 대사는 한미간 재정 및 재산에 관한 최초협정에 의거한 부채지불에 관하여 이것이 그동안 중단되고 있으나 한국정부로서 그지불을 재개하는 것이 미국 국회에나 정부의 대한 호감을 증진하는데 큰 도움이 될것이라 하고 지불을 시작할것을 권고하였음.

2. 동대사는 또한 오는 유엔총회에 관하여 이번에 유엔의 자격과 권한을 인정한다고 하면서 북괴측에서 총회참석을 꾀할 가능성이 엿보이는바 비록 북괴가 참석한다 하드라도 한국측으로서는 퇴장같은 것을 함으로서 북괴측의 독무대를 주지않도록 그런경우에 대처할 대책을 연구 수립하여 유엔 대표단이 가기전에 가지고 가는것이 좋겠다고 하였음.

3. 장면 전국무총령의 구속에 대하여 이것도 국제여론에 그다지 좋은 영향을 주지못할것이라고 염려하였음.

4. 행정협정에 관하여 론하였음.

5. 경제원조 문제

6. 김유택 경제기획원장 방미문제

7. 일본…에 관하여 일반적인 [illegible]

보통문서로 재분류(1966. 12. 31.)

62-10-1

미주과	담당	과장	국장	차관보	차관	장관
안고재						

장관님의 Dictation에 의하여 美洲課長이 作成

1966. 12. 7. 에 예고문에 의거 일반문서로 재분류됨

1964년 9월 30일 미주 직권으로 Ⅲ급비밀로재분류

0495

62-10-1 (1)

[illegible] 79-6(1)

0496

정무국장과 "하비브" 참사관과의 면담 요지

1962. 8. 31

1. 시 일: 1962년 8월 31일 1200 부터 1230 까지
2. 장 소: 정무국장실
3. 참석자: 정무 국장, 미주과장
"하비브"참사관, "후렉" 1등서기관
4. 면담경위: "하비브"참사관의 요청에 의한것임
5. 면담 요지:

"하비브" 참사관은 "버거" 대사가 와싱톤으로 부터 행정협정에 관한 새로운 지시를 가지고 돌아왔다고 하면서 정무국장을 방문한 것은 금일 하오 2시에 외무부장관과 동문제에 관한 면담을 하기로 되어 있는바 그에 앞서 정무국장에게 사전 "브리핑"을 하여 줌으로서 하오 2시에 있을 장관-대사면담이 있기전에 외무부장관에게 사전설명과 협의를 할수 있도록 하기 위한 것이라고 하였음.

우선 무엇보다도 이사항에 관하여서는 절대로 비밀을 지켜주고 누설되는 일이 없도록 하여주기 바란다고 전제하면서 동참사관은

1. 한국정부가 그간 반대하여온 정상적 사법절차 (Normal judicial procedures) 구절를 미국측으로서는 삭제하는데 동의할 용의가 있음. (별첨 미국측이 제시한 새로운 공동성명서안 참조)

2. 전번에 미측에 비공식으로 제시한 우리측 회담각서 초안에 있어서 한국측이 사법수준에 관하여 언급한 구절 즉"미국이 행정협정을 체결하고 있는 다른나라들의 사법수준을 행정협정 체결을 위하여 수락할수 있는 사법수준으로서 간주할것이다"라는 구절대신에 "미국에 비등한 사법수준의 문제에 관하여 미국은 미국과 상의한 사법과정과 절차를 가진 나라들과 주둔군 지위협정을 체결할수 있었다는 사실을 지적하였다" (별첨구절 참조) 라는 구절로서 대치할것을 제의하였음.

0497

62-4-11

明은 119-5(2)

0498

그 이유를 설명하여 [illegible] 미국측이 한국측에 대하여 미국과 비등한 사법수준을 요구한것을 반대한 한국측의 입장을 미국측은 충분히 이해할수 있으며 또 반면 그렇다고하여 전기 비공식 각서 초안에서와 같이 제 3국에 사법수준을 그대로 행정협정 체결을 위한 사법수준으로 수락하기에는 미국측의 입장이 난처한바가 있다고 하면서 따라서 한국측의 입장과 미국측의 입장을 가장 무난하게 그리고 합리적으로 조정한 전술한바와 같은 구절을 제의한것이라고 말하였음.

정무국장은 미국측의 새로운 제안에 대하여 검토하여보고 또 상부에 보고하겠다고 말하였음.

하비브 참사관은 만일에 공동성명을 발표하게 된다면은 와싱톤과 서울에서 동시에 발표할수 있도록 미국측의 적어도 24 시간의 여유를 주어야할것이라고 말하였음. 끝

62-4-37

미주과	양고재 9월 7일	담당	과장	국장	특별보좌관	차관	장관

보통문서로 재분류(1966.12.31.)

0499

62-4-11

0500

JOINT ROK - US PRESS STATEMENT

Resumption of Negotiations of Status of Forces Agreement

The American Ambassador has informed the Minister of Foreign Affairs that the United States Government is prepared to reopen negotiations for an agreement covering the status of the United States Armed Forces in the Republic of Korea. The Foreign Minister welcomed this development on behalf of his government.

Both sides agreed that negotiations would resume at the working level sometime in September. It is recognized that any status of forces agreement involves complex matters and it is expected that negotiations will require a considerable period of time. Accordingly, it is ~~recognized~~ understood that in view of the forthcoming constitutional changes in Korea, the conclusion of a Status of Forces Agreement will await the restoration of civil government.

(OKed by Berger at the meeting bet. Minister, Berger + Magistretti held on 8/31. 1962 from 2.00 ~ 3.00 exclusive.)

0501

With regard to judicial standards comparable to those of the U.S., the Foreign Minister noted that the U.S. has been able to work out status of forces agreements with countries which have judicial processes and procedures differing from those of the U.S.

美國에 比한 司法水準 問題에 關하여 外務部長官은 美國은 美國과 相異한 司法過程과 節次를 가진 나라들과 駐屯軍地位 協定을 締結할 수 있었다는 事實을 指摘하였다.

0502

기 안 용 지

자체 통제		기안처	미주과 이경훈	전화번호	근거서류접수일자

과 장	국 장	차관보좌관	차 판		장 판	내각 수반

관계관 서명					
기안 년월일	1962.9.3.	시행 년월일		보존 년한	갑
분류 기호		전체 통제		종결	
경유 수신 참조	건 의			발신	
제 목	한미간 행정 협정 체결 교섭 재개				

별첨과 같은 각서를 주한 미국대사관에게 수교하고 공동성명서를 9월 4일부로 발표함으로서 교섭을 재개할 것을 건의하나이다.

유첨 : 본건 각서 및 공동 성명서안 각각 1통

1962, 9, 6, 에 예고문에 의거 일반문서로 재분류됨

승인양식 1—1—1 (1112—010—016—016) (190mm×260mm16절지)

0503

0504

1962. 9. 3.

議長閣下

美駐屯軍地位協定交涉再開에關한報告

今般 버-거 美大使의 歸任時에 持參한 美側의 新讓歩線에 따라 일이 九月二日에 報告드린바에 依據하여 別添과 같은 覺書案과 共同聲明書案을 通하여 美駐屯軍地位協定의 締結을 爲한 交涉을 再開하고저 하나이다. 共同聲明은 九月四日 서울과 華府에서 同時에 發表할것입니다. 끝

外務部長官
최덕신

LKH

0505

韓美共同聲明書(最終案)

— 美駐屯軍地位協定에 關한 交涉再開

駐韓 美國大使는 外務部長官에게 美國政府가 駐韓美駐屯軍地位協定에 關한 交涉을 再開할 用意가 있음을 通報하였다. 外務部長官은 韓國政府를 代表하여 이 提議를 歡迎하였다.

兩國政府는 實務交涉을 九月中에 再開하는데 合意하였다. 어떠한 駐屯軍地位協定도 複雜한 問題를 內包하고 있는 故로 交涉은 相當한 時日을 要하게 될것을 認定하는 바이다. 따라서 韓國에 不遠間 있을 憲法改正에 鑑하여 駐屯軍地位協定의 締結은 民政移讓을 기다려 이루어 ~~질것이라는 것을~~ 지게 될것으로 理解하는 바이다.

비문 79-4

0507

0508

(註: 美側은 最初에

"左右間 當分間에 不遠間있을 憲法改正에 鑑하여 正常的 憲法과 法的節次가 樹立될 때까지는 駐屯軍地位協定의 締結이 不可能하다는 것을 認定하는 바이다"

라는 句節을 要求하여왔음. 여기에 對하여 我側은

첫째 "正常的 憲法과 法的節次" 云々은 極히 主觀的인 判斷에 依存하는 條件임으로 이를 受諾할수 없다고 主張하고, 일이 我側이 言約한바 있는 "民政移讓"이란 客觀的 時期로서 代置토록 交涉한것임

둘째, 美側最初案은 前述한 主觀的 條件이 滿足될때까지 協定의 締結이 "不可能하다는 것을 認定한다"라고 되어있어 否定的인 表現으로 끝나 있을뿐아니라, 그以前에 締結될수 있다는 可能性은 全혀 없었으나, 最終案에서는 "民政移讓을 기다려 締結될것이라는 것을 諒解한다"라고 하여 肯定的인 表現으로서, 어디까지나 그以前에도 締結의 可能性이 있을수 있다는 余裕를 남겨두었음)

셋째 미 民政移讓 云々은 共同声明書에서 削除하게 되었음 ——→

미원 79-4

0509

JOINT ROK - US PRESS STATEMENT

Resumption of Negotiations of Status of Forces Agreement

The American Ambassador has informed the Minister of Foreign Affairs that the United States Government is prepared to reopen negotiations for an agreement covering the status of the United States Armed Forces in the Republic of Korea. The Foreign Minister welcomed this development on behalf of his government.

Both sides agreed that negotiations would resume at the working level sometime in September. It is recognized that any status of forces agreement involves complex matters and it is expected that negotiations will require a considerable period of time. Accordingly, it is understood that in view of the forthcoming constitutional changes in Korea, the conclusion of a Status of Forces Agreement will await the restoration of civil government.

0510

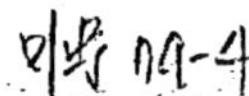

0511

覺書 (最終案)

駐韓 美國軍隊의 地位에 関한 協定을 為한 交涉再開를 美國政府에 要請한 一九六二年 三月十二日字 外務部長官의 覺書와 그 后의 討議에 関聯하여 外務部長官은 大韓民國은 相互便利한 早速한 時日內에 會談을 再開할 用意가 있다고 美國大使에 通報하였다.

이와 関聯하여 外務部長官은 어떠한 駐屯軍地位協定도 複雜한 問題를 包含하고 있으며 따라서 交涉이 相當한 期間을 要할 것이라는 美國大使의 見解에 同感하였다. 그러한 事情에 鑑하여 外務部長官은 덜 複雜한 問題를 먼저 討議하고 더 複雜한 問題는 會談이 進展함에 따라 后에 討議하는 것이

0512

→

미북 77-4

0513

可能할것이라고 말하였다.

美國에 比等한 司法水準問題에 關하여 外務部長官은 美國은 美國과 相異한 司法過程과 節次를 갖인 나라들과 駐屯軍地位協定을 締結한수 있었다는 事實을 指摘하였다. (註: 最初美側은 "美國에 있어서와 比等한 裁判이 保障되지 않는限 協定을 締結할수없다." 고 覺書에서 主張하였다. 여기에 対하여 我側은 "美國과 駐屯軍地位協定을 締結하고 있는 다른 나라들의 司法水準을 韓美間에 同協定을 締結하는데 있어서 받아드릴수 있는 水準으로 看做할수있다" 고 하는 代案을 提示하였다. 그結果 이번 "버-거"大使의 歸國을 契機로 最終案과 같은 妥協案이 提示된것임.)

0514

0515

外務部 長官은 兩政府가 適當한 期間內에 關聯된 問題를 包含하는 協定을 이룩하는데 最善을 다할것을 바란다는 그의 眞摯한 要望을 披瀝하였다.

0516

미문 09-4

0517

AIDE-MEMOIRE (FINAL DRAFT)

With reference to the Foreign Minister's note of March 12, 1962, requesting the United States Government to reopen negotiations for an agreement covering the Status of the United States Armed Forces in Korea and subsequent discussions on this subject, the Foreign Minister informed the American Ambassador that the Government of the Republic of Korea is prepared to reopen negotiations as soon as mutually convenient.

In this connection, the Foreign Minister shared with the American Ambassador the view that any status of forces agreement involves complex matters and it is likely that negotiations will require a considerable period of time. The Foreign Minister stated that, under such circumstances, it is possible to discuss less complex subjects first, and more complex subjects later as negotiations make progress.

With regard to judicial standards comparable to those of the United States, the Foreign Minister noted that the United States has been able to work out status of forces agreements with countries which have judicial processes and procedures differing from those of the United States.

The Foreign Minister expressed his sincere desire that the both Governments do their utmost toward bringing about agreements covering relevant subjects within a reasonable period of time.

Seoul,

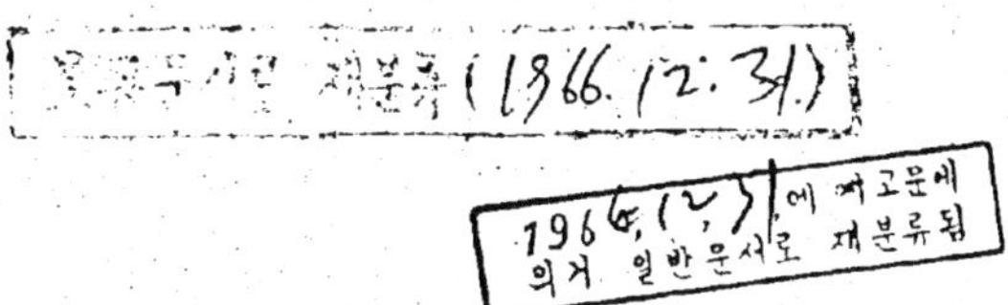

0518

미북 722-4(8)

0519

韓美共同声明書

美駐屯軍地位協定交渉再開

駐韓美國大使는 外務部長官에게 美國政府가 駐韓美軍地位協定에 關한 交渉을 再開할 用意가 있음을 通報하였다. 外務部長官은 韓國政府를 代表하여 이 提議를 歡迎하였다.

兩國政府는 九月中에 實務交渉을 再開하도록 合意하였다. 어떠한 駐屯軍地位協定도 複雜한 問題를 內包하고 있는 故로 交渉은 相當한 時日을 要할 것을 認定하는 바이다. ~~따라서~~ 韓國에 不遠間 있을 憲法改正에 鑑하여 駐屯軍地位協定의 締結은 民政移讓을 기다려 이루어지게 될 것~~임을 諒解하는~~ 으로 理解~~하는~~ 하는 바이다. ~~바이다.~~

0520

외교문서 비밀해제: 주한미군지위협정(SOFA) 3

주한미군지위협정(SOFA) 서명 및 발효 3

초판인쇄 2024년 03월 15일
초판발행 2024년 03월 15일

지은이 한국학술정보(주)
펴낸이 채종준
펴낸곳 한국학술정보(주)
주 소 경기도 파주시 회동길 230(문발동)
전 화 031-908-3181(대표)
팩 스 031-908-3189
홈페이지 http://ebook.kstudy.com
E-mail 출판사업부 publish@kstudy.com
등 록 제일산-115호(2000. 6. 19)

ISBN 979-11-7217-014-1 94340
979-11-7217-011-0 94340 (set)